Sp 620.192 Fre
Freinkel, Susan, 1957-
Plástico : un idilio tóxico /

34028080363048
HM $24.95 ocn772113418
08/23/12

WITHDRAWN

Susan Freinkel

PLÁSTICO

Un idilio tóxico

Traducción de Victoria Ordóñez Diví

86

Título original: *Plastic. A Toxic Love Story*

1.ª edición: febrero de 2012

© 2011 by Susan Freinkel. Todos los derechos reservados
Extracto de «Plastic» (en pág. 9), de Unincorporated Persons in the Late Honda Dynasty, by Tony Hoagland. © 2010 by Tony Hoagland

© de la traducción: Victoria Ordóñez Diví, 2012
Diseño de la colección: Estudio Úbeda
Reservados todos los derechos de esta edición para
Tusquets Editores, S.A. - Cesare Cantù, 8 - 08023 Barcelona
www.tusquetseditores.com
ISBN: 978-84-8383-393-3
Depósito legal: B. 417-2012
Fotocomposición: Moelmo, SCP
Impresión: Limpergraf, S.L. - Mogoda, 29-31 - 08210 Barberà del Vallès
Encuadernación: Reinbook
Impreso en España

Queda rigurosamente prohibida cualquier forma de reproducción, distribución, comunicación pública o transformación total o parcial de esta obra sin el permiso escrito de los titulares de los derechos de explotación.

Índice

Para Eli, Isaac y Moriah

Me pregunto si habría servido de algo
acercarme a ellos y explicarles unas
cuantas cosas

¿Sobre el plástico?
Sobre por qué es mucho más elástico
que la naturaleza humana,

lo que explica algunas de las tensiones
que sufre el yo de finales del siglo XX.

Tony Hoagland, «Plastic»

AGRADECIMIENTOS

Cuando me propuse escribir sobre el mundo de los plásticos desde un punto de vista general, no tenía ni idea de la enormidad del proyecto. Al igual que los plásticos abarcan muchos aspectos de la vida moderna también lo hizo mi investigación, la cual me llevó a decenas de campos sobre los que sabía muy poco inicialmente. Por tanto, necesité mucha ayuda para ensamblar esta cadena de margarita literaria. Mencionar a todos aquellos con los que hablé ocuparía un segundo volumen, pero, además de los ya mencionados en el libro, tengo una deuda de gratitud para con las personas que menciono a continuación, por compartir conmigo su tiempo y sus conocimientos tan generosamente.

Raymond Giguere, de Skidmore College, volvió a impartirme las clases básicas de química en las que me había dormido en mis años de instituto. En Leominster, Massachusetts, tuve la enorme fortuna de conocer a Louis Charpentier. Louis, que empezó a trabajar en el sector de los plásticos en 1927, compartió conmigo tanto sus recuerdos de los primeros años de la industria como su colección de botones. Marianne Zephir, antigua conservadora del Museo Nacional del Plástico en Leominster, que, desgraciadamente, cerró sus puertas en 2009, también me ayudó en mis primeras investigaciones. Tuve la suerte de conocer más datos sobre los primeros años del plástico gracias a Julie Robinson, historiadora especializada en el celuloide, y Don Featherstone, creador del flamenco rosa.

Quiero agradecer su tutoría básica sobre la tecnología de los polímeros a Jeffrey Wooster y a Bob Donald, de Dow Chemical Company; Dan Schmidt, Universidad de Massachusetts en Lowell; y Matt Naitove, de la revista *Plastics Technology*. También quiero mostrar mi agradecimiento a Material ConneXion y a sus empleadas Beatrice Ramnarine y Cynthia Tylerel por permitirme vislumbrar las asombrosas posibilidades que ofrecen los polímeros.

Por compartir conmigo las perspectivas de la industria sobre varios temas relacionados con los plásticos, doy las gracias a Chris Bryant, Keith Christman, Steve Hentges, Jennifer Killinger, Steve Russell y Tim Shestek del American Chemistry Council [Consejo Químico Estadounidense]; Glenn Beall, de Glenn Beall Consulting; Robert Bateman, de Roplast Industries; Isaac Bazbaz, de Superbag Corporation; Mike Biddle, de MBA Polymers; John Burke, del Food Service Packaging Institute [Instituto para el Envase de Servicios Alimentarios]; Bill Carteaux, de la Society of Plastics Industry; Mark Daniels, de Hilex Poly Company; David Durand, de Townsend Solutions; Marc Greene, de Axion International; David Heglas, de Trex Inc.; Kevin Kelley, de Emerald Packaging, Inc.; Tony Kingsbury, de Dow Chemical; George Mackinrow, consultor y autor de una crónica no publicada sobre la batalla de las bolsas; Robert Malloy, director de ingeniería de los polímeros en la Universidad de Massachusetts en Lowell; Ken Pawlak, autor de un libro de próxima publicación sobre los plásticos en la medicina; Alicia Rockwell, de Savemart Corp.; y C.A. Webb, de Preserve, Inc. Rafeal Auras, Diane Twede y Susan Selke, de la Escuela del Embalaje de la Universidad del estado de Michigan, me ayudaron a entender los aspectos científicos y tecnológicos del embalaje. Pude apreciar mejor el serio negocio que hay detrás de la diversión de la industria juguetera con la ayuda de Bill Hanlon, de Learning Mates; Robert von Goeben, de Green Toys; Dan Mangone, de Discovering the World; Sally Edwards, del Centro para la Producción Sostenible de la Universidad de Massachusetts en Lowell; Tim Walsh, autor de *Wham-O Super-Book: Celebrating Sixty Years Inside the Fun Factory*. Kelly Chapman y Stan Chudzik, de Goody's, me aportaron una información muy útil sobre el negocio y la tecnología de los peines.

El arte y el diseño, campos nuevos para mí, se volvieron más comprensibles gracias a la ayuda de George Beylerian, de Material ConneXion; Cristiano de Lorenzo, de Christie's en Londres y Alexander von Vegesack, del Museo de Diseño Vitra. Gracias también a Manfred Dieboldt, antiguo ingeniero de Vitra, por compartir conmigo sus recuerdos sobre la fabricación de la silla Panton.

Mi visita a China se habría quedado en nada sin la ayuda y los comentarios perspicaces de Fu An, de Guangdong Plastics Industry Association; Joe Wong, de Innotoys; Victor Chan, de Wild Planet; Tony Lau, de Canfat Manufacturing; L.T. Lam, de Forward Winsome Industries; Sarah Monks, cronista de la industria juguetera de Hong Kong; Jurvey Gong, de ColuComan Chemical Technology; y la asistencia inestimable de Steve Toloken de *Plastic News*.

Por la ayuda que me prestaron al explicarme los complejos mecanismos de los interruptores endocrinos y los dilemas sanitarios que plantea el uso de los plásticos en medicina, quiero expresar mi gratitud a George Bittner, Universidad de Texas en Austin; John Brock, Warren Wilson College; Antonia Calafat, Centers for Disease Control [Centros para el Control de las Enfermedades]; Earl Gray, de la Environmental Protection Agency [Agencia de Protección Medioambiental]; Russ Hauser, Harvard School of Public Health; Patricia Hunt, Universidad del Estado de Washington; Mark Ostler, Hospira, Inc., David Rosner, Universidad de Columbia; Ted Shettler, Science and Environmental Health Network; Rebecca Sutton, Environmental Working Group; y Sarah Vogel, autora de un libro de próxima publicación sobre la política del bisfenol A. Gracias también a los siguientes administradores sanitarios, médicos y enfermeros por las conversaciones que mantuvimos sobre los papeles y los riesgos de los plásticos médicos: Valerie Briscoe, Centro Médico John Muir; John Fiascone, Universidad de Tufts; Julianne Mazzawi e Irena Solodar, unidad de cuidados intensivos neonatales del Brigham and Women's Hospital; Gina Pugliese, Premier, Inc.; Laura Sutherland, Practice Green Health; y Susan Vickers, Catholic Healthcare West. Y mi agradecimiento a los abogados Billy Baggett, de Lake Charles, Louisiana, y Herschel Hobson de Beaumont, Texas, por describirme sus experiencias en litigios relacionados con el cloruro de vinilo.

Para ponerme al día sobre la compleja ciencia de la oceanografía y los detritos marinos recibí la ayuda de Joel Baker, Universidad de Washington; James Dufour, Peter Niiler y Miriam Goldstein, Scripps Institution of Oceanography; Holly Bamford, National Oceanographic and Atmospheric Administration (NOAA) [Agencia Nacional para la Oceanografía y la Atmósfera]; David Barnes, British Antartic Survey; James Ingraham, antiguo empleado de NOAA; Kara Lavender Law, Sea Education Association [Asociación para la Educación Marina] y Hideshige Takada, Universidad de Agricultura y Tecnología de Tokio. Quiero mostrar mi agradecimiento en particular a todas las personas entregadas a la causa del Proyecto Kaise, las cuales pasaron muchas horas hablándome de su trabajo: Mary Crowley, Michael Gonsior, Andrea Neal, George Orbelian, Dennis Rogers y Douglas Woodring.

También estoy en deuda con toda una serie de activistas políticos y expertos en políticas medioambientales que me explicaron las complejidades de diversos asuntos relacionados con los plásticos. Entre sus filas se cuentan Vince Cobb, ReusableBags.com; David Allaway, Departamento de Calidad Medioambiental de Oregón; Lindy Coe-Juell, City of Manhattan Beach; David de Rothschild, Expedición Plastiki; Bryan Early, Californians Against Waste [Californianos contra los Residuos]; Marcus Erikson, Algalita Marine Research Foundation; Mark Gold, Heal the Bay [Protejamos la Bahía]; Miriam Gordon, Clean Water Action; Joe Greene, Universidad Estatal de Chico; Richard Lilly, Seattle Public Utilities; Cheryl Lohrmann, fundadora de Leave No Plastic Behind [No Dejemos Plástico Detrás de Nosotros]; Pam Longobordi, creadora de obras realizadas con residuos plásticos encontrados en la playa; Brady Montz, Sierra Club en Seattle; Heidi Sanborn, California Product Stewardship Council [Consejo de Supervisión de Productos de California]; Sharron Stewart, activista en Lake Jackson, Texas; Leslie Tamminen, Seventh Generation Advisors; Emily Utter, antigua empleada de Chico Bags y Michael Wilson, Universidad de California en Berkeley. Tim Kasser, de Knox College, emitió reflexiones muy útiles sobre la psicología del consumismo. Mike Verespej, de *Plastics News,* fue una inestimable fuente de información sobre las luchas de las bolsas y otros debates de política medioambiental relacionados con los plásticos.

Por su ayuda al explicarme lo que les sucede a mis objetos de plástico cuando he acabado de usarlos, quiero dar las gracias a los siguientes expertos sobre reciclaje y eliminación de residuos: Frank Ackerman, Universidad de Tufts; Lyle Clark, Stewardship Ontario; Susan Collins y su antecesora Betty McLaughlin del Container Recycling Institute [Instituto para el Reciclaje de Envases]; Paul Davidson, WRAP; Edward Kosior, Nextek Ltd.; Charlie Lamar y Ed Dunn, Haight Ashbury Neighborhood Council Recycling Center; George Larson, consultor sobre residuos sólidos; Ted Michaels,

Energy Recovery Council [Consejo para el Reciclaje de la Energía]; Patty Moore, Moore Associates; Clarissa Morawski, CM Consulting; Bruce Parker, National Solid Waste Association [Asociación Nacional de Residuos Sólidos]; Jerry Powell, director de *Resource Recycling and Plastics Recycling Update;* Robert Reed y Leno Bellomo, Recology; Dennis Sabourin, National Association for PET Container Resources [Asociación Nacional de Recursos para Envases de PET]; Alan Silverman, Eagle Consulting; Peter Slote, Oakland Solid Waste and Recycling [Residuos Sólidos y Reciclaje de Oakland]; Kit Strange, Resource Recovery Forum [Foro para el Reciclaje de Recursos]; y Kathy Xuan, Parc Corporation.

Entre mis guías en el nuevo mundo indómito de los plásticos pospetróleo cabe mencionar a Tilman Gerngross, Dartmouth College; Brian Igoe, Metabolix; Brenda Platt, Institute for Local Self-Reliance [Instituto para la Autonomía Local]; y Frederic Scheer, Cereplast.

También quiero transmitir mi agradecimiento a los gurús de la sostenibilidad que me ayudaron a analizar los numerosos significados de esa palabra de cuyo uso tanto se abusa: John Delfausse, de Estée Lauder; Ann Johnson de Sustainable Packaging Coalition; Robert Lilienfeld, coautor de *Use Less Stuff: Environmentalism for Who We Really Are;* Andrew Wilson, autor de *Green to Gold;* Cathy Crumbley y Ken Geiser, de Lowell Center for Sustainable Production, y un millón de gracias al equipo de expertos del Toxics Use Reduction Institute, y a los miembros del departamento de ingeniería de polímeros de UMass Lowell, los cuales se reunieron todo un día para responder a mis consultas: Pam Eliason, Greg Morose, Liz Harriman y Ramaswamy Nagarajan.

Las personas que menciono a continuación tuvieron la amabilidad de leer y comentar diversas partes de este manuscrito: Susan Collins, Cathy Crumbley, Peter Fiell, Robert Friedel, Robert Haley, Russ Hauser, Marianna Koval, Naomi Luban, Donald Rosato, Dan Schmidt, Seba Sheavly, Shanna Swan, Brenda Platt, Jerry Powell, Joel Tickner y Nan Wiener. Cualquier error que se encuentre en el texto será enteramente mío.

Obviamente, la información proporcionada por todos estos expertos no constituiría un todo coherente sin una clara orientación editorial y apoyo a raudales. Tuve la suerte increíble de contar con ambos, empezando por mi fabulosa agente Michelle Tessler y mi extraordinaria editora de mesa Amanda Cook. Amanda es la clase de lectora comprometida, perspicaz y exigente con la que los escritores sueñan pero a la que pocas veces encuentran en el mundo actual de la edición. Gracias también a la magnífica correctora Tracy Roe por evitarme múltiples bochornos estilísticos y gramaticales, y a Lisa Glover por hacer un seguimiento del libro en todas las fases de producción. Mi hermana, Lisa Freinkel, contribuyó a desarrollar el esquema organizativo del libro y absorbió muchos más datos triviales sobre el plástico de los que hubiera querido conocer. Mi hermano, Andrew Freinkel; mi madre, Ruth Freinkel y mis tres hijos, Eli, Isaac y Morah Wolfe, me proporcionaron un apoyo inestimable. Tengo la fortuna de contar con un rastreador de libros en la familia, de modo que le estoy muy agradecida a mi cuñado, Ezra Tishman, por enviarme textos poco conocidos sobre los polímeros. Asimismo, muchas gracias a Leslie Landay y a Jim Shankland por permitirme usar de nuevo su preciosa casa para invitados como refugio donde escribir. No hubiera podido emprender el arduo proceso de escribir un libro sin la ayuda de mi maravilloso grupo de escritura, North 24th: Allison Bartlett, Leslie Crawford, Frances Dinkelspiel, Sharon Epel, Kathy Ellison, Katherine Neilan, Lisa Okuhn, Julia Flynn Siler y Jill Story. Y, por encima de todo, quiero expresar mi más profundo agradecimiento a mi marido, Eric Wolfe, por su apoyo, su paciencia, su entusiasmo y su asombrosa capacidad para encontrarle sentido a todo.

Introducción
Plasticville

En 1950, una fábrica de juguetes de Filadelfia inventó un nuevo accesorio para los aficionados a los trenes eléctricos: kits con edificios de plástico ensamblables para construir una ciudad llamada Plasticville, Estados Unidos.[1] Los muñecos de plástico para poblar la ciudad eran opcionales.

Plasticville empezó siendo una tranquila zona rural donde los trenes pasaban junto a graneros de paredes rojas hasta llegar a un pueblo con casas acogedoras de estilo colonial, como las de Cape Cod, una comisaría de policía, un cuartel de bomberos, un colegio y una pintoresca iglesia blanca con un campanario. Pero con los años la línea de productos se amplió y llegó a ofrecer un barrio bullicioso lleno de casas coloniales de dos plantas y de bungalós a dos niveles, y una calle principal que contaba con un banco, una combinación de ferretería y farmacia, un supermercado moderno, un hospital de dos plantas y un edificio del Ayuntamiento inspirado en el histórico Independence Hall de Filadelfia. Con el tiempo, Plasticville llegó a contar incluso con un motel, un aeropuerto y su propio canal de televisión, WPLA.

Hoy todos vivimos en Plasticville, por supuesto. Pero no tuve claro hasta qué extremo el plástico había invadido mi vida hasta que decidí pasar un día entero sin tocar nada que estuviera hecho con dicho material. La inutilidad de este experimento resultó evidente unos diez segundos después de levantarme en la mañana elegida, mientras me dirigía arrastrando los pies hasta el baño con cara de sueño: el asiento del retrete era de plástico. Cambié rápidamente de plan: me pasaría el día anotando todo lo que tocara que estuviera hecho de plástico.

Al cabo de cuarenta y cinco minutos había llenado toda una página de mi cuaderno Penway (que a su vez tenía que catalogarse como hecho parcialmente de plástico, dado su encolado sintético, así como mi lápiz n.º 2 bien afilado, que estaba recubierto de una pintura amarilla que contenía resina acrílica). Éstas son algunas de las cosas que anoté mientras llevaba a cabo mis quehaceres matinales:

> Despertador, colchón, esterilla eléctrica, gafas, asiento del retrete, cepillo de dientes, tubo y tapa de la pasta de dientes, papel pintado, encimera de Corian, interruptor de la luz, mantel, robot de cocina Cuisinart, tetera eléctrica, tirador de la nevera, bolsa de fresas congeladas, mango de las tijeras, envase de yogur, tapa del tarro de miel, jarro para zumo, botella de leche, botella de agua mineral con gas, tapa del tarro de la canela, bolsa del pan, envoltorio de celofán de la caja de té, envoltorio de la bolsita de té, termo, mango de la espátula, botella de lavavajillas, bol, tabla para cortar, bolsas para guardar alimentos, ordenador, polar, sostén deportivo, pantalones de yoga, zapatillas deportivas, recipiente de comida para el gato, taza dentro de dicho recipiente para sacar la comida, correa del perro, Walkman, bolsa del periódico, sobre de mayonesa tirado en la acera, cubo de la basura.

—¡Jopé! —exclamó mi hija, abriendo los ojos mientras recorría con la mirada la lista, que no dejaba de aumentar.

Por la noche había llenado cuatro páginas de mi cuaderno. Mi norma consistía en anotar cada objeto una sola vez, incluso los que tocara repetidamente, como el tirador de la nevera. De no hacerlo así, podría haber llenado el cuaderno entero. Con todo, la lista incluía 196 artículos, desde objetos grandes, como el salpicadero de mi monovolumen —en realidad, todo el interior— a minucias como las pegatinas de forma ovalada que adornaban las manzanas que comí para almorzar. Como cabía esperar, los envoltorios ocupaban gran parte de la lista.

Nunca hubiera dicho que el plástico fuera una constante en mi vida. Vivo en una casa de casi cien años. Me gustan los tejidos naturales, los muebles antiguos y la comida casera. Hubiera jurado que mi hogar contiene menos plástico que el del norteamericano medio, por razones más estéticas que políticas. ¿Tanto me engañaba? Al día siguiente anoté todo lo que tocaba que no estuviera hecho de plástico. A la hora de acostarme había anotado 102 artículos en mi cuaderno, lo que suponía una proporción de plástico/no plástico de casi dos a uno. Ésta es una muestra de la primera hora del día:

> Sábanas de algodón, suelo de madera, papel higiénico, grifo de porcelana, fresas, mango [fruta], encimera de granito, cuchara de acero inoxidable, grifo de acero inoxidable, papel de cocina, huevera de cartón, huevos, zumo de naranja, molde de aluminio para tartas, alfombra de lana, mantequillera de cristal, mantequilla, plancha de hierro forjado, tarro de sirope, tabla de madera para cortar el pan, pan, colador de aluminio, platos de cerámica, vasos, pomo de cristal, calcetines de algodón, mesa de comedor de madera, correa de castigo metálica de mi perro, tierra, hojas, ramitas, palitos, césped (y, si no hubiera usado una bolsa de plástico, lo que mi perro depositó en el césped entre todas esas hojas y ramitas).

Curiosamente, me pareció más difícil y aburrido elaborar la lista de objetos que no estaban hechos de plástico. Dado que había prometido no enumerar cada objeto más de una vez, después de la primera tanda de anotaciones la variedad escaseaba. Al menos en comparación con el catálogo de los plásticos: madera, lana, algodón, cristal, piedra, metal, comida. Y aún más resumido: animal, vegetal, mineral. Estas categorías básicas englobaban casi todos los artículos de la lista no plástica. La lista de plásticos, por otra parte, incluía toda una cornucopia de materiales, una selección impresionante de los productos sintéticos que han acabado convirtiéndose en una parte tan significativa, aunque extrañamente invisible, de la vida moderna.

Al reflexionar acerca de la extensa lista de plásticos presentes en mi entorno, caí en la cuenta de que no sabía casi nada acerca de este material. ¿Qué es el plástico, en realidad? ¿De dónde viene? ¿Cómo se adentraron los sintéticos en mi vida sin que yo me diera cuenta? Al repasar la lista vi productos de plástico que apreciaba porque me hacían la vida más fácil y cómoda (las prendas de ropa que no necesitan plancha, los electrodomésticos, la bolsa de plástico con la que recojo la caca de mi perro) y objetos de plástico de los que sin duda podía prescindir (vasos de porexpán, bolsas para bocadillos, sartén antiadherente).

Lo cierto es que nunca me había detenido a considerar la vida en Plasticville, pero las distintas noticias sobre juguetes y biberones tóxicos parecían indicar que los inconvenientes podrían superar a las ventajas. Comencé a preguntarme si no habría expuesto inadvertidamente a mis hijos a productos químicos que podrían afectar su desarrollo y su salud. Se ha demostrado que la botella de plástico duro con agua que había incluido en el almuerzo de mi hija desde la guardería desprende un producto químico que imita al estrógeno. ¿Por eso le empezó a salir pecho a los nueve años? Esta pregunta llevó a muchas otras. ¿Qué pasaba con los objetos de plástico que metía diligentemente en mi cubo de reciclaje? ¿Realmente se reciclaban? ¿O quizás acababan en el océano, a muchos kilómetros de mi casa, donde se unían a extensas corrientes de basura plástica? ¿Se asfixiarían las focas con los tapones de plástico de mis botellas? ¿Debería dejar de usar bolsas de plástico al hacer la compra? ¿Esa botella de refresco realmente duraría más que mis hijos y que yo? ¿Acaso importaba? ¿Debería preocuparme? ¿Qué significa realmente vivir en Plasticville?

La misma palabra «plástico» se presta a confusiones. La usamos en singular, y de forma indiscriminada, para referirnos a cualquier material artificial, pero hay decenas de miles de plásticos diferentes.* En lugar de constituir una única familia de materiales, son más bien una colección de clanes que guardan cierta relación entre sí.

Tuve ocasión de entrever las posibilidades casi infinitas contenidas en esa palabra cuando visité una empresa de Nueva York llamada Material ConneXion, mezcla de consultoría y almacén de materiales para aquellos diseñadores que se preguntan con qué hacer sus productos. Su fundador lo describió como un «zoo infantil donde palpar y admirar los nuevos materiales».[2] Y de hecho me sentí como si estuviera en un paraíso táctil y visual mientras echaba un vistazo a algunos de los miles de plásticos allí almacenados. Había una gruesa losa acrílica que parecía una prístina cascada congelada; pegotes de gel de colores llamativos que te daban ganas de apretujar; un tejido de color carne con el aspecto y

* Para una breve descripción de los plásticos más comunes, véase el apéndice «reparto de personajes» al final del libro. *(N. de la A.)*

el tacto de la piel de un anciano. («¡Puaj! Nunca llevaría una tela así», comentó un empleado.) Había muestras de pelo animal sintético, redes verdes, una alfombra peluda gris, briznas de hierba artificial, un tejido que conserva el recuerdo de cómo se ha doblado, otro tejido que puede absorber la energía solar y transmitírsela a quien lo lleva puesto... Vi bloques que imitaban el mármol veteado, topacio ahumado, cemento mate, granito moteado, madera con vetas. Toqué superficies mates, brillantes, con bultos, con tacto de papel de lija, peludas, esponjosas, con plumas, frías como el metal o tibias y blandas como la carne humana.

Pero un plástico no tiene por qué formar parte de la exótica colección de Material ConneXion para impresionarnos: incluso un plástico común como el nailon ofrece innumerables posibilidades. Puede ser sedoso en un paracaídas, elástico cuando se teje para convertirlo en unas medias, hirsuto cuando se sujeta en un extremo del cepillo de dientes o enmarañado en una tira de velcro. La revista *House Beautiful* reseñaba con embeleso semejante versatilidad en un artículo de 1947 titulado «Nailon... el alegre impostor».[3]

Por mucho que difieran, todos los plásticos tienen algo en común: son polímeros, palabra griega que significa «muchas partes». Los polímeros son sustancias compuestas de largas cadenas de miles de unidades atómicas denominadas monómeros («una parte» en griego) que, unidas entre sí, forman moléculas gigantes. Las moléculas de un polímero son enormes en comparación con las moléculas compactas y ordenadas de una sustancia como el agua, con su mísero átomo de oxígeno y sus dos átomos de hidrógeno. Las moléculas del polímero pueden contener decenas de miles de monómeros, eslabones tan largos que durante años los científicos cuestionaron que pudieran unirse para formar una única molécula. Equivaldría a afirmar —dijo un químico— que «en alguna parte de África se hubiera hallado un elefante de 500 metros de largo y 100 de alto».[4] Pero las moléculas existían, y su enorme tamaño ayuda a explicar la principal característica del plástico: su plasticidad. Pensemos en las formas en que puede manipularse una larga sarta de cuentas: se puede estirar, apilar o enrollar, a diferencia de lo que se puede hacer con sólo una cuenta, o con tres o cuatro. La extensión y la disposición de las sartas contribuyen a determinar las propiedades de un polímero: resistencia, durabilidad, limpidez, flexibilidad, elasticidad. Las cadenas de eslabones muy juntos pueden conformar una botella de plástico rígida y resistente, como las que se usan para contener detergente. Las cadenas de eslabones más espaciados pueden dar forma a una botella más flexible idónea para ser estrujada, como las de ketchup.[5]

Suele decirse que vivimos en la era de los plásticos. Pero ¿cuándo, exactamente, entramos en dicha era? Hay quien afirma que comenzó hacia la mitad del siglo XIX, cuando algunos inventores empezaron a desarrollar nuevos compuestos semisintéticos maleables a base de plantas para sustituir materiales naturales escasos como el marfil. Otros sitúan la fecha en 1907, cuando el emigrante belga Leo Baekeland inventó la baquelita, el primer polímero totalmente sintético, compuesto enteramente de moléculas que no se encontraban en la naturaleza. Gracias a la invención de este producto, pregonó la Corporación de la Baquelita, los humanos habían trascendido las taxonomías clásicas del mundo natural: los reinos animal, mineral y vegetal. Ahora contábamos con «un cuarto reino, cuyas fronteras son ilimitadas».[6]

También podríamos situar los albores de la era del plástico en 1941, cuando, poco después del bombardeo de Pearl Harbor, el director del organismo responsable de abastecer al Ejército estadounidense defendió la sustitución, siempre que fuera posible, del aluminio, el latón y otros metales estratégicos por el plástico.[7] La segunda guerra mundial sacó la química de los polímeros del laboratorio y la introdujo en la vida real. Muchos de los principales tipos de plástico que conocemos en la actualidad —polietileno, nailon, acrílico, espuma de poliestireno—[8] iniciaron su andadura durante esa contienda. Y tras haber aumentado la producción a fin de cubrir las necesidades militares, la industria, inevitablemente, tuvo que convertir sus espadas sintéticas en rejas de arado hechas de plástico. Tal y como recordó un ejecutivo de los primeros años del plástico, al final de la guerra resultaba evidente que «casi nada estaba hecho de plástico, y se podía hacer cualquier cosa [con este material]».[9] Fue entonces cuando los plásticos realmente empezaron a infiltrarse en todos los resquicios de la vida cotidiana y se introdujeron sin hacer ruido en nuestros hogares, nuestros coches, nuestras prendas de vestir, nuestros juguetes, nuestros lugares de trabajo e incluso en nuestros cuerpos.

En un producto tras otro, en un mercado tras otro, los plásticos desafiaron a los materiales tradicionales y acabaron ganando la partida. Reemplazaron al acero en los coches, al papel y al cristal en envoltorios y envases y a la madera en los muebles. Incluso las calesas de los amish están hechas hoy en parte del plástico reforzado con fibra conocido como fibra de vidrio. En 1979, la producción de plásticos superaba a la del acero. En un periodo asombrosamente breve, el plástico se había convertido en el esqueleto, el tejido conjuntivo y la piel resbaladiza de la vida moderna.

No cabe duda de que el plástico ofrece ventajas con respecto a los materiales naturales, pero eso no explica del todo su repentina omnipresencia. Plasticville fue posible —y quizás incluso inevitable— debido al auge de la industria petroquímica, el coloso que apareció en las décadas de 1920 y 1930 cuando las empresas químicas que estaban produciendo los nuevos polímeros empezaron a alinearse con las empresas petrolíferas que controlaban los ingredientes esenciales para crear dichos polímeros.

Las refinerías de petróleo funcionan veinticuatro horas al día y generan continuamente productos derivados de los que es necesario deshacerse, como el etileno. Si se encuentra un uso para este gas, el derivado se convertirá en una oportunidad económica en potencia.[10] El gas etileno, tal y como descubrieron unos químicos británicos a principios de la década de 1930, puede convertirse en el polímero polietileno, muy empleado actualmente en la fabricación de envases y envoltorios. Otro derivado, el propileno, puede reutilizarse como producto de partida del polipropileno, un plástico usado para fabricar envases de yogur, recipientes para el microondas, pañales desechables y automóviles. Un tercer derivado es el producto químico denominado acrilonitrilo, que puede convertirse en fibra acrílica con la que fabricar el emblema por antonomasia de nuestra era sintética, el césped artificial.

Los plásticos constituyen una pequeña parte de la industria del petróleo y sólo representan una minúscula fracción de los combustibles fósiles que consumimos, pero los imperativos económicos de dicha industria han propulsado el auge de Plasticville. Tal y como argumentó el ecologista Barry Commoner, «según su propia lógica interna, cada nuevo proceso petroquímico genera una poderosa tendencia a lanzar nuevos productos y a desplazar a los anteriores».[11] El flujo continuo de petróleo no sólo proporcionó combustible para los automóviles, sino que alentó toda una cultura basada en el consumo de nuevos productos hechos de plástico. Esta entrada en Plasticville no fue una decisión meditada, consecuencia de alguna gran crisis económica o de algún debate político. Y tampoco tuvo en cuenta el bien común, ni el impacto ecológico o lo que se supone que deberíamos hacer con todos nuestros objetos de plástico al final de su vida útil. El plástico prometía abundancia a bajo precio, y ¿cuándo ha sido eso malo en la historia de la humanidad? No sorprende que nos volviéramos adictos al plástico o, más bien, a la comodidad, la seguridad, la diversión y la frivolidad que trajo consigo el plástico.

La cantidad de plástico que se consume anualmente en el mundo ha ido aumentando sin cesar a lo largo de los últimos setenta años: de casi nada en 1940 a cerca de doscientos setenta y cinco millones de toneladas métricas en la actualidad.*[12] Nos volvimos adictos al plástico en tan sólo una generación. En 1960, el estadounidense medio consumía unos 14 kilos de productos plásticos.[13] Hoy, cada uno de nosotros consume más de 135 kilos de plástico al año, lo cual genera más de trescientos mil millones de dólares en ventas.[14] Dada esta ascensión fulgurante, un experto declaró que los plásticos eran «uno de los principales negocios del siglo XX».[15]

La rápida proliferación de los plásticos y su influencia omnipresente en nuestras vidas denota una relación profunda y duradera. No obstante, el plástico despierta en nosotros una compleja mezcla de dependencia y desconfianza, similar a la que un adicto siente hacia la sustancia que ha provocado su adicción. Inicialmente nos encandilaban las aparentes proezas de la alquimia mediante las cuales los científicos producían un sinfín de materiales milagrosos a partir de carbón, agua, aire y poco más. Es «maravilloso cómo DuPont está mejorando la naturaleza», alabó una mujer después de visitar la exposición «El mundo maravilloso de

* Todas las toneladas que se mencionan en este libro son, como en este caso, métricas. *(N. de la T.)*

la química» que la empresa presentó en una feria de Texas en 1936.[16] Al cabo de pocos años, una encuesta reveló que, a decir de muchos, *cellophane* [celofán] era la tercera palabra más bonita de la lengua inglesa, después de *mother* [madre] y *memory* [recuerdo].[17] Tal era nuestra pasión por el plástico que estábamos dispuestos a creer sólo cosas buenas de nuestro compañero de fatigas en la modernidad. Los plásticos anunciaban el advenimiento de una nueva era de libertad material en la que podríamos combatir la racanería de la naturaleza.[18] En la era del plástico, las materias primas no escasearían ni se verían constreñidas por sus propiedades innatas, como la rigidez de la madera o la reactividad del metal. Los sintéticos podían sustituir, o incluso imitar con precisión, a materiales escasos y preciosos. El plástico, predijeron sus admiradores, nos proporcionaría un mundo más limpio y brillante en el que todos disfrutaríamos de un «estado universal de lujo democrático».[19]

Es difícil determinar cuándo empezó a disminuir la pasión por los polímeros, pero en 1967, fecha en que se estrenó la película *El graduado,* aquélla ya había desaparecido. Por esa época —seguramente gracias a una avalancha de productos como flamencos rosa para decorar el jardín, revestimientos de vinilo y zapatos de piel sintética— la propensión del plástico a la imitación barata comenzó a verse como un sucedáneo de mala calidad. Así que el público entendió enseguida por qué Benjamin Braddock reaccionó tan mal cuando un amigo de la familia lo llevó a un lado para ofrecerle un consejo profesional: «Sólo te voy a decir una palabra: ¡plásticos!».[20] El término ya no evocaba un horizonte tentador lleno de posibilidades, sino un futuro anodino y agobiante, tan falso como la sonrisa de la señora Robinson.

Hoy, pocos materiales de los que dependemos tienen connotaciones tan negativas o provocan un rechazo tan visceral. Norman Mailer lo llamó «una fuerza maligna que anda suelta por el universo [...] el equivalente social del cáncer».[21] Puede que hayamos creado el plástico, pero en el fondo continúa siendo un material esencialmente extraño, al que siempre vemos poco natural (aunque en realidad no es menos natural que el cemento, el papel, el acero o cualquier otro material manufacturado). Puede que ello se deba en parte a su resistencia sobrenatural. A diferencia de los materiales tradicionales, el plástico no se disuelve, ni se oxida ni se descompone, al menos no en un lapso de tiempo útil. Esas largas cadenas de polímeros están construidas para durar mucho tiempo, lo que significa que buena parte del plástico que hemos producido continúa existiendo en forma de basura, de detritos en el lecho del océano y de capas de residuos. Los humanos podrían desaparecer de la faz de la Tierra mañana mismo, pero muchos de los plásticos que han fabricado perdurarán a lo largo de los siglos.[22]

Este libro traza el arco de nuestra relación con los plásticos, desde la acogida ferviente hasta el profundo desencanto, para acabar en la mezcla de apatía y confusión actuales. Esta relación se ha desarrollado durante el siglo más transformador en el largo proyecto emprendido por la humanidad para adecuar el mundo material a sus fines. El ámbito de esta historia es inmenso pero también sorprendentemente reconocible, porque está lleno de objetos que usamos a diario. Me he valido de ocho de ellos para narrar la historia del plástico: el peine, la silla, el disco volador o *frisbee,* la bolsa de perfusión intravenosa, el encendedor desechable, la bolsa de la compra, la botella de refresco y la tarjeta de crédito. Cada uno nos ofrece una lección objetiva sobre lo que significa vivir en Plasticville, inmersos en una maraña de materiales justamente considerados tanto el milagro como la amenaza de la vida moderna. A través de estos objetos examinaré la historia y la cultura de los plásticos y describiré cómo se fabrican los objetos hechos con este material. También detallaré las políticas que atañen a los plásticos y la forma en que los materiales sintéticos están afectando al medio ambiente y a nuestra salud, e investigaré los esfuerzos realizados para desarrollar maneras más sostenibles de producir el plástico y de deshacerse de él. Cada uno de estos objetos abre una ventana a alguno de los muchos recintos de Plasticville. Espero que, vistos de forma conjunta, iluminen nuestra relación con el plástico y nos indiquen cómo, con cierto esfuerzo, podría ser más saludable.

¿Por qué he decidido centrarme en objetos tan insignificantes? Ninguno de ellos constituye un ejemplo deslumbrante de la ciencia vanguardista de los polímeros, como los plásticos inteligentes que pueden repararse solos o los plásticos que conducen electricidad. Pero éstos no son los objetos de plástico que desempeñan papeles importantes en nuestra vida cotidiana. También preferí no escoger ningún bien duradero, como automóviles, electrodomésticos o artículos electrónicos. Sin duda cualquiera de ellos podría habernos ayudado a comprender mejor la era de los plásticos, pero la historia material de un coche o de un iPhone abarca mucho más que el plástico. Los objetos sencillos, observados con detenimiento, nos revelan con más claridad su esencia. Como apunta el historiador Robert Friedel, «nuestro mundo material se compone de cosas pequeñas».[23]

Los objetos sencillos a veces narran historias complejas, y la historia de los plásticos está plagada de paradojas. Gozamos de un nivel de abundancia material sin precedentes, y sin embargo esta situación a menudo parece empobrecedora, como si rebuscáramos en una caja llena de bolitas de poliestireno y no encontráramos nada más. Tomamos sustancias naturales creadas a lo largo de millones de años, las convertimos en productos diseñados para un uso de unos pocos minutos y después se las devolvemos al planeta en forma de basura concebida para que no desaparezca jamás. Disfrutamos de tecnologías basadas en el plástico que pueden salvar más vidas que nunca, pero que también constituyen una amenaza larvada para la salud humana. Enterramos en vertederos el mismo tipo de moléculas llenas de energía que hemos obtenido tras viajar hasta los últimos confines de la Tierra para encontrarlas. Enviamos residuos plásticos a otros países para que se conviertan en materia prima de productos manufacturados que nos venden de nuevo a nosotros. Nos enzarzamos en batallas campales políticas en las que los críticos más duros y los defensores más incondicionales del plástico defienden la misma premisa: estos materiales son demasiado valiosos para desperdiciarlos.

Estas paradojas contribuyen a aumentar la desazón que nos producen los plásticos. Sin embargo, me sorprendió descubrir que muchos de los temas relacionados con el plástico que copan los titulares en la actualidad ya habían salido a la luz en décadas anteriores. Los estudios que muestran restos de plástico en los tejidos humanos se remontan a la década de 1950. El primer informe sobre la acumulación de residuos plásticos en el océano fue redactado en los años sesenta. El condado de Suffolk, en Nueva York, impuso la primera prohibición de los envases de plástico en 1988. Todos estos temas nos llamaron la atención durante unos cuantos meses —o incluso años— y luego dejaron de interesarnos.

Pero ahora hay mucho más en juego. Hemos producido casi tanto plástico en la primera década de este milenio como en todo el siglo XX.[24] A medida que Plasticville se va extendiendo, nos aferramos cada vez más al modo de vida que nos impone. Cada vez resulta más difícil creer que este ritmo de plastificación es sostenible, y que el mundo natural puede continuar soportando nuestra incesante «mejora de la naturaleza». Pero ¿podemos empezar a solucionar los problemas que plantean los plásticos? ¿Es posible iniciar una relación con estos materiales que sea más segura para nosotros y más sostenible para nuestros descendientes? ¿Tiene futuro Plasticville?

1
Una mejora de la naturaleza

Si nos metemos en eBay, ese zoco virtual de deseos humanos, encontraremos un grupo pequeño pero entusiasta de compradores y vendedores de peinetas y peines antiguos. Tras rastrear el sitio web en diversas ocasiones he encontrado decenas de peinetas de celuloide, uno de los primeros plásticos. Eran tan bonitas que deberían estar en un museo, y tan cautivadoras que codicié tenerlas. He visto peinetas que parecían talladas en marfil o en ámbar, y algunas jaspeadas de mica que brillaban como si estuvieran hechas de oro batido. He visto peinetas enormes de carey falso que parecían de encaje y podrían haber coronado el moño empinado de una debutante de la Época Dorada, y peinetas en forma de tiara cubiertas de «brillantes» de zafiro, esmeralda o azabache, como se solía llamar a los diamantes falsos. Una de mis preferidas era una delicada peineta Art Déco de 1925 con un mango curvado que venía en su propio estuche; juntos, parecían un elegante monedero hecho de carey que se cerraba con un cierre de diamantes falsos. Sólo medía diez centímetros, y sin duda estaría diseñada para el pelo corto de una beldad de la era del jazz. Al contemplar la peineta, me pude imaginar a su primera propietaria, una joven intrépida con un vestido de cintura baja y un corte de pelo al estilo de Louise Brooks, feliz por haberse liberado de los corsés, los trajes largos y los moños aparatosos.

Sorprendentemente, estas preciosas antigüedades resultan bastante asequibles. El plástico de celuloide permitió, por primera vez, producir un gran número de peines y peinetas, lo que ha mantenido bajos los precios incluso para el coleccionista actual que no puede permitirse gastar demasiado, pero que quiere comprar algo fabuloso. Para aquellos que vivieron en los albores de la era del plástico, el celuloide ofrecía lo que un escritor denominó «la falsificación de muchos de los lujos y las necesidades de la vida civilizada»,[1] un anticipo de la estética y la abundancia características de la cultura del nuevo material.

Los peines y las peinetas se cuentan entre nuestros utensilios más antiguos. Fueron empleados por humanos de distintas culturas y distintas épocas para decorar el pelo, desenredarlo y sacarle los piojos. Su origen se remonta a la herramienta humana más básica: la mano. Y desde la época en que los humanos empezaron a usar peines en lugar de dedos el diseño de los peines apenas ha cambiado, lo que condujo a la revista satírica *Onion* a publicar un artículo titulado «Tecnología del peine: ¿por qué va tan por detrás de los campos de la maquinilla de afeitar y del cepillo de dientes?». El artesano de la Edad de Piedra que elaboró el peine más antiguo que se conoce —un pequeño artilugio de cuatro púas tallado a partir de un hueso animal hará unos ocho mil años— no tendría ningún problema en saber qué hacer con la versión en plástico azul que reposa sobre la encimera de mi baño.

Durante buena parte de la historia, los peines se elaboraron con casi cualquier material que los humanos tuvieran a mano, por ejemplo hueso, carey, marfil, goma, hierro, estaño, oro, plata, plomo, juncos, madera, cristal, porcelana y papel maché. Pero a finales del siglo XIX, esta panoplia de posibilidades empezó a disminuir con la llegada de un material totalmente nuevo: el celuloide, el primer plástico hecho por el hombre. Los peines se contaron entre los primeros y más populares objetos hechos de celuloide. Y tras haber cruzado ese Rubicón, los fabricantes de peines ya no dieron marcha atrás. Desde entonces, los peines se han fabricado generalmente con algún tipo de plástico.

La historia de la renovación del humilde peine forma parte de la historia mucho más amplia de cómo han transformado los plásticos a los humanos. Los plásticos nos liberaron de los confines del mundo natural, de las limitaciones materiales y de la escasez de recursos que durante tanto tiempo habían constreñido la actividad humana. Esa nueva flexibilidad también difuminó las fronteras sociales. La llegada de aquellos materiales tan maleables y versátiles proporcionó a los productores la capacidad de crear un sinfín de nuevos productos, a la vez que ampliaba las oportunidades para que las personas de medios modestos se convirtieran en consumidores. Los plásticos ofrecen la promesa de una nueva democracia material y cultural. El peine, uno de los más antiguos accesorios personales, permitió que cualquiera pudiera soñar con dicha promesa.

¿Qué es el plástico, esa sustancia que se ha introducido tan profundamente en nuestras vidas? La palabra viene del verbo griego *plassein,* que significa «moldear o dar forma». Los plásticos tienen la capacidad de ser moldeados gracias a su estructura, esas cadenas largas y flexibles de átomos o de pequeñas moléculas unidas en un patrón repetido para formar una espléndida molécula gigantesca.

—¿Has visto alguna vez una molécula de polipropileno? —me preguntó en cierta ocasión un entusiasta de los plásticos—. Es una de las cosas más bonitas que podrás ver en tu vida. Es como contemplar una catedral que se extiende a lo largo de kilómetros y kilómetros.[2]

En el mundo posterior a la segunda guerra mundial, donde podría decirse que los plásticos sintetizados en el laboratorio han definido un modo de vida, hemos acabado considerando a los plásticos sustancias poco naturales, y sin embargo la naturaleza lleva tejiendo polímeros desde los principios de la vida. Todos los organismos vivientes contienen estas cadenas de margarita moleculares. La celulosa que compone las paredes celulares de las plantas es un polímero, así como las proteínas que forman nuestros músculos y nuestra piel y las largas escaleras de caracol que contienen nuestro destino genético, el ADN. Tanto si un polímero es natural como sintético, lo más probable es que cuente con una base de carbono, un átomo fuerte, estable y sociable muy apropiado para formar enlaces moleculares. Otros elementos, generalmente oxígeno, nitrógeno e hidrógeno, suelen unirse a esta base de carbono, de modo que la selección y disposición de estos átomos produce variedades específicas de polímeros. Si añadimos cloro a esta conga molecular podremos obtener cloruro de polivinilo, también conocido como vinilo; si añadimos flúor obtendremos ese material antiadherente tan resbaladizo llamado teflón.

La celulosa vegetal era la materia prima de los primeros plásticos, y ahora que tenemos el cenit del petróleo cada vez más cerca, se vuelve a pensar en ella como base de una nueva generación de plásticos «verdes». Pero la mayoría de los plásticos actuales están compuestos de moléculas de hidrocarburo —paquetes de carbono e hidrógeno— obtenidas durante el refinado del petróleo y el gas natural. Pensemos en el etileno, un gas que se desprende al procesar ambas sustancias. El etileno es una molécula sociable compuesta de cuatro átomos de hidrógeno y dos átomos de carbono enlazados en el equivalente químico de un doble apretón de manos. Con un empujoncito químico esos átomos de carbono liberan un enlace, lo que les permite aferrarse al carbono de otra molécula de etileno. Repitamos el proceso miles de veces y *voilà!*, obtendremos una nueva molécula gigante, el polietileno, uno de los plásticos más comunes y versátiles. Según cómo se procese, el plástico puede usarse tanto para envolver un bocadillo como para sujetar a un astronauta durante un paseo espacial.

Esta noticia de *The New York Times* tiene más de ciento cincuenta años, y sin embargo parece asombrosamente moderna: los elefantes, advertía el periódico en 1867, corrían el grave peligro de «contarse entre las especies extinguidas» debido a la insaciable demanda por parte de los humanos del marfil de sus colmillos. En aquella época, el marfil se usaba para fabricar todo tipo de objetos, desde corchetes hasta cajas, teclas de piano o peines, pero la mayor parte de este material se destinaba a la fabricación de bolas de billar. El billar había cautivado a los miembros de la alta sociedad tanto en Estados Unidos como en Europa. En todas las mansiones había una mesa de billar, y a mediados del siglo XIX preocupaba cada vez más que se extinguieran los elefantes con cuyos colmillos abastecer de bolas las mesas de juego. La situación era extremadamente grave en Ceilán, fuente del marfil con el que se fabricaban las mejores bolas de billar. Allí, en la parte septentrional de la isla, según informó *The Times* «a cambio de la recompensa de unos pocos chelines por cabeza ofrecida por las autoridades, los nativos dieron muerte a 3500 paquidermos en menos de tres años». En total, se consumían al menos 450.000 kilos de marfil cada año, lo que despertó temores de que este material comenzase a escasear.[3] «Mucho antes de que desaparezcan los elefantes y de que los mamuts se hayan extinguido», confiaba *The Times*, «puede que se encuentre un sustituto adecuado.»

El marfil no era el único material de la inmensa despensa de la naturaleza que empezaba a agotarse. El número de ejemplares de tortuga carey, esa infeliz proveedora de la concha utilizada para hacer peines y peinetas, se estaba reduciendo. Incluso el cuerno de bóvido, otro plástico natural usado por los fabricantes de peines norteamericanos desde antes de la guerra de la Independencia, ya no era tan fácil de conseguir porque los rancheros dejaron de cortarles los cuernos a sus reses.

Según cuentan, en 1863 un proveedor neoyorquino de bolas de billar publicó un anuncio en el periódico en el que ofrecía «una generosa cantidad», diez mil dólares en oro, a cualquiera que ideara una alternativa adecuada para el marfil.[4] John Wesley Hyatt, un joven que trabajaba como oficial de imprenta en el norte del estado de Nueva York, leyó el anuncio y decidió que él podría hacerlo. Hyatt no contaba con estudios de química, pero se le daban muy bien los inventos: a los veintitrés años ya había patentado un afilador de cuchillos. El impresor se instaló en una cabaña situada en la parte trasera de su casa y comenzó a experimentar con diversas combinaciones de disolventes y una mezcla pastosa a base de ácido nítrico y algodón. (La manipulación de aquella combinación de ácido nítrico y algodón, denominada fulmicotón, resultaba muy peligrosa porque era sumamente inflamable, explosiva incluso. Durante un tiempo se usó como sustituto de la pólvora, hasta que sus productores se cansaron de que las fábricas volaran por los aires.)

Mientras trabajaba en su laboratorio casero, Hyatt contribuía a ampliar los avances surgidos tras décadas de invención e innovación. Estos avances fueron espoleados no sólo por la escasez de materiales naturales, sino también por las limitaciones físicas de dichos materiales. Durante la época victoriana plásticos naturales como la goma y la laca provocaban fascinación.[5] Tal y como señaló el historiador Robert Friedel, los victorianos hallaron en estas sustancias las primeras pistas sobre cómo trascender los límites frustrantes de la madera, el hierro y el cristal. Ahora disponían de materiales maleables, pero también susceptibles de ser endurecidos hasta adoptar una forma manufacturada definitiva. En una época que ya estaba siendo rápidamente transformada por la industrialización, aquella seductora combinación de cualidades recordaba el sólido pasado y dejaba entrever un futuro tentadoramente fluido. Los libros de patentes del siglo XIX están repletos de inventos a base de diversas combinaciones de corcho, serrín, gomas y resinas, incluso de sangre y de proteínas de la leche, todos ellos concebidos para producir materiales que tuvieran algunas de las cualidades que ahora le atribuimos al plástico. Estos prototipos plásticos se emplearon en algunos objetos decorativos, como los estuches para daguerrotipos, pero no eran más que indicios de lo que estaba por venir. La palabra «plástico» aún no se había acuñado, y no lo haría hasta principios del siglo XX, pero ya estábamos soñando con dicho material.[6]

El descubrimiento de Hyatt llegó en 1869. Después de años de ensayo y error, Hyatt llevó a cabo un experimento que produjo un material blanquecino con «la consistencia del cuero para el calzado», pero cuyos usos iban mucho más allá que servir de suela para un par de zapatos. Era una sustancia maleable que podía volverse tan dura como el cuerno. Repelía el agua y los aceites y era posible moldearla o prensarla hasta dejarla tan delgada como el papel, y luego cortarla o serrarla en trozos utilizables. Fue creada a partir de un polímero natural —la celulosa del algodón—, pero ofrecía una versatilidad de la que carecían todos los plásticos naturales conocidos. El hermano de Hyatt, un vendedor nato llamado Isaiah, bautizó el nuevo material con el nombre de «celuloide», que significa «como la celulosa».[7]

Aunque el celuloide resultó ser un magnífico sustituto del marfil, al parecer Hyatt nunca recibió el premio de diez mil dólares. Puede que ello se debiera a que el celuloide no era muy adecuado para fabricar bolas de billar, al menos no al principio. Carecía de la capacidad de botar y de la elasticidad del marfil, y era sumamente volátil. Al chocar entre sí, las primeras bolas fabricadas por Hyatt producían un chasquido sonoro, como una descarga de escopeta. El encargado de una sala de billar de Colorado le escribió a Hyatt que «a él no le importaba, pero cada vez que las bolas chocaban, todos los hombres presentes en la sala sacaban una pistola».[8]

Sin embargo, el celuloide resultó ser el material ideal para fabricar peines. Tal y como señaló Hyatt en una de sus primeras patentes, el celuloide superaba las deficiencias que aquejaban a muchos de los materiales tradicionales para hacer peines.[9] Al mojarse no se volvía pegajoso, como la madera, ni se corroía, como el metal. No se quebraba, como la goma, ni se agrietaba y acababa descolorido, como el marfil natural. «Obviamente, ninguno de los otros materiales [...] podría producir un peine que poseyera las excelentes cualidades de un peine hecho de celuloide»,[10] escribió Hyatt en una de sus solicitudes para una patente. Y aunque era más resistente y estable que la mayoría de los materiales naturales, se podía, con cierto esfuerzo, conseguir que tuviera el aspecto de muchos de ellos.

Era posible elaborar el celuloide con las suntuosas estrías y tonalidades cremosas de los mejores colmillos de Ceilán, y comercializarlo con el nombre de Marfil Francés.[11] Podía jaspearse en marrón y en ámbar para emular el carey; vetearse para asemejarse al mármol; dotarse de colores tan vivos como los del coral, el lapislázuli o la cornalina para parecerse a éstas y a otras piedras semipreciosas; o ennegrecerse para tener el aspecto del ébano o del azabache. El celuloide permitió producir imitaciones tan exactas que engañaron «incluso al ojo del experto», como alardeaba la empresa de Hyatt en un folleto.[12] «Al igual que el petróleo llegó en auxilio de la ballena», empezaba el folleto, el «celuloide ha proporcionado al elefante, a la tortuga y al coral un respiro en sus hábitats naturales; y ya no será necesario saquear la Tierra en busca de sustancias que son cada vez más escasas.»[13]

Obviamente, la escasez es desde hace mucho una de las principales características que convierten a un objeto en lujoso y valioso. Existen pocas cosas que ansiemos con mayor intensidad que las que están fuera de nuestro alcance. El escritor O. Henry expresó el ardor —y la sensación de vacío posterior— de dichas ansias en su relato de 1906 titulado «El regalo de los Reyes Magos». Della, la joven esposa, se enamora de un juego de peinetas que descubre en una tienda de Broadway: «Peinetas preciosas, de carey puro, con los bordes incrustados de pedrería [...]. Eran peinetas caras, lo sabía, y simplemente suspiraba por ellas y anhelaba tenerlas sin la más mínima esperanza de poseerlas algún día». Era imposible que Della pudiera permitirse esas peinetas cuando su marido cobraba veinte dólares a la semana. Y, por lo que parece, Della no provenía de una familia que pudiera dejarle reliquias tan exquisitas en herencia. La joven y su marido vivían en un piso de ocho dólares al mes que daba a un patio interior, y ahorraban los centavos «de uno en uno y de dos en dos a base de avasallar al dueño de la tienda de comestibles, al verdulero y al carnicero».

Al principio del relato, Della define su mundo según todo aquello de lo que carece, más que de lo que posee. Sin embargo, al final esta continua sensación de carencia —el motor del consumo moderno— no es lo que motiva a Della. En Nochebuena se corta el pelo —su posesión más preciada— y lo vende a fin de poder comprarle a su marido una leontina para su preciado reloj de oro. Entretanto, él vende su reloj para comprarle a Della las peinetas de carey que tanto ansía su mujer. En este par de actos desinteresados, ambos se definen a sí mismos por aquello a lo que renuncian —y que aún no poseen— más que por lo que esperan consumir.[14]

Si esas peinetas hubieran estado hechas de celuloide, O. Henry no habría podido escribir su relato.

Jim, el marido, habría podido permitirse las peinetas de celuloide incluso con su modesto sueldo. Sin duda, la ironía del relato de O. Henry se basa en un concepto de la generosidad que sólo tiene sentido en un mundo de recursos escasos y artículos difíciles de encontrar. En Plasticville no queda del todo claro qué regalos podrían ofrecer los Reyes Magos. Pero, sin duda, Hyatt no estaba pensando en las posibles virtudes de la escasez cuando su empresa afirmó con entusiasmo que «unos cuantos dólares invertidos en celuloide» equivalían a «cientos de dólares gastados en la compra de productos naturales auténticos».[15]

Aquel fantástico talento para la falsificación se convirtió en el sello distintivo de la industria del celuloide. Hubiera sido más fácil —y menos caro— omitir el trabajoso proceso de cortar el celuloide en capas y luego teñirlo, un procedimiento necesario para hacer una peineta que pareciera de marfil o de carey, pero los clientes exigían el aspecto de los materiales naturales. La gente disfrutaba con este juego de artificio, lo que demostraba, en cierto modo, el creciente dominio de la naturaleza por parte del hombre. El crítico de arte John Ruskin describió así la emoción que provocaban los trampantojos: «Cada vez que algo parece lo que no es, con un parecido tan grande que casi nos engaña, sentimos una especie de sorpresa placentera, una agradable excitación mental».[16]

Y puede que la sensación más agradable nos la ofreciera la posibilidad de que los demás consideraran exclusivas nuestras pertenencias de poco valor. La empresa de Hyatt vendía una amplia gama de artículos de tocador promocionados con nombres tan maravillosamente ambiguos como Ivaleur, Amberleur, Shelleur y

Ebonleur. La empresa instaba a sus vendedores a resaltar el atractivo artístico de estos productos, con la esperanza de persuadir a las mujeres «que no lo han hecho aún por cuestión de buen gusto para que rechacen los ostentosos artículos de tocador de plata y se pasen a otros menos caros aunque en realidad más bonitos».[17]

Gracias al celuloide, cualquiera —incluso el personaje de Della creado por O. Henry— podía poseer ahora un juego de peine, cepillo y espejo que hubiera podido pertenecer a un Rockefeller, «con vetas tan realistas y delicadas», alardeaba una empresa, «que usted pensará que sólo pueden proceder de los colmillos relucientes de un magnífico elefante viejo».[18] Cualquier dependienta podía recogerse el pelo con preciosas imitaciones de las peinetas de carey afiligranadas que nunca hubiera podido permitirse. (Lo cual era una suerte, ya que según un observador de principios de siglo, los peinados de la época a menudo requerían «un kilo de peinetas de celuloide».)[19] La escasez de materiales había avivado el deseo de mujeres como Della, pero el celuloide consiguió eliminar el dolor de las ansias consumistas y convertir a quienes contemplaban anhelantes los escaparates en compradores satisfechos. El celuloide contribuyó a extender el gusto por el lujo —o al menos por el aspecto lujoso— entre aquellos que nunca hubieran soñado siquiera con una vida refinada. Pero aún más importante fue el hecho de que contribuyera a alentar el consumo en general.

El celuloide apareció en un momento en el que Estados Unidos dejaba de ser una economía agraria para convertirse en una economía industrial. Si antes cultivábamos y preparábamos nuestros alimentos y nos hacíamos la ropa, ahora cada vez comíamos, bebíamos, vestíamos y usábamos más artículos fabricados en serie.[20] Cada vez estábamos más cerca de convertirnos en un país de consumidores. El celuloide fue el primero de los nuevos materiales que allanaron el camino del consumo, tal y como el historiador Jeffrey Meikle señaló en su reveladora historia cultural titulada *American Plastic:* «Por el hecho de reemplazar materiales difíciles de conseguir o caros de procesar, el celuloide democratizó una gran cantidad de productos destinados a una creciente clase media orientada hacia el consumo».[21] Los abundantes suministros de celuloide permitieron a los fabricantes atender a una demanda en rápido aumento, además de reducir los costes. Al igual que otros plásticos que aparecerían a continuación, el celuloide ofreció a los estadounidenses la manera de ascender en la vida a base de compras.

Obviamente, los peines no eran el único ejemplo del efecto democratizador del celuloide. Los cuellos de celuloide que imitaban el lino permitían a cualquier hombre tener aspecto de dandi. Los cepillos de dientes de celuloide sustituyeron a los que tenían el mango de hueso, poniendo la higiene dental al alcance de cualquiera por unos pocos centavos.[22] Cuando Hyatt perfeccionó el método para fabricar bolas de billar de celuloide, el billar salió de los suntuosos salones en los que se bebía brandy y se fumaban puros y entró en los centros cívicos. Ahora que ya no era únicamente un placer para ricos, el billar se convirtió en un juego para todo el mundo, especialmente cuando las mesas adquirieron troneras y este deporte se convirtió en billar americano. Tal y como cantaba el profesor Harold Hill en *Vivir de ilusión (The Music Man)*, «Troneras que marcan la diferencia / entre un caballero y un vagabundo».[23]

Quizás el mayor logro del celuloide consistió en servir de soporte para la película fotográfica. La historia de la película, uno de los legados culturales más importantes del plástico, daría para escribir otro libro. En las películas el don del celuloide para el facsímile alcanzó su máxima expresión: la completa transmutación de realidad en ilusión, al transformar a seres tridimensionales de carne y hueso en espíritus bidimensionales que titilan en una pantalla. Aquí también tuvo el celuloide un poderoso efecto nivelador: la película ofrecía un nuevo tipo de diversión al alcance de las masas. Diez centavos le compraban a cualquiera una tarde llena de dramatismo, amor, acción y escapismo. El público, desde Seattle hasta Nueva York, se desternillaba con las payasadas de Buster Keaton y se emocionaba al oír hablar a Al Jolson por primera vez en una película sonora: «Esperad un momento, esperad un momento, aún no habéis oído lo mejor». La cultura de masas cinematográfica atravesaba las fronteras étnicas, raciales, regionales y de clase, permitiendo que todos compartiéramos las mismas historias e inculcándonos la idea de que la realidad es tan cambiante y efímera como los nombres en las marquesinas de los cines. Tras la llegada de las películas, una vieja elite fue destronada; el glamur otrora asociado a la clase y al estatus social estaba ahora al alcance de cualquiera que tuviera buenos pómulos, algo de talento y un poco de suerte. Una muchacha como Della podía convertirse en una dama de la alta sociedad en la pantalla y en una estrella de cine en la vida real.

Paradójicamente, el mundo que se abrió gracias a las películas de celuloide casi acabó con la industria de peines de celuloide. En 1914, Irene Castle, una bailarina de bailes de salón convertida en estrella de cine, decidió cortarse su larga melena, lo que llevó a sus admiradoras femeninas de todo el país a adoptar el pelo corto.[24] Esos mechones cortados causaron consternación en Leominster, Massachusetts, capital nacional de los peines desde antes de la guerra de la independencia y que ahora era la cuna de la industria del celuloide, dedicada en gran parte a la producción de peines y peinetas. Casi de la noche a la mañana, la mitad de empresas de peines de la ciudad se vieron obligadas a cerrar y dejaron sin trabajo a miles de obreros. Sam Foster, propietario de Foster Grant, una de las principales empresas de peines y peinetas de celuloide de la ciudad, les dijo a sus trabajadores que no se preocuparan. «Fabricaremos alguna otra cosa», les aseguró. A Foster se le ocurrió la idea de fabricar gafas de sol, y creó un mercado de masas completamente nuevo. «¿Quién se esconde detrás de esas Foster Grant?», preguntaba años más tarde la empresa en anuncios con fotografías de famosos como Peter Sellers, Mia Farrow y Raquel Welch ocultos tras los cristales oscuros. Con acudir a la tienda más cercana bastaba para adquirir el mismo halo de misterio.

Pese a su importancia, el celuloide ocupaba un lugar relativamente modesto en el mundo material de principios del siglo XX. Su uso estaba limitado principalmente a las novedades y a los pequeños artículos decorativos y de uso doméstico, como el peine. La fabricación de objetos de celuloide era un proceso que requería mucha mano de obra; los peines se moldeaban en pequeñas cantidades y aún tenían que cortarse y pulirse a mano. Y dado que el material era tan volátil, las fábricas se convertían en auténticos polvorines. Los obreros solían trabajar bajo aspersores de agua, pero los incendios continuaban produciéndose con frecuencia. Hasta la creación de polímeros menos peligrosos, los plásticos no empezaron a transformar a fondo el aspecto, el tacto y la calidad de nuestras vidas. En la década de 1940 disponíamos ya de los plásticos y de las máquinas necesarios para fabricar productos de plástico en serie. Las máquinas de moldeo por inyección —ahora equipamiento de serie en la fabricación del plástico— convertían los gránulos o los polvos de plástico sin tratar en un producto moldeado y acabado en un único proceso. Una sola máquina equipada con un molde que contenía múltiples cavidades podía producir diez peines completamente moldeados en menos de un minuto.[25]

Tras comprar una de las primeras empresas de celuloide en Leominster, a mediados de la década de 1930, DuPont publicó una serie de fotografías que mostraban la producción diaria de dos fabricantes de peines, padre e hijo. En dichas fotografías, el padre está de pie junto a un montón ordenado de trescientos cincuenta peines de celuloide, mientras que el hijo aparece rodeado de diez mil peines moldeados por inyección.[26] Y aunque un peine de celuloide costaba un dólar en 1930, a finales de la década ya era posible comprar un peine de acetato de celulosa moldeado a máquina por entre diez y quince centavos. Con el auge de los plásticos fabricados en serie, los peines y peinetas de fantasía y los juegos de tocador de marfil falso tan populares en la época del celuloide fueron desapareciendo gradualmente.[27] Los nuevos peines, desprovistos de adornos, sólo contaban con los elementos esenciales —púas y mango— para cumplir con su función más básica.[28]

La baquelita, el primer plástico auténticamente sintético, un polímero creado por entero en el laboratorio, allanó el terreno para la consecución de logros como el del hijo que hacía peines moldeados por inyección para DuPont. Como sucediera con el celuloide, la baquelita fue inventada para sustituir a una sustancia natural escasa: la laca, una secreción pegajosa producida por la cochinilla *Laccifer lacca* hembra. La demanda de laca comenzó a dispararse a principios del siglo XX porque era un excelente aislante eléctrico, pero se precisaban las secreciones exudadas por quince mil cochinillas durante seis meses para producir la suficiente resina color ámbar necesaria para elaborar medio kilo de laca.[29] Con el fin de seguir el ritmo de la rápida expansión de la industria eléctrica, era indispensable encontrar otra solución.

El plástico que Leo Baekeland inventó combinando formaldehído con fenol, un producto de desecho del carbón, y sometiendo esta mezcla al calor y a la presión, resultó ser infinitamente más versátil que la laca. Aunque, con cierto esfuerzo, era posible conseguir que se asemejara a algunos materiales naturales, el invento de Baekeland carecía del don del celuloide para la imitación. Por otra parte, poseía una poderosa identidad propia, lo cual contribuyó a fomentar el desarrollo de un aspecto plástico claramente identificable.[30] La baquelita era un material oscuro y resistente de belleza elegante y mecánica, «tan depurado como una frase de Hemingway»,[31] en palabras del escritor Stephen Fenichell. A diferencia del celuloide, la baquelita podía moldearse con precisión y adoptar cualquier forma mediante una elaboración mecánica, desde cojinetes industriales tubulares del tamaño de semillas de mostaza hasta ataúdes. Los contemporáneos de Baekeland alabaron la «adaptabilidad proteica» de la baquelita y les maravilló que el químico belga hubiera transformado algo tan asqueroso y de olor tan repulsivo como el alquitrán de hulla —durante mucho tiempo un desecho en el proceso de coquización— en esta maravillosa sustancia nueva.

Las familias se reunían en torno a las radios de baquelita (para escuchar programas patrocinados por la Corporación Bakelite), conducían vehículos equipados con accesorios de baquelita, se mantenían en contacto con teléfonos de baquelita, lavaban la ropa en lavadoras con paletas de baquelita, planchaban las arrugas con planchas revestidas de baquelita y, por supuesto, se peinaban con peines de baquelita. «Desde que un hombre se lava los dientes por la mañana con un cepillo de dientes de mango de baquelita hasta el momento en que saca su último cigarrillo de una boquilla de baquelita, lo apaga en un cenicero de baquelita y se tumba en una cama de baquelita, todo lo que toca, ve y usa estará hecho de este material de múltiples funciones»,[32] comentó entusiasmado el articulista de la revista *Time* en 1924 en un número que llevaba la fotografía de Baekeland en la portada.

La creación de la baquelita trajo consigo un cambio en el desarrollo de los nuevos plásticos.[33] A partir de entonces, los científicos dejaron de buscar materiales que pudieran imitar a la naturaleza y trataron de «cambiar la naturaleza de maneras nuevas e imaginativas». Durante las décadas de 1920 y 1930 llegó una avalancha de nuevos materiales procedentes de laboratorios de todo el mundo. Uno de estos materiales era el acetato de celulosa, producto semisintético (la celulosa vegetal era uno de sus componentes básicos) que poseía la adaptabilidad del celuloide pero no era inflamable. Otro era el poliestireno, un plástico duro y brillante que podía fabricarse en colores vivos, permanecer transparente como el cristal o inflarse con aire hasta convertirse en el polímero espumoso que Dow Chemical registraría más tarde con la marca Styrofoam [espuma de poliestireno]. Mientras tanto, DuPont introdujo el nailon, su respuesta a la búsqueda de siglos de una seda artificial. Cuando se introdujeron las primeras medias de nailon en el mercado, después de una campaña que promocionaba este material como «brillante como la seda» y «fuerte como el acero», las mujeres se volvieron locas.[34] Las tiendas agotaron sus existencias en cuestión de horas, y en algunas ciudades los escasos suministros provocaron trifulcas encarnizadas entre las compradoras que pugnaban por hacerse con unas medias de nailon. Al otro lado del océano, químicos británicos descubrieron el polietileno, un polímero fuerte e impermeable que se convertiría en el no va más de los envoltorios. Con el tiempo dispondríamos de plásticos dotados de características imposibles de hallar en la naturaleza: superficies a las que nada se adheriría (teflón) o telas capaces de detener una bala (Kevlar).

Pese a ser totalmente sintéticos, al igual que la baquelita, muchos de estos nuevos materiales se diferenciaban de la invención de Baekeland en un aspecto fundamental: la baquelita es un plástico termoestable, lo que significa que sus cadenas de polímeros están conectadas a través del calor y la presión aplicados al moldearlo. Las moléculas se condensan del mismo modo que la masa para hacer gofres se solidifica en una gofrera. Y cuando esas moléculas se unen para formar una *cadena de margarita,* ya no pueden separarse. Es posible romper un trozo de baquelita, pero no se puede derretir para convertirlo en otra cosa. Los plásticos termoestables son moléculas inmutables —los increíbles Hulk del mundo polímero—, razón por la que aún se encuentran antiguos teléfonos de baquelita, así como plumas, pulseras e incluso peines que parecen casi nuevos.

Polímeros como el poliestireno, el nailon y el polietileno son termoplásticos; sus cadenas de polímeros se forman mediante reacciones químicas que tienen lugar antes de que el plástico sea moldeado. Los enlaces que unen a estas *cadenas de margarita* son menos firmes que los de la baquelita, y por consiguiente estos plásticos responden de inmediato al calor y al frío. Se derriten a altas temperaturas (la temperatura depende del tipo de plástico), se solidifican al enfriarse y, si están lo suficientemente fríos, pueden incluso congelarse. Lo que significa que, a diferencia de la baquelita, pueden moldearse, fundirse y volverse a moldear una y otra vez. Su facilidad para adoptar formas distintas es una de las razones por las que los termoplásticos eclipsaron rápidamente a los plásticos termoestables, y hoy constituyen alrededor del 90 por ciento de todos los plásticos que se producen.[35]

Muchos de los nuevos termoplásticos acabaron convirtiéndose en peines, los cuales, gracias al moldeo por inyección y a otras nuevas tecnologías, podían fabricarse más rápidamente y en cantidades mucho mayores que antes: miles de peines en un solo día. Este hecho ya supuso una pequeña proeza, pero al multiplicarlo por todas las necesidades y los lujos que podían producirse en serie a un precio reducido, resulta comprensible que los plásticos fueran considerados por muchos los precursores de una nueva era de abundancia. Los plásticos, tan baratos y tan fáciles de producir, permitían corregir la distribución desigual y caprichosa de los recursos naturales que había hecho ricas a algunas naciones, empobrecido a otras y provocado infinidad de guerras devastadoras. Los plásticos prometían una utopía material al alcance de todos.

Al menos, ésta era la visión esperanzada de un par de químicos británicos que escribieron lo siguiente en vísperas de la segunda guerra mundial: «Tratemos de imaginar a un habitante de la "Era del Plástico"», propusieron Victor Yarsely y Edward Couzens.[36] «Este "Hombre de Plástico" vivirá en un mundo lleno de color y de superficies relucientes... un mundo en el que el hombre, como si fuera un mago, fabricará cuanto se le antoje para cubrir casi todas sus necesidades.» Se lo imaginaron creciendo y envejeciendo rodeado de juguetes irrompibles, esquinas redondeadas, paredes que sería imposible rozar, ventanas que no se combarían, tejidos a prueba de manchas y coches, aviones y barcos ligeros. Las humillaciones de la vejez se reducirían gracias a gafas y dentaduras de plástico hasta que la muerte se lo llevara, momento en el que lo enterrarían «confinado higiénicamente en un ataúd de plástico».

Este mundo aún tardó en aparecer. Gran parte de los nuevos plásticos descubiertos en la década de 1930 fueron monopolizados por el Ejército durante el curso de la segunda guerra mundial. Ansioso por conservar el preciado caucho, por ejemplo, en 1941 el Ejército estadounidense emitió la ordenanza de que todos los peines suministrados a los soldados se fabricaran con plástico y no con caucho vulcanizado.[37] Por consiguiente, todos los miembros de las fuerzas armadas, desde soldados rasos hasta generales, en unidades tanto blancas como negras, recibieron un peine de bolsillo de plástico de doce centímetros en su «neceser higiénico». Por supuesto, los plásticos también prestaron servicios mucho más importantes: se utilizaron en espoletas de mortero, paracaídas, piezas para aviones, cubiertas protectoras de antenas, tubos de bazucas, recintos para torretas, forros de cascos y un sinfín de objetos más. Los plásticos fueron esenciales incluso para construir la bomba atómica: los científicos del Proyecto Manhattan confiaron en la enorme resistencia del teflón a la corrosión a fin de fabricar contenedores para los gases volátiles que utilizaban. La producción de plásticos aumentó de forma significativa durante la guerra, y casi se cuadriplicó al pasar de 97 millones de kilos en 1939 a 371 millones en 1945.[38]

Sin embargo, tras la victoria aliada sobre Japón todo aquel potencial de producción tenía que desviarse hacia alguna parte, y fue entonces cuando los plásticos invadieron los mercados de consumo. (En realidad, ya en 1943 DuPont tenía a todo un departamento trabajando en la preparación de prototipos de artículos domésticos que podían fabricarse con los plásticos requisados para la guerra.)[39] Pocos meses después del final de la guerra, miles de personas hicieron cola para entrar en la primera Exposición Nacional de Plásticos de Nueva York, una muestra de los nuevos productos que ahora era posible fabricar gracias a los plásticos utilizados y probados durante la guerra.[40] Para un público cansado tras dos décadas de escasez, la exposición ofrecía un anticipo apasionante de todo cuanto prometían los polímeros. Había mosquiteras de todos los colores del arco iris que nunca precisarían pintura. Maletas lo suficientemente ligeras para poder levantarlas con un dedo, pero lo suficientemente fuertes para acarrear un montón de ladrillos. Tejidos que podían limpiarse con un trapo húmedo. Sedal tan fuerte como el acero. Envoltorios transparentes que permitirían a los compradores ver si la comida que había en su interior estaba fresca. Flores que parecían talladas en cristal. Una mano artificial que se movía como una mano auténtica. Aquí estaba la era de abundancia que los optimistas químicos británicos habían imaginado. «Nada puede detener el avance de los plásticos», alardeó el director de la exposición.[41]

Todos aquellos antiguos soldados con sus peines reglamentarios volvían a casa en un entorno no sólo de abundancia material, sino también de oportunidades brindadas por las becas para excombatientes, los subsidios a la vivienda, la demografía favorable y una prosperidad económica que proporcionó a los estadounidenses un nivel de ingresos sin precedentes. La producción de plásticos se disparó después de la guerra, y trazó una curva de crecimiento incluso más pronunciada que el producto nacional bruto.[42] Gracias a los plásticos, los nuevos ricos estadounidenses disponían de una selección interminable de productos asequibles de entre los que elegir. El flujo de nuevos productos y aplicaciones era tan constante que pronto se convirtió en la norma. Muchos creían que los recipientes Tupperware habían existido siempre, así como las encimeras de formica, las sillas de escay, las luces traseras acrílicas rojas, el film transparente para envolver alimentos, los revestimientos de vinilo, las botellas de plástico blando, los pulsadores, las muñecas Barbie, los sostenes de lycra, las pelotas de *wiffle,* las zapatillas deportivas, los vasos con asas para niños y un sinfín de productos más. La industria naciente se alió con la prensa, especialmente con las revistas femeninas, para convencer a los consumidores de las virtudes del plástico.[43] «Los plásticos están aquí para aligerar tus tareas domésticas», prometía *House Beautiful* a las amas de casa en un número especial de cincuenta páginas en octubre de 1947 titulado «Plásticos... El camino hacia una vida mejor y más relajada». Incluso los peines se convirtieron en objetos al servicio del consumo al adoptar una nueva función como vallas publicitarias en miniatura para varias empresas. Hoteles, compañías aéreas, redes ferroviarias y otras industrias de finales de los años cincuenta empezaron a distribuir peines de regalo con sus nombres grabados.[44]

Semejante proliferación de productos contribuyó a engendrar la rápida movilidad social que tendría lugar después de la guerra. Estados Unidos era ahora una nación de consumidores, una sociedad cada vez más democratizada por nuestra capacidad compartida para disfrutar de las comodidades de la vida moderna. No sólo había un pollo en cada cazuela, sino también un televisor y un equipo de música en cada salón, y un automóvil frente a cada casa. Gracias a la industria de los plásticos se adquirió una creciente capacidad para sintetizar todo cuanto se quería y todo cuanto se necesitaba, de modo que la propia realidad pareciera infinitamente más abierta a las posibilidades y mucho más maleable, como observó el historiador Meikle.[45] Ahora, como residentes de pleno derecho de Plasticville, los estadounidenses empezaron a creer que ellos también eran de plástico. Tal y como *House Beautiful* aseguró a sus lectores en 1953, «tendrás muchas más oportunidades de ser tú mismo que cualquier otra persona en la historia de la civilización».[46]

2
Un trono para el hombre corriente

En 1968, el Museo de Artesanía Contemporánea de Nueva York organizó una exposición histórica que incluía cuadros, muebles, artículos del hogar, joyas y varios artículos más hechos de plástico. La exposición, «El plástico como plástico»,[1] estaba pensada como tributo a la nueva libertad artística posibilitada por los polímeros. Tal y como escribió el crítico de arte de *The New York Times* Hilton Kramer en su reseña sobre la exposición, aquí «estaba la respuesta al sueño de un artista, toda una familia de materiales que pueden adoptar prácticamente cualquier tamaño, forma o color que la mente humana pueda concebir».[2] ¿Acaso resultaba sorprendente que artistas y diseñadores se hubieran enamorado profundamente de estos nuevos materiales?

Sin embargo, a Kramer le sorprendió la falta de convicción con que los artistas de la exposición habían respondido a aquella «libertad casi fáustica», al menos en comparación con los diseñadores industriales, esas mentes creativas responsables de convertir visiones estéticas en usos para el mundo real. En su opinión, los diseñadores, especialmente los que ideaban muebles, se mostraban «claramente más relajados, más inventivos y más inspirados en el mundo de los plásticos que incluso el mejor de los artistas». Sus creaciones eran las que estaban «definiendo un nuevo mundo de sensaciones».

Cuando se inauguró la exposición los diseñadores ya llevaban décadas explorando aquel nuevo mundo. Desde la llegada de la baquelita, descubrieron en los plásticos la oportunidad de inventar una estética moderna para la vida cotidiana, ya fuera en los automóviles, las cafeteras o las sillas. De hecho, especialmente en las sillas. Si el peine acercó el plástico a las masas, la silla nos mostró lo fabuloso que podía ser este material.

Hasta hace poco nunca había prestado demasiada atención a las sillas, salvo para clasificar según su comodidad todas las que he usado a lo largo de mi vida. Pero tal y como he acabado descubriendo, se precisa mucho ingenio para fabricar una buena silla. Ésta es una de las razones por las que la empresa Herman Miller al parecer gastó diez millones de dólares en la creación de su silla de oficina Aeron, de exquisito diseño ergonómico.[3]

Tenemos una relación más íntima con las sillas que con casi cualquier otro mueble. Sin embargo, la misma silla de comedor en la que plantifica su generoso trasero una mujer como yo, de 1,60 de estatura, también tiene que acomodar a mi marido, flaco, casi sin culo y de 1,83 de estatura, a mis hijos adolescentes que no paran de crecer y a mi menuda hija preadolescente. Una silla tiene que soportar a personas de todas formas y tamaños sin dejar de ser razonablemente cómoda. Es mucho pedir. No se espera tanto de ningún otro mueble.

Por consiguiente, desde hace tiempo la silla se considera el Everest del diseño de muebles. Una y otra vez, las mentes creativas se han enfrentado a este objeto aparentemente sencillo en busca de formas nuevas e innovadoras de combinar forma y función. Los museos del diseño están llenos de sillas, al igual que los libros sobre la historia del diseño. «Tanto desde la perspectiva del diseño como desde una perspectiva antropológica, las sillas son sumamente importantes», afirmó Paola Antonelli, conservadora del departamento de diseño en el Museo de Arte Moderno de Nueva York (MoMA).[4]

Si volvemos la vista a los inicios de la historia de la silla, llama la atención lo similar que ha sido siempre el modelo básico. La silla más antigua conocida —un ejemplar de 3400 años hallado en la tumba de la reina egipcia Hetéferes (y destinado a proporcionar un buen asiento para cualquier acontecimiento que aguardara a la reina en la otra vida)— no desentonaría demasiado en una sala de estar moderna.[5] Es una silla ancha y baja, con reposabrazos altos y cuatro patas que acaban en pies tallados a modo de garras de león. Esta forma rectilínea básica se repite a lo largo de los siglos, en distintos países y culturas. Es una forma dictada tanto por las características del cuerpo humano sedente como por las limitaciones de los materiales disponibles, que durante buena parte de la historia humana eran madera, metal, cuero y cuerda, y, sólo desde hace relativamente poco, tela.

Incluso con un vocabulario tan limitado, las sillas ofrecen un testimonio elocuente del *Zeitgeist* de una cultura. Consideremos las sillas de dos mundos muy distintos del siglo XVIII. Un sillón Luis XIV —dorado, recargado, lleno de detalles— refleja la pompa y la política de la corte de Versalles del mismo modo que las líneas sobrias y sencillas de una silla de los artesanos Shaker representan la fe austera de esta secta cuáquera. El sillón de decoración barroca reflejaba la gloria del Rey Sol, y sólo a él se le permitía disfrutarlo; los restantes miembros de la corte se veían obligados a sentarse en escabeles. Los artesanos Shaker evitaban deliberadamente los adornos: sólo incluían aquellos detalles que pudieran tener un propósito práctico.[6] Su actitud con respecto a sus muebles, como han señalado los historiadores de la arquitectura Shaker, «no era más sentimental que su actitud con respecto a sus propios cuerpos de carne y hueso. Era el espíritu utilitario interno lo que importaba, y no el recipiente en sí».

Podemos apreciar el florecimiento de una cultura helenística expansiva y creativa en las líneas gráciles y curvadas de la silla klismos del siglo V a.C., y la severidad del régimen feudal en las enormes sillas con aspecto de trono de la Europa medieval. El espíritu de la industrialización se aprecia fácilmente en el brillante diseño de lo que es hoy la clásica silla de madera de los cafés. Como saben los aficionados, el Modelo Thonet 14 fue introducido en 1859 por Michael Thonet, un ebanista alemán empeñado en crear una silla que pudiera producirse en serie y venderse a un precio asequible.[7] Thonet lo logró reduciendo la geometría de una buena silla a media docena de piezas fáciles de montar: dos círculos de madera, dos palos, un par de arcos de madera alabeada, diez tornillos y dos tuercas. En 1930 se habían vendido ya cincuenta millones, y muchos millones más se han vendido desde entonces. Las sillas actuales resultan igualmente reveladoras. La obsesión de los estadounidenses por los asientos ergonómicos delata que se trata de un pueblo sumamente inactivo.

Pero las sillas no sólo son artefactos culturales: llevan mucho tiempo haciendo las veces de lienzos artísticos. Como observó en cierta ocasión el diseñador industrial George Nelson, «Cada idea auténticamente original, cada innovación en el diseño, cada nueva elección de materiales, cada innovación técnica destinada a un mueble, parece encontrar su expresión más importante en una silla».[8] Desde mediados del siglo XX, buena parte de dicha innovación fue inspirada por los plásticos. La llegada de esta armada química eliminó muchas de las restricciones impuestas por los materiales tradicionales. Los diseñadores de sillas pudieron desarrollar formas de adaptar un asiento al cuerpo humano más complejas que la convencional serie de ángulos rectos. Una silla de plástico podía tener muchas patas o, como un puf, ninguna. Podía ser dura o blanda, o estar llena de aire; podía tener la forma de una pelota o de un guante de béisbol. Si la tecnología de los polímeros lo permitía, los únicos límites los imponía la imaginación del diseñador.

La raíz griega de la palabra «plástico» puede usarse como adjetivo o como verbo, pero no como sustantivo, lo que es probablemente más fiel a la naturaleza del plástico de lo que nadie imaginó cuando se acuñó la palabra.[9] Porque aunque hablamos del plástico como un objeto, no posee la identidad orgánica bien definida que se encuentra en las sustancias naturales. Madera, piedra, metal, mineral: todos estos materiales cuentan con propiedades innatas que dictan cómo debemos usarlos y qué pensamos de ellos. Sabemos que un diamante será lo suficientemente duro para rayar el cristal, que un anillo de oro no se oxidará y que es posible lustrar un trozo de ébano. Cuando observamos un objeto hecho con materiales naturales podemos adivinar cómo se creó, si fue amartillado, forjado, tejido o cepillado con una garlopa.

Pero un trozo de plástico es esencialmente inescrutable y apenas ofrece pistas sobre su pasado o su futuro. Aunque es posible dotar de propiedades específicas a cualquier polímero, la única cualidad innata que define a los plásticos como familia de materiales es... su plasticidad, su capacidad proteica de ser cualquier cosa que necesitemos que sean. Como observó el filósofo francés Roland Barthes en su famosa reflexión sobre el plástico de 1957, «la capacidad transformista del plástico es total: se puede convertir tanto en cubos como en joyas».[10]

La llegada de sustancias tan acomodaticias nos proporcionó,

en un grado desconocido hasta entonces, el medio para dar forma al mundo de acuerdo con nuestra voluntad y nuestros antojos, nuestras necesidades y nuestros sueños. Los fabricantes de la baquelita decidieron recalcar dicho mensaje al escoger como marca comercial el símbolo matemático del infinito.[11]

Los diseñadores quedaron cautivados por aquel universo de posibilidades desde que los plásticos hicieron su aparición. Les encantaba la libertad para diseñar que ofrecían los sintéticos y el espíritu de modernidad que caracterizaba a aquellos materiales, una sensibilidad de puertas abiertas que un crítico alemán denominó *Plastikoptimismus*.[12] En opinión del diseñador de muebles Paul T. Frankl, un material como la baquelita hablaba «en la lengua vernácula del siglo XX [...] el idioma de la invención, de la síntesis».[13] Frankl instaba a sus colegas diseñadores a emplear toda su capacidad imaginativa para explorar la clara artificialidad de los nuevos materiales. Tal y como lo interpretaron Frankl y otros diseñadores que trabajaron con la baquelita en las décadas de 1930 y 1940, se trataba del idioma del diseño estilizado, una jerga a base de curvas, guiones y formas de lágrima que creaba una sensación de velocidad y movimiento en los objetos cotidianos, desde teléfonos a radios pasando por cocteleras. Si se estiliza una estilográfica, incluso un artículo tan serio como aquél parece declarar: «¡Nos precipitamos hacia el futuro!». Los termoplásticos infinitamente moldeables que estuvieron disponibles más tarde ofrecían un vocabulario de diseño aún más amplio.

Había también otra razón por la que los diseñadores adoptaron el plástico. Desde mediados del siglo XX el diseño moderno ha estado guiado por un evangelio igualitario, basado en la creencia de que el diseño de buena calidad no tiene por qué costar mucho dinero, y que incluso los artículos más triviales pueden ser bellos. «Proporcionar a más gente lo mejor al precio más bajo» fue la forma en que Ray y Charles Eames lo expresaron en su famoso credo. Los plásticos —maleables, relativamente baratos y fabricados en serie— eran el medio ideal para desempeñar aquella misión. O, como expresó más adelante Karim Rashid, un diseñador contemporáneo célebre por su amor a los materiales sintéticos, «para crear un diseño democrático y bello, el plástico es el mejor material».[14] En 1956, el Museo de Arte Moderno de Nueva York reconoció la contribución del plástico a esta misión cuando incluyó una serie de piezas de Tupperware en una exposición de diseños sobresalientes del siglo XX.[15] Según Alison Clarke, historiadora del Tupperware, las piezas recibieron alabanzas por estar bien hechas y bien proporcionadas, por sus formas «de trazos limpios y cuidadosamente concebidas, exentas de la vulgaridad que caracterizaba a tantos artículos domésticos». Si antes los plásticos habían contribuido a democratizar los bienes de consumo, ahora ayudaban a democratizar el diseño.

Sin embargo, como en cualquier nueva relación, había ciertos riesgos. Era demasiado fácil explotar la capacidad de imitación de los plásticos para producir las burdas imitaciones —armarios de formica y sillones reclinables de escay— que contribuyeron a aumentar la reputación del plástico como material inferior.[16] La adaptabilidad y la ligereza de los plásticos socavaron su capacidad para adquirir «dignidad» como materiales legítimos dignos de ser tomados en serio, escribió un crítico.[17]

Las desafortunadas experiencias de la gente con los plásticos en los años inmediatamente posteriores a la guerra exacerbaron esta impresión.[18] La industria naciente había prometido «maravillas salidas de la probeta», pero en tiempos de paz los mercados sufrieron todo tipo de percances químicos. Los fabricantes aún se encontraban en la parte más pronunciada de la curva de aprendizaje, lo que no siempre se traducía en consumidores felices. Se dieron casos de platos de plástico que se deshacían en el agua caliente, juguetes de plástico que se agrietaban la mañana de Navidad, o impermeables de plástico que se volvían pegajosos y se rompían bajo la lluvia. La tecnología de los polímeros fue mejorando durante la década de 1950 a medida que los fabricantes descubrían cómo hacer plásticos mejores y, lo que es más importante, cómo encontrar el uso adecuado para cada polímero. Pero el daño a la reputación del plástico ya estaba hecho.

El diseñador Charles Eames era muy consciente de los desafíos que planteaba el empleo de los plásticos.[19] Eames y su esposa, Ray, habían creado una de las primeras sillas de plástico icónicas —la célebre silla cubo— fabricada con una onda de fibra de vidrio apoyada sobre finas patas metálicas cruzadas. En una conferencia pronunciada ante estudiantes en 1963, Eames habló sobre las diferencias entre trabajar con una sustancia natural como el granito y un material sintético como la fibra de vidrio. El granito, explicó Eames, es un material tan duro que aunque puede que no sea fácil crear algo bueno con él, «es extremadamente difícil hacer algo malo».

«El plástico», prosiguió Eames, «es muy distinto. Con este material tan moldeable es extraordinariamente fácil crear algo de escasa calidad: uno puede crear cualquier clase imaginable de monstruosidad sin esforzarse demasiado. El material en sí mismo no ofrece resistencia, y sea cual fuere la disciplina, el artista debe ser lo suficientemente fuerte para cumplir con su cometido.» Eames afirmó que veía el plástico de una forma muy similar a como los aztecas veían las bebidas fuertes: una forma de expresión personal peligrosamente embriagadora para los jóvenes. Según la ley azteca, sólo la edad y la madurez conferían a alguien el derecho a beber; los adultos jóvenes que se emborrachaban podían ser condenados a muerte. Asimismo, Eames creía que «la plastilina y el aerógrafo deberían reservarse para artistas mayores de cincuenta años».

El diseñador danés Verner Panton tenía apenas treinta años cuando empezó a soñar con las sillas de plástico a mediados de la década de 1950. Panton acababa de licenciarse en arquitectura y era un iconoclasta ambicioso de febril imaginación que se negaba a traicionar sus creencias. Durante la guerra no sólo se opuso a la ocupación nazi de Dinamarca, sino que abandonó la universidad para unirse a la resistencia danesa, y pasó meses escondido después de que encontraran armas en su piso.[20] Después de la guerra se trasladó a Copenhague para estudiar arquitectura. No tardó en hacerse un sitio en el influyente mundillo del diseño de la ciudad, y entabló amistad con varias de sus figuras ilustres.

Sin embargo, a Panton le interesaba muy poco el *look* danés moderno sosegado y discreto que entonces primaba en los salones de las clases medias de todo el mundo. Detestaba lo que denominaba «conformidad gris-beis», y el color blanco le parecía tan aburrido «que deberían gravarlo con impuestos». Él vestía únicamente prendas azules.[21] No se sentía inspirado por la madera ni por las fibras naturales e imaginaba formas propias de la era espacial, colores chillones situados en las franjas más alejadas del círculo cromático, figuras retorcidas y curvadas que no podían conseguirse mediante trabajos de carpintería tradicionales. Al igual que a muchos de sus coetáneos, a Panton le fascinaba el aluvión de materiales nuevos —los alambres de acero, el contrachapado moldeado y, por encima de todo, los plásticos— que aparecieron después de la guerra. Los diseñadores «deberían usar estos materiales para crear objetos que hasta ahora sólo podían ver en sueños»,[22] le dijo a un entrevistador. «Personalmente, me gustaría diseñar sillas que agoten todas las posibilidades técnicas actuales.»

Lo cierto es que Panton ya tenía una silla en mente: un diseño radical, muy distinto al de las sillas convencionales, que esperaba realizar en plástico. Sin embargo, sabía que no encontraría un público para su idea en la conservadora Copenhague, donde, como dijo un destacado diseñador, «no nos hemos preocupado de nada, salvo de cambiar el tipo de madera».[23]

A finales de la década de 1950 Panton compró una camioneta Volkswagen, la convirtió en estudio móvil y comenzó a viajar de forma periódica por Europa para visitar a los diseñadores, fabricantes y distribuidores que, esperaba, se avinieran a comprar sus diseños. A principios de los años sesenta ya había adquirido cierta reputación por sus diseños imaginativos y lúdicos realizados con materiales nada tradicionales: amuebló el vestíbulo de un hotel con los primeros muebles de plástico hinchable; diseñó lámparas en forma de ovni y paredes con paneles de plástico retroiluminados; creó sillas con cilindros de metal laminado. También se estaba labrando una reputación de *enfant terrible* al que le gustaba provocar a sus colegas más convencionales. En una feria del diseño celebrada en 1959 exigió que sujetaran al techo los muebles que exponía: creyó que así ofrecería a los visitantes una perspectiva mejor de sus creaciones.[24] Pero a sus colegas no les divirtieron todas estas excentricidades pensadas para llamar la atención. «Muchos de los artistas se negaron a dirigirme la palabra durante algún tiempo después de aquello», recordaría Panton.

Durante todos los viajes que hizo por Europa en su Volkswagen, Panton llevaba consigo una maqueta en miniatura de la silla radical que había concebido años atrás. Tenía la esperanza de conocer a alguien que estuviera dispuesto a financiar su fabricación, pero tardó muchos años en encontrar a un socio bien dispuesto. «Como mucho, podría considerarse una escultura, pero no una silla», dijo con desdén un fabricante de muebles con el que Panton se puso en contacto.[25]

Lo cierto es que no se parecía a ninguna silla convencional. No tenía ni reposabrazos ni patas, sólo una larga curva de plástico en forma de ese, como la silueta de una persona sentada. El asiento descansaba sobre una bóveda cóncava. Panton no inventó aquella forma: la había inventado décadas atrás el arquitecto holandés Mart Stam y después la popularizó Marcel Breuer, quien fabricó una silla en voladizo con tubos de cromo y madera.[26] Pero gracias a la visión de Panton la forma inventada por Breuer llegó a la era de los sintéticos. Tendría líneas sinuosas y una superficie brillante: una onda doble de curvas que abrazaran el cuerpo que sólo podía fabricarse con plástico.[27]

Pero no era sólo la forma lo que llevó a Panton a llamar a todas las puertas obstinadamente con su maqueta. También se sentía cautivado por el reto de crear una silla que pudiera producirse en serie en un solo paso a partir de una única pieza de plástico. Se le ocurrió la idea tras contemplar cómo fabricaban un cubo de plástico con una máquina de moldeo por inyección. Los gránulos de plástico eran introducidos por un extremo y se fundían rápidamente hasta convertirse en un líquido que luego era disparado en un molde, donde se le daba forma y se dejaba enfriar. Panton quedó impresionado por la rapidez del proceso y el bajo precio del cubo. Si pudiera fabricar una silla mediante el mismo sistema, lograría el objetivo que muchos diseñadores habían intentado alcanzar a lo largo de varias generaciones: hacer una silla de una sola pieza. Dicha silla sería la perfecta encarnación de la moderna era industrial: un conjunto armonioso de forma, materiales y técnica de fabricación. Lo que los diseñadores denominan una «unidad de diseño total».

La unidad de diseño total constituye la máxima ambición en el mundo del diseño. Se valora por razones estéticas, y también porque representa la forma más eficiente de fabricar un objeto. «Si pensamos en cómo proporcionar buenos diseños a las masas de manera asequible, las formas de un solo material son las más recomendables», explicó el historiador de mobiliario Peter Fiell. Panton no fue el único diseñador obsesionado con aquel desafío. A mediados del siglo XX, otros diseñadores en Europa y en América del Norte estudiaban el modo de producir sillas de plástico en serie con algunos de los nuevos polímeros disponibles, como la fibra de vidrio y el polipropileno.[28]

Sin embargo, para decepción de Panton, la tecnología iba muy por detrás de la visión artística. En 1957, su colega Eero Saarinen ideó su famosa silla Tulipán. Saarinen imaginó un pétalo suavemente curvado de fibra de vidrio blanca que se abría desde un esbelto pedestal. (Su objetivo consistía en eliminar «el batiburrillo de patas» que caracterizaba a los muebles tradicionales.) Saarinen quería moldear asiento y pedestal «en una sola pieza», como escribiría más tarde.[29] «Todos los grandes muebles del pasado, desde la silla de Tutankamón hasta las de Thomas Chippendale, han sido siempre un todo estructural.» Pero había un problema: un fino tallo de fibra de vidrio no era lo suficientemente fuerte para soportar el peso de quien se sentara en la silla. Así que Saarinen tuvo que conformarse con fabricar la base de metal y recubrirla de plástico blanco. La silla tenía el aspecto que Saarinen había imaginado, pero el diseñador continuaba decepcionado. Les confesó a sus colegas que aún ansiaba que llegara el día en que «la industria del plástico haya avanzado hasta el punto de que la silla sea de un solo material, tal y como está diseñada».[30]

Dados los obstáculos que impedían la fabricación de sillas hechas enteramente de plástico, diversos diseñadores y fabricantes, especialmente en Europa, estaban descubriendo formas de aplicar sus puntos de vista vanguardistas a objetos cotidianos más pedestres gracias a los adelantos surgidos tanto en la ingeniería de los polímeros como en el procesado de los plásticos.

Nadie superaba en este cometido a la empresa italiana Kartell, fabricante del primer cubo de plástico, posiblemente el uso más importante que se haya dado a este material.[31] (Si consideramos los miles de años que los humanos pasaron buscando un modo fiable de contener y transportar agua, no resulta sorprendente que los cubos se encuentren entre los primeros objetos de plástico adoptados por las sociedades tradicionales.) La empresa fue fundada en 1949 por el ingeniero químico Giulio Castelli y por su esposa Anna, una arquitecta. El matrimonio entendió la necesidad de mejorar la tecnología de los plásticos y nunca dejó de buscar nuevas maneras de aprovechar las propiedades de los polímeros. Los Castelli siempre trabajaron codo con codo con maquinistas y moldeadores a fin de mejorar los procesos de moldeado.

Empezaron fabricando accesorios para automóviles, pero pronto gravitaron hacia empeños más artísticos. Los Castelli reconocieron desde el principio que los materiales de plástico, a diferencia de los naturales, «adquieren una identidad [...] sólo mediante el proyecto en sí».[32] El éxito dependía del diseño, por lo que reclutaron a diseñadores de primera línea para crear incluso los objetos más pedestres. Los artículos fabricados por Kartell, ya fueran matamoscas, exprimidores, ceniceros, lámparas o cajas de almacenaje, adquirieron una belleza elegante. El recogedor, con un mango largo vertical diseñado por Gino Colombine, poseía tal pureza de líneas que acabaría exhibiéndose en varios museos de diseño.

El acierto de los Castelli consistió en aceptar el plástico por lo que era. A diferencia de tantos fabricantes estadounidenses, no intentaron convertirlo en el sustituto de algún material natural. No lo llenaron de vetas para que se asemejara a la madera, ni lo motearon con la textura granulosa del cuero, y tampoco lo espolvorearon de purpurina para proporcionarle el resplandor del oro. Dejaron que el plástico fuera plástico. Los productos que salían de su fábrica de Milán tenían vivos colores primarios, superficies lisas y brillantes, formas euclidianas depuradas y curvas ondulantes. Era un estilo tan abiertamente artificial que, como escribió Meikle, «el olor de la refinería parecía persistir» en cada artículo.[33] No todo el mundo apreció aquel aspecto, pero no cabía duda de que los artículos de Kartell poseían un estilo propio, firmemente basado en la naturaleza resbaladiza del material de que estaban hechos. Los diseños de Kartell permitieron a la gente creer que el plástico, al igual que los materiales tradicionales, poseía cierta esencia noble.

Pero incluso Kartell tuvo problemas cuando intentó fabricar una silla de una sola pieza.[34] Para que la fábrica pudiera hacer una silla de tamaño normal los moldes tenían que ser gigantescos, y más aún la maquinaria necesaria para alojarlos y comprimirlos. Algunos diseñadores estuvieron cerca de conseguirlo, pero siempre se estancaban al llegar al problema de las malditas cuatro patas. Marco Zanuso y Richard Sapper idearon una silla infantil hecha de polietileno para Kartell. La empresa podía moldear el respaldo y el asiento en una sola pieza, pero las patas tenían que producirse y ensamblarse por separado. Joe Colombo se topó con el mismo problema cuando diseñó una silla de tamaño normal para la empresa en 1967.

La silla sin patas de Panton, sin embargo, suponía menos desafíos de producción. Su forma se adaptaba mejor al plástico, o al menos al procesamiento de plásticos habitual por aquel entonces.

La historia exacta de su silla no está bien documentada; el propio Panton ofreció versiones contradictorias de cómo acabó llevándose a cabo. Lo que sí sabemos es que a finales de la década de 1960 Panton encontró finalmente a un socio dispuesto a hacerse cargo de la producción de la silla S, una empresa suiza que fabricaba muebles de Herman Miller bajo licencia. Al propietario de la empresa no le entusiasmó el diseño de Panton, pero a su hijo, Rolf Fehlbaum, sí.[35] «Es interesante, es nuevo, es apasionante», le dijo Fehlbaum a su padre, y le instó a fabricarlo.

La fabricación de la silla entrañó más dificultades de las que Panton o sus nuevos socios habían previsto.[36] Durante algunos años experimentaron con distintos materiales y procesos y trabajaron muy de cerca con los fabricantes de plásticos, quienes estaban más que dispuestos a participar en lo que consideraban un proyecto innovador. En 1968 encontraron el plástico perfecto para su proyecto: una nueva espuma rígida de poliuretano brillante fabricada por Bayer llamada Baydur.[37] Más tarde, en aquel mismo año, la empresa comenzó a producir el asiento que pasaría a la historia del diseño.

Moderna, rompedora y una primicia tecnológica, la silla Panton, como luego sería bautizada, fue un éxito instantáneo, al menos en el mundo del diseño. Para decepción de Panton, la silla nunca obtuvo un gran éxito comercial; era demasiado rara para el típico consumidor de clase media con un salón amueblado con muebles de estilo colonial americano. Sin embargo, no tardó en adquirir prestigio como la silla icónica de su época, ejemplo de la exuberancia de los años sesenta y de la apertura a la experimentación. En opinión de Mathias Remmele, comisario de una exposición sobre la obra de Panton, la silla resumió algo aún más profundo: «Encarna el entusiasmo de una época en la que la fe de la sociedad en el progreso y en la supremacía de la tecnología sobre la materia era aún casi inquebrantable».[38] En esta encarnación, el plástico estaba bien visto. La silla adornó la portada de las revistas de diseño y fue utilizada en anuncios en los que podía aportar su atractivo a productos tan anodinos como los lavavajillas. Cierta revista publicó la fotografía de una modelo que posaba con gesto provocativo junto a una reluciente silla Panton roja en un reportaje fotográfico titulado «Cómo desnudarte delante de tu marido».[39]

Tras la aparición de la silla Panton, varios diseñadores idearon conceptos aún más arriesgados: tresillos hinchables, asientos en forma de muelas enormes, plátanos gigantescos, labios, erizos de mar, incluso una parcela de hierba. Cierto día, hacia 1970, mi madre —típica habitante convencional del Medio Oeste— vino a casa con una otomana de vinilo marrón brillante en forma de champiñón. La silla Panton ha pasado de moda y ha vuelto a aparecer. Ahora está de nuevo en boga gracias a Design Within Reach [Diseño a su alcance], una tienda de muebles centrada en el estilo de mediados del siglo XX que fabrica la silla en serie usando un plástico más barato, el polipropileno.

Cualquiera que sea el estatus de la silla como icono del pop-art, su característica más importante reside en el simple hecho de su creación. Tal y como afirmó enfáticamente el historiador del mobiliario Peter Fiell, cuando la primera silla emergió de aquel enorme útero mecánico, completamente terminada pero sin que la hubiera tocado la mano del hombre, fue «el momento más importante en la historia de los muebles desde los albores de la civilización». (Ésta es la típica generalización que puede permitirse alguien que ha escrito un libro titulado *1000 Chairs* [1000 sillas].) Panton y sus socios supieron conjugar forma, material y proceso de fabricación. Habían alcanzado la unidad de diseño total. O, tal y como afirmó Fiell: «Habían encontrado el santo grial».

Dadas las tentaciones de fabricar cualquier objeto en plástico, sólo era cuestión de tiempo antes de que aquel santo grial se convirtiera en un vaso desechable. Porque, desde una perspectiva tecnológica, una línea más o menos recta enlaza la reputada silla Panton y la silla de plástico de consumo masivo que podemos comprar hoy en la ferretería.

Sencilla, ligera y generalmente blanca o verde, la silla monobloc (así llamada porque se moldea con un único trozo de plástico) es tal vez el mueble de más éxito jamás inventado. Montones de estas sillas aparecen sin falta cada primavera. Un modelo básico cuesta más o menos lo mismo que seis latas de Budweiser.

Hay cientos de millones de sillas monobloc por todas partes, en porches, parques y junto a piscinas de cualquier lugar del mundo.[40] Puede que no aparezcan en las revistas de diseño, pero tal y como han observado los estudiosos de la silla monobloc, si prestamos atención seguro que las encontraremos en artículos y en fotos de los periódicos. Los kenianos se levantaron de sillas monobloc para aplaudir cuando se anunció la elección de Obama. Era posible vislumbrar algunas sillas monobloc al fondo del escondrijo de Sadam Husein, en el infierno para los presos de Abu Ghraib y en el espantoso vídeo de la decapitación en Bagdad del contratista estadounidense Nicholas Berg (que un bloguero aficionado a las conspiraciones señaló como prueba de que Estados Unidos tuvo algo que ver en el asesinato).[41]

Sillas blancas de plástico flotaban entre los restos del huracán Katrina y del tsunami indonesio. Se pueden ver en fotografías tomadas en manifestaciones en Cuba, disturbios en Nigeria y celebraciones de los sesenta años de régimen comunista en China. Están en los cafés de Israel y en las cafeterías de los países enemigos circundantes, Jordania, Siria y Líbano. Hay quien las ha visto en la aislada Corea del Norte, donde incluso la Coca-Cola, ese icono del comercio mundial, está prohibida.[42]

Estas sillas conquistaron corazones —y traseros— porque son baratas, ligeras, lavables, apilables y no requieren mantenimiento. Resisten cualquier condición atmosférica. Si no te apetece limpiar con una manguera la porquería que cubre el modelo del año pasado, son muy fáciles de sustituir. Además, resultan razonablemente cómodas.

Aunque la silla monobloc desciende de la silla Panton, su linaje preciso es incierto. Dependiendo de con quién hables, las sillas aparecieron por primera vez a principios o finales de la década de los setenta, o a principios de la de los ochenta, en Francia, en Canadá o en Australia. Si bien los orígenes de la primera silla monobloc no están nada claros, no es difícil imaginar cómo se produjo su aparición. En alguna parte muy alejada del enrarecido campo del diseño, probablemente en Europa, un empresario de mente práctica cayó en la cuenta de que sería posible producir sillas de plástico en serie.[43] Este hombre (no es un negocio en el que abunden las mujeres) emplearía el mismo proceso de moldeo por inyección que antes utilizara Panton, pero en lugar de usar un caro polímero de alta tecnología, como había hecho Panton, nuestro hombre usaría uno de los plásticos de consumo masivo más asequibles, como el polipropileno. Para entonces, la patente de los polímeros había expirado, y las materias primas plásticas podían conseguirse por menos de veinte centavos el medio kilo.[44] En lugar de escoger un diseño vanguardista, como el de la silla Panton, nuestro empresario volvería a comercializar el modelo convencional de cuatro patas que fabricantes como Kartell finalmente lograron producir gracias al ingenio de Panton. Y en lugar de producir sólo unos pocos miles de sillas cada vez, fabricaría cientos de miles, incluso millones, lo que le permitiría recuperar el elevado coste inicial. Si bien las sillas monobloc son baratas, la maquinaria que se precisa para fabricarlas no lo es. Una prensa de moldeo por inyección puede costar un millón de dólares, mientras que el coste de un molde nuevo puede ascender a 250.000 dólares o más.[45]

Y ésta es la estrategia, aproximadamente, que siguió la empresa francesa Allibert en 1978 cuando introdujo la silla Dangari, una silla de plástico de una pieza para jardín diseñada por Pierre Paulin, uno de los principales diseñadores de muebles franceses. La silla fue todo un éxito de ventas. Era más elegante y más pesada que las monobloc actuales, y se vendía por un precio mucho más abultado. Pero, al menos superficialmente, puede haber servido de modelo para las sillas ligeras y de diseño menos exigente que no tardaron en inundar los mercados de todo el mundo.

Después de ver sillas de plástico en una feria comercial a principios de la década de 1980, el empresario canadiense Stephen Greenberg se convirtió en uno de los primeros norteamericanos en embarcarse en el negocio de las sillas monobloc. Greenberg estaba convencido de que estas sillas ofrecían muchas ventajas en comparación con los muebles metálicos de jardín que vendía por aquel entonces. Las sillas de plástico no se oxidaban, se apilaban fácilmente y su diseño era de una funcionalidad asombrosa, por lo que Greenberg empezó a importar sillas monobloc de Francia. En aquella época, afirmó el empresario, sólo había un puñado de empresas dedicadas a este negocio, principalmente en Europa. Pero durante los años ochenta la situación cambió, sobre todo después de que fuera posible obtener moldes baratos de segunda mano para manufacturar las sillas. En lugar de tener que desembolsar cientos de miles de dólares para beneficiarse del *boom* de la silla monobloc, un fabricante podría establecerse por unos cincuenta mil dólares. De pronto parecía que cualquier patán con una prensa de moldeo por inyección se hubiera puesto a producir sillas. Empezaron a aparecer fabricantes por todo el mundo: en Argentina, Indonesia, México, Tailandia, Israel, Nueva Zelanda... Greenberg dejó de importar sillas monobloc y empezó a fabricarlas él mismo.

—En pleno auge de ventas facturábamos cinco millones de sillas al año. Y éramos sólo uno de entre muchos fabricantes. Conocíamos a unos tipos en Italia que estaban produciendo cincuenta mil al día —me dijo.

Con semejante volumen de ventas, la competencia era feroz. Los productores no dejaban de bajar el precio, creando unos márgenes de ganancias cada vez más exiguos. Si bien las primeras sillas monobloc se vendían por cincuenta o sesenta dólares, a mediados de los años noventa costaban una décima parte de dichas cantidades. «Finalmente muchas empresas acabaron quebrando», recordó Greenberg. Era «una especie de suicidio». Lo mismo sucedió en Estados Unidos, donde la intensa competencia acabó reduciendo el número de fabricantes de alrededor de una docena a mediados de los años ochenta hasta los tres que continúan produciendo sillas monobloc en la actualidad.[46]

Si vamos a la ferretería y compramos una silla de plástico lo más probable es que la fabrique una de estas tres empresas: Grosfillex, una compañía francesa con muchos años de experiencia en el negocio de los muebles de plástico que tiene una fábrica en Pensilvania; U.S. Leisure, filial estadounidense de un enorme conglomerado de plásticos israelí; o Adams Manufacturing, empresa privada de Portersville, Pensilvania, un pueblo minúsculo de sólo 268 habitantes situado al norte de Pittsburgh. Bill Adams, fundador de Adams Manufacturing, llegó relativamente tarde al negocio de las sillas de plástico, en el que se introdujo de lleno a finales de la década de 1990. Dada la brutal competencia entre los fabricantes de sillas de plástico, la familia de Adams consideró que la decisión acarreaba tales riesgos económicos que su esposa acabó divorciándose de él por esta razón y su hijo dejó la empresa durante varios años. Con todo, Adams no se arrepintió.[47] En su opinión, lo mejor que podía hacer por sus congéneres era fabricar muebles de plástico.

Como cabe esperar, la mayoría de los fabricantes de plásticos son auténticos fanáticos de sus productos, pero muy pocos eran tan devotos de los polímeros como Adams, una circunstancia que descubrí cuando lo visité.

—¡El plástico es mucho mejor que cualquier otro material! —exclamó Adams a modo de mantra—. Puedes hacer cualquier cosa con él, es muy eficaz. Y muy limpio.

Su profunda y devota plasticofilia evocaba el encendido entusiasmo de mediados del siglo XX. Pese a ser un material con tan mala prensa, Adams continuaba convencido de que «el plástico es algo muy bueno». Cuando le mencioné la creciente preocupación por la basura que generaban las bolsas de plástico, el empresario de Portersville me preguntó con escepticismo:

—¿Acaso ha visto alguna bolsa de plástico cuando venía hacia aquí?

En todos los años que llevaba veraneando en la costa de Maryland, afirmó, no había visto ni una sola vez restos de plástico en la playa, por lo que no creía que los desechos plásticos del océano supusieran ningún problema. Como si también fuera de plástico, su fe en los polímeros parecía inquebrantable.

Adams era un hombre alto de calva incipiente, con los párpados caídos y el aspecto paternal del actor Bert Lahr (el león en *El mago de Oz)*. Rondaría los sesenta años cuando lo entrevisté, y recordaba con precisión el momento en que se enamoró del plástico: tenía doce años, y alguien le dio uno de esos pequeños monederos que se abren apretándolos por la parte central. Estaba hecho de vinilo.

—Dije: «Es lo más asombroso que he visto nunca. Es una auténtica preciosidad».

Con todo, desde su enamoramiento inicial hasta su entrega sin reservas Adams tuvo que recorrer un camino largo y sinuoso. A finales de los años setenta trabajaba como bibliotecario infantil, pero ansiaba cambiar de ocupación. Adams, un emprendedor e inventor nato, ideó «un chisme» con el que creía que podría reducir las facturas cada vez más elevadas en calefacción: plástico de embalar de burbujas sujeto con chinchetas a ventosas, un artilugio con el que sellar las ventanas para impedir que se escapara el calor. Tras usar los ahorros destinados a su jubilación y una modesta herencia, Adams intentó vender el chisme. Tuvo poco éxito, hasta que un día pasó por una gasolinera donde habían usado cinta americana para colgar unos cuantos letreros en las ventanas. «Va a costarles mucho trabajo rascar toda esa cinta de las ventanas», pensó. «Si tuvieran mis ventosas...» Adams entró en la gasolinera, y cuando empezaba a soltarle el rollo al encargado éste lo interrumpió y le dijo que le compraría dos cajas. Al día siguiente Adams visitó más gasolineras y volvió a casa con el billetero lleno de dólares. Poco después empezó a llevar su combinación de ventosas y chinchetas a ferreterías de toda la zona mesoatlántica. «La gente las usaba cada vez que tenía que colgar algo», recordó. Y entonces se le encendió la proverbial bombilla:

—Me di cuenta de que en ninguna parte del mundo se tomaban en serio las ventosas, así que yo empecé a tomármelas en serio.

Adams compró maquinaria nueva, aprendió a fabricar ventosas de forma más rápida y eficiente y amplió su oferta a otros productos, como sistemas para colgar coronas y luces de Navidad. No tardó mucho en solicitar más de ciento cincuenta patentes relacionadas con las ventosas: se había convertido en el rey de las ventosas en Estados Unidos.

Al cabo de varios años, a Adams empezó a preocuparle que su negocio de ventosas fuera demasiado estacional. Quería diversificar la producción a fin de mantener su fábrica en funcionamiento durante todo el año. Oyó hablar de un tipo que cerraba su negocio, dedicado a la venta de moldes para fabricar mesas plegables de plástico. Adams decidió comprarlos, y más tarde amplió la línea con sillas plegables y taburetes. Consiguió contratos importantes de Walmart, Kmart y diversas ferreterías, y no tardó en llevar una nueva corona: la de principal fabricante de muebles plegables de plástico del mundo. Fue entonces cuando se dio cuenta de que había un imperio aún más grande por conquistar: el de las sillas monobloc de plástico.

Al relatar su historia, Adams hizo que sonara como si todo hubiera sido fruto de la casualidad. Sin embargo, dadas las implacables condiciones económicas del negocio de las sillas de plástico, no cabe duda de que es un empresario muy astuto. En pocos años Adams se convirtió en uno de los principales productores de sillas monobloc del país, y las distribuyó en grandes superficies y cadenas de ferreterías por casi todo el este de Estados Unidos. Cuando lo conocí en 2008 —tras cuatro años en este negocio—, Adams fabricaba cerca de tres millones de sillas al año.

Mientras recorría con el propio Adams la fábrica y los inmensos almacenes, caí en la cuenta de que cuando afirmaba sentirse orgulloso de su producto no lo decía de boquilla: realmente consideraba la silla de plástico un objeto lleno de belleza, el no va más de la utilidad. No dudó en amueblarse la cocina y el comedor con las sillas y mesas de plástico que fabricaba. Escogió su modelo Mission color verde salvia, que sólo se parecía a los muebles de estilo Mission en que la silla tenía travesaños rectos en el respaldo.

—Me encantan los muebles de plástico —decía de todo corazón—. Son muy elegantes. Si nos remontamos a los inicios de la historia de los muebles, ninguno combina química, física, mecánica, diseño y estilo tan bien como los de plástico.

Adams no era el único que admiraba las sillas monobloc. En el año 2001 Jens Thiel, un consultor empresarial alemán aficionado al diseño, abrió un sitio web dedicado a la silla que ha llegado a registrar treinta mil visitas en un mes. (También incluye enlaces a varios sitios web para compartir fotografías, donde los amantes de la silla envían fotografías de monoblocs tomadas en distintas partes del mundo.) Thiel se interesó en las monobloc tras fijarse en que la gente se sentaba en ellas en una exposición de arte de altos vuelos, incongruencia que lo sorprendió. Thiel no intentaba defender la silla desde una perspectiva estética, pero apreciaba su sencilla funcionalidad:

—Me gustan. Las encuentro muy prácticas. Tengo seis monoblocs alrededor de la mesa del comedor.[48]

Si bien la industria se ha concentrado en manos de grandes corporaciones en Estados Unidos y en Europa, en otras partes del mundo las sillas monobloc son fabricadas por empresas locales. Se calcula que hay cien fabricantes en todo el mundo que producen al menos quinientas variaciones de la forma básica.[49] Empleo la palabra «variaciones» sin excesivo rigor. Hay diferencias en el color —a los países asiáticos y latinoamericanos les encantan las sillas de colores llamativos— y en los adornos superficiales. Con todo, los productores de cualquier país del mundo raras veces se alejan demasiado del diseño básico. Dadas las enormes posibilidades que ofrecen los plásticos, me pregunté a qué se debía aquella decisión.

«En última instancia, se debe al precio», fue la sucinta explicación que me ofreció George Lemieux, un consultor residente en Indiana que había trabajado en la industria del plástico durante más de veinticinco años, buena parte de ellos en el sector de los muebles de plástico. El diseño de las sillas monobloc se debe principalmente a una serie de cálculos de precio impulsados por la demanda de los consumidores: cómo conseguir «la geometría más segura y estable» con la mínima cantidad de material.[50] Tiene que haber varias tablillas en el respaldo para garantizar que la silla no se combe cuando alguien se apoye en ella. Las patas están colocadas en ángulos determinados con precisión para impedir que se abran hacia fuera, o que se doblen hacia dentro. Los bordes están curvados para reforzar la estabilidad de la silla. El asiento tiene un grosor de al menos medio centímetro porque ése es el grosor mínimo necesario para aguantar cien kilos, el peso de referencia según los estándares de la industria. En resumen, la silla está diseñada con precisión para ofrecer el asiento estable más seguro por el precio más bajo, y nada más que eso.

Las sillas monobloc tienen un coste tan ajustado que resulta difícil modificar su diseño, salvo para añadir florituras superficiales. Por ejemplo, un modelo de encargo que Adams produjo para Kmart tenía un panel con rosas estampadas en relieve en el respaldo. Era horrorosa e incluso parecía más hortera que la monobloc básica, quizá porque las rosas no tenían nada que ver con el diseño general de la silla.

Años atrás, cuando trabajaba para el fabricante de sillas U.S. Leisure, Lemieux contrató a un diseñador para que proporcionara un nuevo *look* a algunas de las sillas de la empresa. Las innovaciones parecen intrascendentes, pero la acogida que tuvieron resulta reveladora. Por ejemplo, intentaron introducir una silla «del suroeste».

—Tenía algunos detalles exclusivos —recuerda Lemieux—. Estrellitas, medias lunas y cosas así en el respaldo, lo que le daba un aspecto típico del suroeste. Y entonces pusimos motitas [en el plástico] para que brillara como la arenisca. Quedaban muy bonitas.

Pero este diseño no tardó en estrellarse en el mercado sumamente competitivo de los muebles de plástico. Las sillas se vendían a 9,99 dólares, un precio que, según Lemieux, estaba unos dos dólares por encima de lo que los consumidores estaban dispuestos a pagar por una silla de plástico. Su empresa retiró enseguida el modelo.

Las horteradas de plástico no son, qué duda cabe, lo que Panton, Saarinen y otros pioneros del diseño en plástico tenían en mente cuando crearon su silla de plástico producida en serie, un trono para el hombre corriente.[51] Sin embargo, la vulgaridad parece casi inevitable cuando se elimina la ética de los objetivos más elevados. Si eliminamos la ética del diseño —no sólo su sentido estético, sino también su propósito— lo único que queda es la fabricación en serie. El resultado es una silla que sólo se puede ver como artículo de consumo. Útil, asequible, pero tan impersonal como un cono de tráfico.

Sí, una silla de plástico podía ser cualquier cosa que su productor quisiera que fuera, pero para sobrevivir a las exigencias de un mercado moderno, lo primordial era que fuera barata. Los fabricantes proporcionaban sillas de plástico baratas, por consiguiente los consumidores esperaban sillas de plástico baratas, por consiguiente los fabricantes proporcionaban sillas de plástico baratas. Es una pauta —algunos lo denominarían círculo vicioso— que hace que la revolución del diseño en plástico parezca una especie de golpe de Estado comercial. La actual avalancha de productos baratos y desechables derriba las antiguas esperanzas utópicas de que los plásticos iban a colmar todos nuestros deseos y necesidades. En lugar de sentirnos colmados, ahora solemos sentirnos agobiados por tanta abundancia estéril.

Hoy la silla monobloc se considera de un mal gusto irremediable, el emblema de un mundo chabacano y vulgar. Una amiga aficionada al diseño que estaba organizando una fiesta tuvo la pesadilla de que su marido les había llenado la casa de sillas monobloc blancas. Mi amiga se despertó cubierta en sudor. El articulista del *Washington Post* Hank Stuever resumió el desprecio de muchos cuando escribió: «La silla apilable de resina es el envase Tupperware de un mundo culón».[52]

Pregunté a varios expertos en diseño por qué las sillas monobloc son tan vilipendiadas, y sus respuestas rayaron en lo metafísico.

—Es casi como si pudiéramos percibir la idea del bajo precio implícita en el producto —afirmó el fabricante de sillas Panton Rolf Fehlbaum, ahora presidente de Vitra Design.

La silla sugiere «un mínimo moral: cómo hacerlas lo más baratas posible para que duren algunos años y luego las puedas tirar».

—Sabe —añadió Fehlbaum—, en la ciudad suiza de Basilea donde vivo, una ley prohíbe ponerlas en las terrazas de los cafés. Por la sencilla razón de que suponen una ofensa para los viandantes.[53]

El problema de la silla monobloc no es que sea fea, sumamente barata o que esté hecha de forma anónima, explicó Antonelli, la conservadora del Museo de Arte Moderno de Nueva York.

—Es una cuestión ética. Está hecha con materiales de baja calidad, no está pensada para durar. Comprarla supone un despilfarro.

En los inicios de su carrera profesional, Antonelli trabajó con Giulio Castelli, fundador de Kartell. Nadie promocionó los muebles de plástico tanto como él. Con los años, recordó Antonelli soltando una carcajada:

—Castelli reunió una colección de sillas de plástico realmente feas. En su opinión eran tan interesantes porque demostraban que un material y sus posibilidades pueden sacar lo mejor y lo peor de la gente.

Pese a todos los muebles de baja calidad hechos de plástico, muchos diseñadores aún comparten la convicción de sus predecesores de mediados del siglo XX de que existen infinitas posibilidades de crear algo bueno. En años recientes el mundo del diseño ha manifestado su entusiasmo por la MYTO, una silla de plástico diseñada por Konstantin Grcic y presentada en 2007. La presentación no tuvo lugar en un foro de diseño o de mobiliario, sino en la principal feria de muestras de la industria del plástico, la Exposición Trienal K en Düsseldorf. Esta elección representaba un guiño a las raíces de la silla: el fabricante de productos químicos BASF le había pedido a Grcic que ideara un diseño para promocionar Ultradur, su nuevo polímero superresistente.[54] Grcic se inspiró en la silla Panton y, en colaboración con los ingenieros de la BASF, creó la primera silla de plástico en voladizo desde el debut de aquel icono del diseño. La versión de Grcic es un zigzag de plástico de líneas fluidas, con un asiento y un respaldo perforados que Grcic esperaba que recordaran a la piel de un animal. Es tan ligera que a su lado la Panton parece pesada. Gracias al nuevo polímero de BASF y a los avances en la tecnología del procesado, la silla posee «una elegancia que antes no era posible alcanzar», afirmó Antonelli, la conservadora del Museo de Arte Moderno de Nueva York.

Se han colgado fotografías de la silla MYTO en blogs de diseño de todo el mundo. *The New York Times* la aclamó como una de las mejores ideas del año 2007, mientras que el Museo de Arte Moderno la añadió a su colección permanente y le cedió un lugar destacado en una exposición sobre Grcic organizada por el Instituto de Arte de Chicago. La crítica de arte de *The Times,* Alice Rawsthorn, alabó la silla MYTO por su «innovadora forma angular», y porque en su fabricación se había usado «el mínimo material posible».[55] En este caso, ese pedazo de plástico constituye ahora un ejemplo de responsabilidad ecológica. Dicho de otra forma, puede que la silla MYTO sea una monobloc, pero está imbuida de una ética y de una intencionalidad que la sitúan muy por encima de las clásicas sillas de terraza de 6,49 dólares. Grcic es uno de los muchos diseñadores contemporáneos cautivados por las posibilidades del plástico, y Kartell continúa siendo la empresa idónea para dar salida al trabajo de todos estos diseñadores. En una soleada tarde de primavera fui a visitar la tienda de Kartell en San Francisco, uno de los cien establecimientos que ha abierto la empresa en ciudades de todo el mundo.

El *showroom* parecía una mezcla entre galería de arte y tienda de Ikea: paredes blancas, luces empotradas y todas las piezas del catálogo en exposición. Los distintos artículos estaban agrupados por color. Había un grupo de rojos brillantes: una silla elegante, un taburete y una mesa con la superficie perforada, como si fuera de encaje. Al lado vi una selección de naranjas, seguida de un despliegue de amarillos. Al otro lado de la sala, un conjunto de sillas, mesas, lámparas y pedestales en forma de jarrón, todos en color verde, compartían una plataforma iluminada. Sobre la plataforma contigua reposaban los mismos artículos en distintas tonalidades de azul. Los rayos de sol inundaban la sala a través de ventanales que ocupaban toda la pared, haciendo que todas esas superficies de plástico brillaran aún más. Era como estar en el interior de un diamante; o, más bien, de una zirconia cúbica. Acostumbrada como estoy a un entorno doméstico en tonos tierra, tapizados con cojines mullidos y mucha madera, el brillo y los colores primarios me parecieron un poco inquietantes. Con todo, me recordé a mí misma, no es que mi entorno, más suave y acolchado, estuviera menos lleno de plástico. Como la mayoría de los muebles modernos, mis sofás y mis sillones tapizados tienen cojines de poliuretano, las fundas son en parte de poliéster y están rociadas con protectores antimanchas similares al teflón; muchas de mis mesas y mis estanterías «de madera» en realidad están hechas con contrachapado en imitación madera y resinas epoxi, que recubren una parte interior hecha de madera prensada con plástico incorporado.

Muchos de los artículos del *showroom* fueron creados por el legendario Philippe Starck, uno de los diseñadores destacados que la empresa empezó a contratar durante la década de los ochenta en un intento de mejorar su imagen. La opinión de Starck sobre el plástico concordaba con la de la anterior generación de diseñadores: le encantaba este material por sus posibilidades democráticas y porque, a diferencia de los materiales naturales, era el producto «de la inteligencia humana, y por ello encaja a la perfección en nuestra civilización humana».[56] Desde una perspectiva ecológica, Starck también consideraba que era preferible utilizar el plástico en lugar de la madera.

Uno de los diseños más conocidos de Starck es una silla preciosa llamada Louis Ghost. La silla, hecha de policarbonato rígido y transparente, tiene un respaldo oval, reposabrazos curvados elegantemente hacia abajo y patas curvadas, elementos sacados de un periodo clásico pero no específico de la historia francesa. Starck explicó que oscureció deliberadamente los orígenes de la silla: «Elegí este icono para que fuera el fantasma de Luis Nosequé». Divertida sin dejar de ser elegante, sólida a la vez que etérea, la silla Louis Ghost ha aparecido en anuncios y en revistas de modas de todo el mundo. Los estilistas la han colocado tanto en habitaciones modernas y funcionales como en salas llenas de antigüedades. En cualquier ambiente, la silla encaja a la perfección.

Desde su introducción en el año 2002, la Louis Ghost ha sido una de las piezas más populares de Kartell y se han vendido cientos de miles pese a costar cuatrocientos dólares, lo que no es demasiado para un sillón tradicional pero sí para una monobloc sin pedigrí. En cierto modo, la silla Louis Ghost ha conseguido evitar tanto el escollo de ser considerada demasiado vanguardista, lo que impidió a la silla Panton triunfar en el mercado comercial, como el estigma de la baja calidad que todavía aqueja a la monobloc. Sospecho que la silla Louis Ghost ha tenido tanto éxito porque se encuentra a medio camino entre la modernidad y la comodidad. Raymond Loewy, el prócer del diseño industrial del siglo XX, lo denominó el principio MAYA: lo más avanzado y sin embargo lo más aceptable.* La Louis Ghost aprovecha al máximo las ventajas artísticas que ofrece el plástico sin alterar radicalmente lo que esperamos de una silla. Tiene tanto éxito porque Starck aceptó el plástico por lo que era, y se adentró en sus aguas brillantes y poco profundas en busca de una estética genuinamente sintética.

Tenía curiosidad por saber si la monobloc saldría bien parada al compararla con la silla Louis Ghost, así que aquella tarde llevé una que había comprado en Home Depot, un modelo apodado Backgammon sin ningún motivo aparente. Para mi alivio, el encargado de la tienda ni se inmutó cuando entré con mi silla Backgammon. «Por supuesto», respondió de buen grado cuando le expliqué que quería comparar los dos modelos de silla, como si fuera algo que le pidieran todos los días.

Me senté primero en una y luego en la otra. No puedo decir que la Louis Ghost fuera mucho más cómoda que mi silla de Home Dept. Era más espaciosa que la Backgammon y proporcionaba más apoyo a la espalda, pero resultaba tan resbaladiza que costaba acomodarse en ella. La Backgammon se hundió un poco cuando me dejé caer en el asiento. A decir verdad, no querría pasar mucho tiempo sentada en ninguna de las dos. (Aunque estoy segura de que la Louis Ghost resistiría más tiempo que mi Backgammon. Poco después de mi visita a Kartell, mi hijo se echó hacia atrás con demasiada fuerza y los travesaños verticales se agrietaron.)

«Podríamos decir que, cuando diseñamos una silla, creamos una sociedad y una ciudad en miniatura», escribió el arquitecto británico Peter Smithson.[57] Observo detenidamente tanto la Louis Ghost como mi Backgammon, intentando imaginar las socieda-

* *«Most advanced yet most acceptable»,* en inglés. *(N. de la T.)*

des que evocan. Una nos trae a la mente un mundo de deslumbrantes posibilidades, la otra un entorno donde prima lo funcional y lo barato.

Al contemplar las dos sillas puedo ver una buena representación del compañero que hemos encontrado en el plástico: un compañero con el rostro de Jano, el dios de las dos caras, que puede inspirar tanto nuestra admiración más profunda como nuestra repulsa más visceral.

En otra ocasión, me encontraba frente a la tienda cuando llegaron un hombre y una mujer cogidos del brazo y se detuvieron un momento para mirar el escaparate.

—Fíjate —dijo el hombre con tono de absoluta incredulidad—, son muebles de plástico.

—Sí —respondió su pareja—, pero los diseños son una preciosidad.

3
Revoloteando por Plasticville

Cuando nació mi hijo mayor, una amiga bienintencionada —que no tenía hijos— le regaló un precioso sonajero de madera de cerezo. Era suave al tacto, se podía morder sin problemas, producía un sonido encantador cuando lo sacudías... y mi hijo no quiso ni verlo. Prefirió el juego de llaves de plástico de colores vivos y, más tarde, el libro de vinilo para la bañera, con sonidos y, más tarde aún, el coche color naranja brillante con grandes ruedas azules que hacía ruido cuando lo empujabas por el suelo. El plástico es el medio habitual del juego en la actualidad, así que como la mayoría de las familias con hijos pequeños, no tardamos en llenar la casa de los trastos suficientes para abastecer todos los puestos de una feria. No dejábamos de tropezar con coches teledirigidos, de sacar soldaditos de plástico de entre los cojines del sofá y de maldecir las piezas de Lego cuando pisábamos descalzos los bloques de bordes afilados a medianoche. Mis dos hijos acumularon un arsenal de armas de plástico y de espadas de Jedi. Mi hija reunió toda una guardería de muñecas de plástico. (Y eso después de todos nuestros esfuerzos para combatir los estereotipos de género.) En sus cumpleaños, solía llenar bolsas con artículos del catálogo de la Oriental Trading Company, especialistas en cachivaches baratos de plástico: silbatos, pelotitas, pistolas de agua, pegatinas que brillaban..., los cuales, invariablemente, se rompían o desaparecían minutos después de repartir las bolsas. Tardé algunos años en empezar a preguntarme: ¿de dónde salen todas estas cosas?

Mi búsqueda de una respuesta a esta pregunta comenzó en un deprimente día invernal con una visita a la oficina central de Wham-O, empresa que explota las increíbles posibilidades que ofrece un material tan elástico, ligero, flexible, estrujable, resistente y flotante como el plástico. Wham-O introdujo algunos de los juguetes más icónicos de nuestra época, desde el hula-hoop y el Slip 'n Slide* hasta su producto más vendido, el disco volador. Desde la introducción de los discos voladores en 1957, la empresa ha vendido más de cien millones.[1] En todas las casas estadounidenses hay al menos uno; no sé cómo, mi familia ha acabado acumulando cinco, aunque casi nunca jugamos con ellos.

Este juguete tan sencillo como omnipresente ofrece una ventana ideal para observar la industria de los plásticos, las fábricas y los procesos que nos vinculan cada vez más a los polímeros a base de alimentar nuestros deseos consumistas. Los plásticos constituyen la tercera mayor industria manufacturera de Estados Unidos, sólo por detrás de los automóviles y del acero.[2] Alrededor de un millón de estadounidenses trabajan directamente en el sector del plástico. Se trata de una industria creciente que se extiende hacia todos los sectores de la economía y engloba unas cuantas decenas de empresas petroquímicas que crean polímeros a base de materias primas plásticas, miles de fabricantes de maquinaria y de moldes y muchos miles más de empresas transformadoras que toman las materias primas plásticas y las convierten en piezas y productos acabados, como los juguetes.

Wham-O inició su andadura en el sur de California, y su sede central se encuentra ahora en un modesto edificio de ladrillo de una planta ubicado en Emeryville, California, una ciudad estrecha y larga apretujada entre Berkeley y Oakland. En la recepción me saludaron tres grandes fotos en blanco y negro de famosos que jugaban con discos voladores: un sonriente Fred MacMurray (el clásico padre televisivo de *Mis tres hijos);* los protagonistas de la serie *El sheriff chiflado* y un Arnold Schwarzenegger claramente anterior a su etapa de gobernador, vestido con pantalones muy cortos y apretados y una camiseta ajustadísima, haciendo girar un disco con el dedo. El lugar destacado que ocupaban estas fotografías pone de manifiesto lo importante que sigue siendo el disco volador para Wham-O incluso ahora, más de medio siglo después de la aparición de este juguete.

—La verdad es que es nuestra principal fuente de ingresos —explicó David Waisblum, quien en aquel momento coordinaba

* Larga lámina de plástico a modo de tobogán para resbalar por ella tras haberla mojado. *(N. de la T.)*

todos los aspectos de la marca Frisbee, desde la fabricación hasta la mercadotecnia.[3]

Era el trabajo ideal para Waisblum, un antiguo agente de Bolsa, fanático confeso del disco volador y jugador apasionado del golf con disco desde que acabara la secundaria. «Disco», explicó Waisblum, es el término genérico para el juguete. El nombre Frisbee es una marca registrada, así que sólo puede usarse para los discos volantes fabricados por Wham-O. Cuando lo conocí, Waisblum tenía unos cuarenta y pocos años pero parecía mucho más joven, en parte porque iba vestido con el típico uniforme de los adolescentes: vaqueros holgados, deportivas y una sudadera con capucha. Bajo y fornido, con una mata de pelo castaño, perilla y una labia imparable, Waisblum me recordó al actor Jack Black.

La empresa fabrica unos treinta tipos de discos voladores, y muchos de ellos estaban expuestos en la pared de la sala de juntas. Era una auténtica exhibición de la tecnología del disco. Wham-O ha encontrado numerosas maneras de optimizar los discos: algunos brillan en la oscuridad; otros tienen bordes diseñados para que los perros los puedan atrapar fácilmente; y algunos pesan tanto que pueden atravesar las ráfagas en días ventosos. Hay discos voladores diseñados especialmente para los principales deportes con disco: *ultimate* (un juego de equipo similar al fútbol americano), golf con disco (similar al golf habitual, con la excepción de que los jugadores intentan meter el disco en canastas, no en agujeros), *freestyle* (consistente en hacer girar los discos, y otras discoacrobacias) y disco perro (justo lo que su nombre indica). Todos estos juegos requieren discos de tamaño, peso y perfil ligeramente distintos.

Y luego, por supuesto, están los discos básicos para el juego normal y corriente, los cuales representan alrededor de la mitad de todas las ventas de discos voladores. Waisblum no quiso decirme cuántos discos voladores vendía la empresa cada año, pero afirmó que la cifra era más elevada que la venta anual de todas las pelotas de béisbol, fútbol y fútbol americano juntas. Tal afirmación me sorprendió y me mostré algo escéptica, pero a Waisblum le parecía muy lógico. «Las pelotas son aburridas», sentenció, y luego citó a otro entusiasta que escribió que «cuando una pelota sueña, sueña que es un *frisbee*».

Según la genealogía de los *frisbees,* todos ellos descienden del disco volador original creado por el hombre a quien Waisblum se refirió con reverencia como «nuestro inventor», Walter Frederick Morrison. En 1937, cuando era un alumno de secundaria en el sur de California, Morrison se unió a la familia de su novia Lucille para la comida de Acción de Gracias, donde le enseñaron el juego familiar de lanzarse una gran tapadera del recipiente para hacer palomitas.[4] Era mucho más divertido que lanzarse una pelota los unos a los otros, decidió Morrison. El verano siguiente, mientras Lucille y él jugaban a lanzarse moldes para tartas en la playa, alguien que tomaba el sol se les acercó y les preguntó si podía comprarles uno. Acababa de nacer un nuevo negocio. La pareja empezó a vender moldes para tartas por todas las playas del sur de California, y Morrison empezó a idear maneras de hacer un disco dinámico más aerodinámico para poder comercializarlo.

El negocio tendría una larga gestación. Después de servir como piloto de bombardero en la segunda guerra mundial, Morrison volvió al sur de California, aún cautivado por lo que denominaba «la idea del Disco Volador». Su periodo de servicio en la Fuerza Aérea estadounidense le había enseñado algunas cosas sobre cómo conseguir que los objetos vuelen, y su experiencia con moldes de tarta lo había convencido de que necesitaba un material más flexible y menos propenso a las abolladuras que la hojalata. Tras haber comprobado la utilidad de los nuevos materiales sintéticos durante la guerra, Morrison se dijo: «Plástico, es justo lo que necesito». Pasó varios años probando diversos diseños y variaciones de los termoplásticos que acababan de introducirse en el mercado, e intentó vender cada nueva encarnación en las ferias rurales. Lucille y él se lanzaban los discos entre sí y lograban fascinar a los curiosos con estos nuevos juguetes que volaban, ascendían, descendían, saltaban y flotaban en el aire con todo un repertorio de movimientos que las pelotas pocas veces podían conseguir. La pareja le tomaba el pelo a la multitud afirmando que los discos se movían mediante un alambre invisible. El alambre costaba dinero, ¡pero el que lo comprara recibiría un disco gratis!

En 1955 Morrison llevó a cabo otro cambio de diseño.[5] Esta vez engrosó y amplió el borde para aumentar la fuerza centrífuga del disco, y añadió nuevos detalles para darle un aspecto más similar al de un platillo volante, como concesión a la creciente fascinación popular por los ovnis. En el centro de la cara externa del disco colocó una pequeña cúpula, donde puede que los hombrecitos verdes quisieran sentarse junto a los nombres de todos los planetas. Morrison y Lucille, ahora casados, lo apodaron el Plato de Plutón. Era el mejor de los discos volantes que habían fabricado hasta entonces. Los discos se vendían en bolsas de plástico llenas de referencias al tema espacial, como las dudosas instrucciones «Use la bolsa como casco espacial, si le cabe en la cabeza». Cierto día, cuando Morrison estaba mostrando Platos de Plutón en un aparcamiento del centro de Los Ángeles, un hombre salió de entre la multitud y le dijo que los directivos de una empresa de la zona habían estado pensando en comercializar un disco volador.[6] «Podría valer la pena conocer a los chicos de Wham-O», le dijo el hombre.

Esos chicos eran Rich Knerr y Arthur «Spud» Melin, amigos del instituto que se habían asociado en 1948 para vender tirachinas y artículos deportivos por correo. El primer catálogo de Wham-O, una auténtica colección de pesadillas para los padres modernos, estaba lleno de artículos capaces de sacar algún ojo o amputar algún miembro.[7] Había una cerbatana malaya, con sus «dardos de caza de acero templado»; la daga arrojadiza, que estaba «equilibrada para clavarse bien»; y la pistola de pistones que «realmente dispara guisantes, judías, tapioca, etcétera». Como luego recordaría Knerr, «No podías comprar cosas así en cualquier parte».[8] Por bien que se vendieran dichos artículos, a mediados de la década de 1950 los dos amigos ya previeron que existía un futuro mucho mejor aún en el negocio de los juguetes.

La industria juguetera moderna es, en muchos sentidos, el producto de dos acontecimientos importantes acaecidos tras la segunda guerra mundial: el rápido crecimiento de la natalidad y el auge de los polímeros. Aunque los juguetes de plástico habían existido desde los primeros tiempos del celuloide —pensemos en el muñeco kewpie— la convergencia de aquellas dos tendencias generales selló la unión del plástico y del juego.[9] Después de aumentar la producción destinada a la guerra, los principales fabricantes acumulaban existencias de los nuevos termoplásticos, materiales que sin duda podrían colmar el sueño utópico de los químicos británicos de un mundo «en el que las manos infantiles no encuentren nada que puedan romper, ningún borde o ninguna esquina afilados que corten o raspen, ninguna rendija que albergue suciedad o gérmenes».[10] Gracias a la elevadísima tasa de natalidad de la posguerra, había millones de manos infantiles ansiosas por ponerse a jugar. Durante los años cumbre de la natalidad, las ventas anuales de juguetes se dispararon de 84 millones de dólares en 1940 a 1,25 mil millones en 1960.[11] Y un número cada vez mayor de estos juguetes se fabricaba en plástico: el 40 por ciento en 1947.[12] Hoy el uso de los plásticos en la fabricación de juguetes se ha consolidado; son «como el aire», según me dijo un fabricante.[13]

Estos materiales baratos, ligeros y flexibles aumentaron enormemente las posibilidades de los juegos infantiles, además de elevar los márgenes de beneficio. El vinilo de tacto carnoso permitió la fabricación de muñecas que «además de tener un aspecto real, parecen reales cuando las tocas».[14] O no, como en el caso de la increíblemente curvilínea Barbie, que hizo su aparición en 1957. Había coches, trenes y aviones en miniatura con más detalles de lo que la madera o el metal hubieran permitido, pero que podían venderse a un par de dólares la pieza. Había juguetes que no se habían visto nunca hasta entonces, como el Silly Putty (masilla a base de silicona), inventado por un científico que intentaba crear goma sintética para el Ejército en los primeros años de la segunda guerra mundial.[15] A los militares no se les ocurría qué hacer con dicho invento, pero el emprendedor propietario de una juguetería tuvo una idea. La Súper Bola Mágica apareció en 1965 (y Charles Eames la consideró uno de los diseños más elegantes del año). Recuerdo cómo nos sorprendió a mis amigos y a mí esta pequeña esfera de goma negra comprimida (que acumulaba tanta energía que uno de los primeros prototipos rompió la máquina de moldeo al intentar salir de ella). Solíamos pasarnos el recreo lanzándonos estas pelotas los unos contra los otros, haciéndolas botar sobre las barras de mono, sobre las vallas y sobre el tejado hasta que nuestros maestros, exasperados, las confiscaban.

Los principales productores de plástico lanzaron campañas agresivas a fin de vender sus productos en el sector juguetero. A fin de promocionar su marca registrada de poliestireno, Styron, Dow Chemical invitó a los fabricantes a presentar juguetes hechos con este material para darles su aprobación.[16] A los que pasaron la inspección se les permitió llevar la etiqueta con la marca Styron, en la que se afirmaba que el material era «¡cinco veces más resistente!» (¿acaso preguntó alguien «más resistente que qué?»). Incluso después de rechazar casi la mitad de los 1900 artículos presentados, la empresa concedió más de diez millones de etiquetas antes del final de 1949. Las empresas también se dirigían directamente a los consumidores: «Hagan caso al auténtico Papá Noel», afirmaba un ufano San Nicolás en un anuncio de 1948 en el *Saturday Evening Post,* «los juguetes de Plásticos Monsanto alegran la Navidad».

Pero la ascensión de los plásticos también era el resultado inevitable de su precio tan sumamente asequible. A principios de los años cincuenta, por ejemplo, ocho empresas químicas distintas construyeron fábricas a toda prisa para empezar a producir polietileno, considerado comúnmente el más prometedor de los nuevos plásticos.[17] Los precios cayeron en picado a menos de veinte centavos el kilo. El bajo coste estimuló una avalancha de nuevas aplicaciones que absorbieron las existencias del plástico, lo cual a su vez estimuló la producción. De repente aparecieron grandes cantidades de nuevos juguetes baratos, como juegos de vaqueros e indios y piezas de plástico encajables (que en un determinado momento absorbían unos dieciocho mil kilos de polietileno al mes).[18] Semejantes ciclos de expansión y contracción han impulsado la industria de los plásticos desde sus inicios, aunque pese a los enormes altibajos la industria continuó creciendo durante muchas décadas. En algunos años, y en el caso de algunos plásticos, registró índices de crecimiento de dos dígitos.[19]

El ejemplo más espectacular de la relación oscilante entre oferta y demanda tuvo lugar cuando la empresa Phillips Petroleum intentó perfeccionar la producción de una nueva variedad de polietileno semirrígido.[20] La fabricación entrañaba una considerable dificultad, por lo que Phillips se topó con toda una sarta de problemas y produjo lote tras lote de polietileno inutilizable. Su almacén se llenó de toneladas de plástico fuera de especificación que resultaba invendible, una situación abocada al fracaso hasta que Wham-O acudió al rescate en 1958 y empezó a comprar las reservas para producir un nuevo juguete que había creado, el hula-hoop. Después de que la cantante Dinah Shore mostrara los aros giratorios en su programa televisivo, los hula-hoops empezaron a desaparecer de las estanterías tan rápidamente que Wham-O no daba abasto con los pedidos. Aquel primer año se vendieron decenas de millones de aros, en cuya fabricación se emplearon los siete millones de kilos de material del que Phillips no había sido capaz de desembarazarse. Pero entonces, como suele suceder con tantas modas, la locura por este juguete desapareció de forma tan repentina como había surgido, y casi llevó a Wham-O a la quiebra. De la noche a la mañana, los pedidos de hula-hoops cayeron en picado. «Casi acabamos en la ruina», recordó después Knerr.[21]

El disco volador, sin embargo, ha demostrado ser más duradero. Y ello se debe probablemente a todo lo que hizo Wham-O después de conseguir los derechos del platillo volador de Morrison. Para empezar, Melin y Knerr rebautizaron al bebé de Morrison, eligiendo una marca registrada que distinguiera su disco de los otros Platillos Volantes, SkyPies y Súper Platillos que abarrotaban el cielo.[22] La palabra «*frisbee*» era una pequeña variación del nombre que se daba a un objeto similar en Nueva Inglaterra; desde la década de 1930, los habitantes de esa zona se lanzaban moldes de tarta y de pastel de la Frisbie Pie Company, y denominaban al deporte «*frisbieing*».

Wham-O se dio cuenta de que la longevidad del disco volador dependía de que la gente no lo viera únicamente como una novedad. Tal y como Knerr y Melin habían aprendido con el hula-hoop, incluso un juguete que obtuviera un gran éxito de ventas podía tener una vida corta en las tiendas. (De hecho, la competencia en el mercado del juguete es tan brutal que cualquier juguete que sobreviva más de tres temporadas está considerado un clásico.) Los deportes, por otra parte, resisten bien las modas y producen auténticos ecosistemas atléticos. El mérito de conducir al disco volador en esa dirección se debe a un hombre conocido en el sector de los discos voladores como «Steady» Ed Headrick. Después de ser contratado por Wham-O en 1964, Headrick rediseñó el disco volador para que pudiera usarse en actividades deportivas.[23] Eliminó las referencias espaciales, que le daban un aspecto un tanto tontorrón, ensanchó el platillo y, a fin de mejorar la aerodinámica, añadió líneas concéntricas en la parte frontal, ahora conocidas por los discófilos como las «líneas de Headrick». Tales cambios mejoraron enormemente la capacidad de vuelo del disco, permitiendo la práctica de auténticos deportes con disco por primera vez.

El propio Headrick inventó el golf con disco, y su pasión por el juego y por el disco fue tan duradera que a su muerte, acaecida en el año 2002, moldearon sus cenizas en forma de discos voladores.

—Quería que todos sus amigos pudieran lanzarlo por ahí —dijo Waisblum con aprobación—. Quería reposar sobre algún tejado, fuera del alcance de la gente, para poder tomar baños de sol.

Pese a todos los avances incorporados a los discos, el material usado para fabricar el modelo básico apenas ha cambiado desde que Morrison vendiera a la empresa su Plato de Plutón. Es el material lo que distingue un disco volador de Wham-O de una imitación barata (y hay incontables imitaciones baratas, ya que la patente del diseño del disco expiró hace tiempo). Entonces, como ahora, se precisaba un material que fuera barato, duradero y flexible, dotado de la cualidad que Waisblum denominó «maleabilidad», que hace que sea placentero atrapar y lanzar el disco. Varios plásticos cumplen algunos de los requisitos, pero sólo uno satisface todas las condiciones de la lista de Wham-O. Se trata del polietileno, el polímero usado con mayor frecuencia en el mundo y el que, más que cualquier otro, moldeó la era moderna de los plásticos.

Según reza la leyenda, cierto día John D. Rockefeller observaba los alrededores de una de sus refinerías de petróleo y de pronto vio que salían llamas de unas chimeneas. «¿Qué se quema?», preguntó, y alguien le explicó que la empresa estaba quemando gas etileno, un derivado del proceso de refinado. «¡No quiero que se desperdicie nada!», respondió al parecer Rockefeller bruscamente. «¡Pensad en algo que se pueda hacer con ello!» Ese algo se convirtió en el polietileno.

La anécdota es probablemente apócrifa, pero me gusta como mito porque describe de forma sucinta los orígenes de la industria petroquímica moderna, un coloso basado en el principio de que cada hidrocarburo extraído del suelo puede contribuir en cierto modo a producir beneficios. Lo cierto es que la empresa de Rockefeller, Standard Oil, fue la primera en descubrir cómo aislar los hidrocarburos presentes en el crudo.[24] Dicha innovación contribuyó a originar las modernas empresas petroquímicas que producen los polímeros sin procesar conocidos como resinas.

Casi todos los principales productores de resinas actuales —Dow Chemical, DuPont, ExxonMobil, BASF, Total Petrochemical— se remontan a las primeras décadas del siglo XX, cuando el petróleo y las industrias químicas comenzaron a forjar alianzas o a crear empresas de integración vertical. Los productores habían empezado a percatarse de que podría existir un uso para las enormes cantidades de residuos creados en el procesado del crudo y del gas natural, así como en la fabricación de los productos químicos. En lugar de quemarlo por tratarse de un producto secundario sin ningún valor, el etileno podía extraerse y usarse de modo provechoso como materia prima para fabricar polímeros. La creciente dependencia de los combustibles fósiles contribuyó a fomentar el crecimiento de la moderna industria de los plásticos, pese a que la producción de estos materiales consume una cantidad relativamente modesta de petróleo y de gas natural.[25] Alrededor del cuatro por ciento de las reservas mundiales de petróleo y de gas se usan como materia prima para fabricar plásticos, y otro cuatro por ciento se usa para producirlos. Obviamente, una industria que se abastece de residuos tiene una gran ventaja en comparación con las industrias rivales: el bajo coste de sus materias primas.[26] Los desechos procedentes del refinado siempre serán más baratos que materiales tradicionales como la madera, la lana o el hierro.

Gracias al aumento de las empresas petroquímicas integradas, el descubrimiento y la creación de nuevos polímeros pasó a ser un proceso más dirigido y racionalizado.[27] Baekeland y Hyatt emprendieron la búsqueda de sintéticos que pudieran reemplazar a los materiales naturales en aplicaciones muy específicas, como la fabricación de bolas de billar y de aislantes eléctricos. Desde los años veinte y treinta, a los químicos industriales les interesó más crear nuevos polímeros y sólo entonces encontrar maneras de comercializar sus descubrimientos. Los plásticos estaban comenzando a ocupar un lugar preponderante en la economía.

El polietileno fue descubierto en 1933 por dos químicos de la empresa británica Imperial Chemical Industries mientras se entretenían en el laboratorio explorando cómo reaccionaba el etileno sometido a alta presión. En toda una serie de experimentos —entre ellos uno que hizo añicos su reactor y buena parte del laboratorio— descubrieron que si las sometían a una presión extrema, y gracias a la persuasión catalítica del benzaldehído y de un poco de oxígeno, las moléculas del etileno se engarzaban en cadenas de formidable longitud.[28] Los copos del material ceroso y blanco como la nieve que encontraron en el fondo del recipiente del reactor eran «tan distintos a los polímeros conocidos en aquella época [...] que nadie fue capaz de imaginarles un uso», recordó uno de los investigadores. Sin embargo, pronto se lo encontraron. El polietileno resultó ser una eficaz barrera de altas frecuencias y de altos voltajes. Durante la segunda guerra mundial, los británicos se aprovecharon de esta propiedad dieléctrica para desarrollar los sistemas de radar aerotransportado que les permitieron detectar y derribar aviones de combate alemanes.[29]

Pero el polietileno tenía otras virtudes. Ligero, resistente, «más duro que el acero, pero tan suave como la cera de las velas»,[30] químicamente inerte, constantemente remoldeable, este polímero tendría todo tipo de usos, desde bolsas de basura hasta caderas artificiales, desde recipientes Tupperware hasta juguetes. En los años cincuenta, en lugar de aplicar una presión extrema para catalizar las reacciones que formaban la cadena de polímeros, los químicos desarrollaron modos mejores de fabricar polietileno mediante unos compuestos que contenían metal denominados metalocenos. El descubrimiento permitió a los químicos reorganizar las *cadenas de margarita* para crear nuevas variantes del polietileno. El polietileno de alta densidad *(high-density polyethylene,* HDPE), un material semirrígido más duro, comenzó a usarse de forma generalizada en recipientes como botellas grandes de leche y bolsas para comestibles. El polietileno de baja densidad *(low-density polyethylene,* LDPE) y un polietileno linear de baja densidad *(linear-low-density polyethylene,* LLDPE) eran materiales flexibles y elásticos, ideales para fabricar productos transparentes como los envoltorios y las bolsas de plástico. Combinados, demostraron ser el plástico perfecto para fabricar el disco volador básico.

Gracias a su versatilidad, el polietileno fue el primer plástico del que se vendieron más de quinientos millones de kilos al año en Estados Unidos. Se convirtió en el primer plástico destinado al consumo masivo, lo que significa que se vendieron cantidades enormes a bajo coste.[31] Hoy constituye una de las cinco familias de plásticos estándar que dominan los mercados mundiales. Éstas son las cuatro restantes: el cloruro de polivinilo, también conocido como PVC *(polyvinyl chloride)* y vinilo, tiene una increíble capacidad para cambiar de forma: mezclado con distintos productos químicos puede ser suave y flexible en artículos como cortinas de ducha, duro y rígido en paneles exteriores para edificios y tuberías del agua, o transparente y fino como una película en envoltorios. El polipropileno, un polímero flexible e impermeable, se usa en la fabricación de sillas monobloc y en recipientes para alimentos como los envases de margarina y de yogur. El poliestireno, que puede convertirse en un plástico duro y transparente, se suele usar para hacer peines, perchas y vasos desechables, y se puede hinchar para fabricar porexpán. El tereftalato de polietileno, un tipo de poliéster más conocido, por sus siglas en inglés, como PET *(polyethylene terephthalate),* es un plástico flexible y transparente que se usa para fabricar botellas de agua y de refresco y como fibras hiladas para hacer telas y moqueta.

Obviamente, cada día nos encontramos con muchos otros tipos de plástico.[32] En total hay unas veinte categorías básicas de polímeros. Proporcionan la base a decenas de miles de categorías y variedades de plásticos creados mediante la manipulación de las características esenciales de determinados polímeros para hacerlos más flexibles, para aumentar su transparencia, para mejorar su procesado o para conferir otras propiedades deseadas. Con todo, las cinco familias básicas de plásticos estándar componen el grueso del mercado, y representan alrededor del 75 por ciento de los aproximadamente cincuenta millones de toneladas de plástico que se produce y se vende anualmente en Estados Unidos.[33] Curiosamente, las cinco provienen de la edad de oro de la innovación polimérica, los años de la segunda guerra mundial. No se ha introducido ningún plástico nuevo importante desde hace décadas.[34] Desarrollar un plástico totalmente nuevo y sacarlo al mercado resulta demasiado caro y lleva demasiado tiempo. Los actuales químicos de polímeros dedican casi todo su tiempo a hacer pequeños ajustes y a modificar los materiales existentes.

De los muchos plásticos de los que dependemos, el polietileno continúa siendo el favorito. Durante décadas ha constituido alrededor de un tercio de todos los plásticos producidos, principalmente porque es el polímero preferido para fabricar envases y envoltorios.[35] Según los cálculos de Raymond Giguere, químico de Skidmore College, la cantidad de polietileno que se produce en Estados Unidos todos los años es casi igual a la masa combinada de todos los hombres, mujeres y niños que viven en el país.[36]

La empresa responsable de producir gran parte de todo este polietileno es Dow Chemical. Por esa razón, cierto día de primavera conduje por la autopista 288 de Texas a través de un paisaje plano y sin árboles hacia la ciudad de Freeport, donde Dow tiene su mayor planta de polietileno. Allí podría conocer los orígenes del plástico usado en los discos voladores. De hecho, allí podría encontrar también el origen de la mayoría de los plásticos que uso en mi vida diaria: casi todas las resinas plásticas vírgenes fabricadas en Estados Unidos proceden de fábricas petroquímicas ubicadas a lo largo de la costa del golfo, una zona llena de combustibles fósiles.

La empresa Dow llegó aquí en 1940. No la atrajo el petróleo, sino la necesidad de encontrar un nuevo escenario que sustentara el cometido más antiguo de su negocio: extraer bromo y magnesio del agua de mar para fabricar productos químicos.[37] (Las existencias de agua salada en Midland, Michigan, donde Herbert Dow fundara la empresa en 1890, casi se habían agotado. El golfo de México ofrecía un suministro casi ilimitado.) Pero las abundantes reservas de combustible fósil de la zona resultaron ser más importantes para la empresa a medida que ésta fue aumentando la producción de polímeros. Cuando Dow anunció su decisión de comprar treinta y dos hectáreas en lo que era entonces un minúsculo pueblecito pesquero, las autoridades de Freeport la recibieron con los brazos abiertos. Desde entonces, ciudad y empresa continúan fundidas en un estrecho abrazo.

Cuán estrecho era ese abrazo resultó evidente a medida que me acercaba a Freeport. Para una persona como yo, acostumbrada a la estricta zonificación de San Francisco —donde incluso la solicitud de un permiso para construir un Burger King desencadena una trifulca política—, la zona que se extendía ante mis ojos resultó desconcertante. Conducía junto a edificios de pocas plantas, urbanizaciones a la sombra de los árboles, restaurantes y comercios cuando, de repente, pasé frente a un enorme complejo industrial que se extendía hacia el oeste hasta donde alcanzaba la vista, un horizonte distópico de formas fantasmagóricas, torres de color pardo, depósitos gigantescos, chapiteles, silos y laberintos de tuberías. Mi hotel, anunciado en internet como un lugar ideal para celebrar banquetes nupciales, estaba justo al otro lado de la calle.

Más tarde, al mirar un mapa, vi que la ciudad de 14.300 habitantes estaba completamente rodeada de empresas petroquímicas. Las instalaciones de Dow abarcan dos mil hectáreas en amplias zonas que se extienden hacia el noroeste y el este; una enorme fábrica de gas natural licuado también se alza en el este, bordeando la playa: los pozos con cúpulas de sal de la Reserva Petrolífera Estratégica de Estados Unidos se encuentran en el extremo meridional. Las instalaciones de otras empresas, como BASF, Conoco Phillips y Rhodia, están repartidas por toda la zona. Los únicos terrenos sin industrias están hacia el oeste, donde se halla el campo de golf municipal. (Es también allí donde, en 1994, se descubrió que las sustancias químicas procedentes de un enorme vertedero de residuos ubicado en las propiedades de Dow contaminaban las aguas subterráneas.[38] Todo un barrio tuvo que ser evacuado permanentemente.)

La influencia de Dow se extiende más allá de la parte meridional del condado de Brazoria, así denominado porque el río Brazos, lento y fangoso, serpentea por la zona antes de verter sus aguas en el Golfo. Lake Jackson, la ciudad situada al norte de Freeport, fue construida enteramente por Dow para los directivos e ingenieros que iban a trabajar en la nueva fábrica. Alden, nieto de Herbert Dow y discípulo arquitectónico de Frank Lloyd Wright, hizo el trazado de las calles a principios de la década de 1940. Alden diseñó gran parte de las primeras viviendas y fue responsable del excéntrico plano de la ciudad. Convencido de que era más interesante desconocer lo que nos esperaba unos metros más adelante, Alden ideó una auténtica maraña de calles tortuosas, todas ellas con nombres como Circle Way, This Way, That Way e incluso Wrong Way.*

Dow continúa siendo la empresa con más empleados de la zona. De acuerdo con sus cálculos, por cada empleo directo que proporciona, otros siete se crean de forma indirecta. Paga más de 125 millones de dólares en impuestos estatales y locales y destina más de 1,6 millones cada año a proyectos comunitarios pequeños y grandes, desde nuevas radios para la policía hasta una sala de obstetricia en el hospital de la ciudad.[39] Durante más de cincuen-

* «Camino circular», «Por aquí», «Por allí», «Camino equivocado», respectivamente. *(N. de la T.)*

ta años, Dow ha sido la empresa en la que los hijos de las familias obreras del condado comienzan a trabajar tras acabar los estudios secundarios, y donde los hijos de las familias de clase media encuentran empleo después de graduarse en la universidad. Todo el mundo conoce a alguien que trabaja en Dow. «Si este sitio se trasladara, la comunidad se vendría abajo», afirmó Tracie Copeland, la vivaracha jefa de comunicación que accedió a enseñarme la planta B, uno de los tres complejos productivos que constituyen las instalaciones de Dow en Freeport.

La planta B es una cuadrícula formada por cincuenta plantas distintas, cada una de ellas un pueblo en miniatura dedicado a la fabricación de una determinada resina plástica o de un componente químico. Pasamos frente a las instalaciones donde se fabrica polipropileno, poliestireno, policarbonato y varias resinas epoxídicas, así como los monómeros, sustancias químicas que forman el poliestireno y el poliuretano. Muchas abarcan manzanas enteras. Las calles tienen nombres sacados de la tabla periódica, como Cloro y Estaño. Gruesas tuberías blancas discurren a lo largo del suelo o se extienden hasta lo alto: son las arterias vitales del complejo, que lo conectan todo. Circulando en un triciclo para adultos, adelantamos a un trabajador solitario y de repente caí en la cuenta de que era la única persona a la que había visto en el exterior. Más de cinco mil personas trabajan en la planta, pero, tal y como explicó Copeland, este gigantesco laberinto de fábricas está dirigido desde salas de control informatizadas; allí es donde está todo el mundo.

Puede que la gente escasee en este ecosistema que parece sacado del programa televisivo *La dimensión desconocida,* pero la fauna y la flora abundan. La planta B alberga una numerosa colonia de aves marinas migratorias conocidas como picotijera. Una manada de bueyes colorados de Texas pasta en una de sus zonas verdes, y grandes bancos de sábalos y de peces rojos viven en los depósitos de agua salada, observó Copeland mientras aparcaba cerca de un rectángulo alargado y ligeramente salobre de agua profunda.

—A primera vista no lo parece, pero es un agujero magnífico para pescar —afirmó Copeland.

Luego añadió que Ann Richards, la anterior gobernadora de Texas, vino aquí una vez y «pescó un montón».

En la esquina de las calles Nickel y Glycol nos detuvimos para ver dónde se inicia la producción del polietileno, el material que acabará convirtiéndose en un disco volador. Ante nosotras estaba una de las dos craqueadoras de Dow, una larga batería de hornos gigantescos que descomponen las moléculas de hidrocarburo en crudo y en gas natural. Cada una de estas sustancias puede servir como materia prima básica para los plásticos. Dow emplea gas natural, como han hecho la mayoría de los fabricantes de resina estadounidenses desde que el precio del petróleo empezó a aumentar en los años setenta. Hoy, alrededor del 70 por ciento de los plásticos fabricados en Estados Unidos proceden del gas natural, y el 30 por ciento restante del petróleo; la relación inversa se da en Europa y en Asia, donde los precios del gas natural son más elevados que los del crudo.[40]

El proceso de craqueo emplea un espectro de temperaturas y presiones para desmontar y volver a montar estos hidrocarburos en nuevas composiciones de gases que servirán de punto de partida, los monómeros, usados en la fabricación de los plásticos. Cuando los átomos de carbono forman un anillo de seis, obtenemos benceno, que es una de las bases del estireno, empleado para fabricar poliestireno. Un cuarteto de átomos de carbono puede convertirse en butadieno, sustancia química usada para fabricar caucho sintético y acrilonitrilo butadieno estireno *(acrylonitrilie butadiene styrene,* ABS), el plástico duro y brillante usado para fabricar piezas de Lego, teléfonos móviles y otros aparatos electrónicos. A otra temperatura los átomos de carbono se triplican y pueden formar propileno, la molécula empleada para fabricar polipropileno. Y en la franja más alta de las temperaturas de la craqueadora, donde la temperatura es elevada a más de 750 grados centígrados, dos átomos de carbono pueden enlazarse para formar el gas etileno, la molécula básica del polietileno.[41]

Hicimos un rápido viaje en coche desde la craqueadora hasta un edificio bajo de hormigón beis que constituye el centro neurálgico de una de las instalaciones dedicadas a fabricar el polietileno de baja densidad usado para hacer los discos voladores básicos. John Johnson, nuestro guía por las instalaciones, era un fornido mecánico de cincuenta y tantos años vestido con un mono azul que llevaba trabajando en Dow desde que salió del instituto y que ahora supervisaba el mantenimiento de la planta. La producción tiene lugar las veinticuatro horas del día y sólo se detiene para un mantenimiento programado cada dieciocho meses.

—Operamos hasta que algo nos obligue a detenernos —explicó.

En 2008, el huracán *Ike* forzó el cierre y pasaron dos semanas hasta que las líneas de producción volvieron a funcionar.

Seguimos a Johnson por un largo pasillo, dejamos atrás un laboratorio donde las muestras de polietileno eran sometidas a pruebas de calidad y llegamos hasta la sala de control, un espacio dominado por un largo tablero electrónico que parecía un mapa digital del metro. Pero en lugar de trazar el recorrido de los trenes, este mapa trazaba el recorrido de las sustancias químicas a través de las estaciones de transformación de diversos gases en plástico líquido. Un hombre observaba fijamente el tablero.

—El operador del tablero básicamente dirige la planta —explicó Johnson, y luego se corrigió—. El sistema informático dirige la planta, pero él lo comprueba todo. Si algo no funciona, dará la alarma y luego hará los arreglos necesarios.

En ese preciso instante, sonó un timbre y el hombre pulsó tranquilamente algunos botones.

Antes de que pudiéramos salir al exterior para ver la planta física representada por el tablero, tuvimos que ponernos un traje protector. Me puse un mono azul de mecánico sobre la ropa, me coloqué un casco demasiado grande en la cabeza, deslicé unas gafas de plástico de seguridad sobre mis gafas, me metí tapones en los oídos y me calcé gruesos guantes de cuero. Todo esto para recorrer unas instalaciones en las que, insistió Johnson, «estará más segura que en su propia casa». Muchas de las sustancias químicas usadas para fabricar plásticos, como el propileno, el fenol, el etileno, el cloro y el benceno, son sumamente tóxicas. Hace algunas décadas, los trabajadores del plástico sufrían exposiciones peligrosas con relativa frecuencia, pero incluso los más críticos están de acuerdo en que la industria ha mejorado sus procesos de producción, reduciendo así los riesgos para sus trabajadores.

—Dow ha mejorado muchísimo —me dijo Charles Singletary, presidente de la sección local del sindicato de oficiales de mantenimiento—. Ya no estamos tan expuestos como antes.[42]

Con todo, los accidentes continúan sucediendo. En 2006, un trabajador de la planta de Freeport estuvo expuesto al cloro durante una fuga accidental. Por alguna razón, se le cayó la mascarilla protectora y el hombre inhaló el gas letal. Según Singletary, el trabajador informó del accidente, acabó su turno de once horas, se fue a su casa, se desplomó y murió.

En el exterior, Johnson nos enseñó una batería de tuberías blancas por las que las materias primas del polietileno —etileno, nitrógeno, agua, metano y alguna más— entran y salen de la planta. Seguimos las tuberías, que formaban un arco en la parte superior, hasta una enorme nave de dos pisos llena de maquinaria que silbaba y bombeaba: la fuerza bruta mecánica necesaria para tejer químicamente un nuevo diseño con átomos de carbono y de hidrógeno. Aquí, Johnson nos hizo pasar por delante de una serie de tanques, compresores e intercambiadores, y nos explicó muy detalladamente que el gas etileno se calienta y se enfría una y otra vez, se aprisiona bajo miles de kilos por centímetro cuadrado de presión, y luego se despresuriza. Después de varios ciclos se añaden más sustancias químicas a la mezcla: butano, isobuteno y propileno, los hidrocarburos que «compone el poli», gritó Johnson por encima de los sonidos atronadores de la producción.

En la parte trasera del segundo piso, nuestro guía abrió una puerta y luego me agarró del brazo cuando me disponía a atravesarla casi sin pensar. «No puede ir ahí. Eso es el reactor.» Esta sala representaba el centro de la operación, el lugar donde se añadían catalizadores a la mezcla de sustancias químicas para provocar el Big bang del proceso: la polimerización. Aquí era donde las moléculas individuales más pequeñas se unían para formar una esplendorosa molécula gigante. Atisbé a través de la puerta. No sé qué esperaba ver: cubas burbujeantes, frascos llenos de vapor... En realidad no era más que un espacio inmenso lleno de gruesas tuberías que serpenteaban del suelo al techo, como un intestino gigante. Intenté imaginarme a las moléculas subidas a una especie de montaña rusa a través del circuito de tuberías de 1200 metros de largo, acercándose cada vez más, alineándose, formando nuevos enlaces, aumentando de peso y de masa hasta que abandonaran su etéreo estado gaseoso y se convirtieran en una resina líquida.

Obviamente, no pude ver nada de esa sorprendente transformación, pero cuando volvimos a la planta baja y recorrimos la pared exterior de la cámara del reactor, de pronto caí en la cuenta de que la atmósfera había cambiado sutilmente: el aire se había vuelto húmedo a causa de toda el agua caliente que alimentaba al reactor. El ruido de fondo, un fragor sordo, pasó a convertirse en un zumbido fuerte, como el de un millón de máquinas cortacésped. De repente noté el olor del plástico. Se me llenó la nariz de ese aroma característico que nos llega al vaciar la última gota de una botella de leche de plástico, o al olisquear un disco volador nuevo.

Las tuberías que nos rodeaban se estaban llenando ahora de polietileno líquido. Las seguimos hasta otro grupo de máquinas, donde la resina líquida se enfría y se moldea en forma de largas hebras semejantes a un espagueti que se trocean en gránulos brillantes del tamaño de granos de arroz, que a continuación se secan mediante un proceso de centrifugado. Estos gránulos, también conocidos como *nurdles,* son la moneda corriente en Plasticville, la forma en que la mayoría de los plásticos se comercializan y se transportan por todo el mundo.[43]

Observamos cómo se llenaba una pequeña tolva con gránulos blancos de polietileno recién horneados. Metí la mano en el montón; los gránulos aún estaban calientes y eran tan agradables al tacto que no hubiera querido sacar la mano. Johnson explicó que la fábrica puede fabricar entre doce y trece mil kilos de gránulos en una hora, lo que significa que durante el minuto en que observamos el proceso, salieron entre 180 y 225 kilos de gránulos, aproximadamente el peso sumado de Johnson, Copeland y mío. Reproducir nuestra masa en plástico había llevado escasamente sesenta segundos.

Desde aquí, los gránulos circulan por las tuberías hasta silos cercanos ubicados junto a un par de vías férreas. Subimos un tramo de escaleras y entramos en un almacén que se extiende a ambos lados de las vías. Desde una pasarela podíamos mirar hacia abajo. Había ocho vagones alineados, cada uno situado justo debajo de un silo. Los gránulos eran vertidos como si fueran sal en una abertura redonda de la parte superior del vagón. Cada vagón puede albergar 87.000 kilos de gránulos, por lo que los ocho vagones que teníamos debajo transportarían unos 700.000 kilos de polietileno. Algunos días sólo sale un tren lleno, mientras que otros días se efectúan envíos dobles: dieciséis vagones —1,36 millones de kilos de polietileno virgen— que salen a las cinco de la mañana y de la tarde hacia fábricas de Estados Unidos y de todo el mundo.

Muchos serán cargados en buques portacontenedores y viajarán hasta China, donde los gránulos serán convertidos en productos que después importaremos nosotros. Dow, como otros fabricantes estadounidenses de resina, lleva mucho tiempo abasteciendo a las industrias de plásticos de todo el mundo.

Sin embargo, este equilibrio comercial tan desigual está comenzando a cambiar. A lo largo de la historia, las empresas de Estados Unidos y de la Europa occidental han dominado la industria mundial; Occidente ha suministrado gran parte de las casi 272 millones de toneladas de plásticos que ahora se producen anualmente, pero estamos asistiendo a un cambio sísmico: el centro de gravedad de la industria se está trasladando del mundo desarrollado a los países en desarrollo, donde los costes de producción son más bajos y la demanda y el consumo crecen más deprisa.[44] China, India, el sureste asiático y Oriente Próximo se están preparando para producir sus propias resinas plásticas vírgenes.

Para aquellos países que cuentan con grandes reservas de petróleo, como Arabia Saudí, Kuwait y Emiratos Árabes Unidos, los plásticos constituyen el siguiente objetivo natural. Todos ellos han construido nuevos complejos manufactureros y, para impulsar estas iniciativas, han intentado aliarse con los productores petroquímicos estadounidenses —siempre dispuestos a acercarse a sus fuentes de materias primas— para fabricar diversos plásticos de consumo masivo. La empresa saudí SABIC, por ejemplo, compró el célebre departamento de plásticos de General Electric en el año 2007. Gracias a semejantes operaciones, la proporción de plásticos vírgenes a escala mundial por parte de Oriente Próximo se ha quintuplicado desde 1990, hasta alcanzar un 15 por ciento.[45] Como hicieran antes los chinos, los saudíes están intentando abrirse camino en un negocio con valor añadido, la fabricación de productos de plástico destinados al consumo.[46] Esas etiquetas *Made in China* que estamos tan acostumbrados a ver pueden ampliarse dentro de poco con productos etiquetados *Made in Saudi Arabia*.

Pero eso no significa forzosamente que dichos productos vuelvan a Estados Unidos o a otras economías desarrolladas. Estados Unidos, Europa y Japón llevan mucho tiempo consumiendo la parte del león de todos los plásticos vendidos, pero a medida que el idilio con el plástico se globaliza, los expertos creen que el resto del mundo se pondrá al día rápidamente. El consumo per cápita de plásticos en lugares como África, China e India se ha disparado en años recientes. Aún existe una profunda brecha: el consumo medio per cápita a nivel mundial sigue siendo menos de un tercio del de Estados Unidos.[47] Pero esa brecha también indica «una larga trayectoria de crecimiento sostenido de la producción y demanda de polímeros en los países en desarrollo», tal y como se afirmaba en una previsión reciente. Suponiendo que los habitantes de dichos países sientan la misma atracción por los plásticos que los estadounidenses, la demanda creciente, unida al aumento de población, exigirá que la producción de plásticos casi se cuadriplique antes de 2050, hasta alcanzar casi un billón de kilos.[48]

Quién sabe si los gránulos que vi caer en los vagones acabarían convertidos en discos voladores. Todo el proceso me pareció tan abstracto que resultaba difícil conectarlo con ningún producto plástico de la vida real. Me pregunté si Johnson se sentía orgulloso de los objetos hechos de polietileno, del mismo modo que un albañil podría detenerse para admirar un edificio en el que hubiera colocado ladrillos.

—Desde luego —respondió cuando se lo pregunté—. Vendemos un montón a S.C. Johnson para hacer bolsas Ziploc [con cierre hermético].

—¿Así que cuando ve una bolsa Ziploc se siente orgulloso?

—Sí, por supuesto.

Hay un largo recorrido desde un gránulo hasta una bolsa Ziploc o un disco volador. Por el camino, el polietileno virgen pasa por muchas manos distintas: mezcladores que le añaden los aditivos necesarios; procesadores que fabrican el producto final; propietarios de marcas que lo etiquetan; tiendas al por menor que lo venden. En cada parada, el plástico aumenta su valor. A Dow le cuesta menos de un centavo manufacturar los 140 gramos de polietileno que se precisan para fabricar un disco volador básico. A la fábrica que hace discos voladores le cuesta unos veinte centavos comprar la cantidad de plástico necesaria para un disco, y gastará aproximadamente otro dólar en los costes de manufacturar y empaquetar el disco. Wham-O vende ese disco a empresas jugueteras por tres o cuatro dólares. Cuando ese disco volador de 140 gramos aparezca en la juguetería más cercana a mi casa, costará aproximadamente ocho dólares. El valor de ese trozo de polietileno ha aumentado en varios órdenes de magnitud. Con todo, teniendo en cuenta el precio de la mayoría de los juguetes, el disco volador es una ganga.

Los fabricantes de juguetes se sienten muy presionados para mantener bajos los precios, preferiblemente por debajo de los veinte dólares. Esta cifra «se considera un nivel de precio mágico, porque es una "unidad ATM". La gente se lo piensa mucho antes de cambiar un segundo billete», explicó Danny Grossman, presidente de Wild Planet Toys y ex presidente de la Asociación de la Industria Juguetera.[49] Los niveles de precio cambian con el tiempo, por supuesto. Tras la recesión de 2008, añadió Grossman, algunas tiendas empezaron a considerar quince dólares la nueva cifra límite. Cualquiera que sea el número mágico, la principal manera en que la industria juguetera se mantiene por debajo de dicho número es trasladando sus instalaciones al extranjero. Bienvenidos a China, donde se fabrican cuatro de cada cinco juguetes en el mundo.

Wham-O se unió con cierto retraso a la procesión de empresas jugueteras que salieron de Estados Unidos. Mientras Rich Knerr y Spud Melin fueron los propietarios de la empresa, la mantuvieron firmemente plantada en su terruño californiano. La empresa tenía una fábrica en San Gabriel, y todos los juguetes que no se fabricaban allí se enviaban a moldeadores en la ciudad de Los Ángeles o en sus alrededores. En realidad, hasta la década de 1970 toda la zona estaba llena de procesadores de plásticos a los que las grandes empresas jugueteras mantenían muy ocupados. Cada fabricante de moldes del sur de California «hacía piernas, cabezas y otras piezas para las muñecas Barbie», recordó un periodista que lleva tiempo escribiendo sobre esta industria.[50] Pero entonces los fabricantes de juguetes empezaron a trasladar la producción a México, siguiendo la estela de Mattel y de Kenner. (Las jugueteras fueron de las primeras industrias importantes que usan plástico en abandonar Estados Unidos. El continuo éxodo de valiosos mercados al exterior es una espina clavada en la industria de los plásticos, y una de las razones, junto con el coste creciente del gas natural, por las que se han producido tantas pérdidas de empleo en la última década.)

Wham-O se quedó donde estaba hasta que Melin y Knerr vendieron la empresa en 1982.[51] Los nuevos propietarios no tardaron en trasladar la producción al sur de la frontera, y los discos voladores fueron fabricados por empresas maquiladoras mexicanas durante las dos décadas siguientes. En 2006 una juguetera con sede en Hong Kong compró Wham-O, o lo que quedaba de la empresa, porque para entonces sólo llevaban la marca un puñado de juguetes, entre ellos los discos voladores, Hacky Sacks [pelotas tejidas a ganchillo] y hula-hoops. No supuso ninguna sorpresa que los nuevos propietarios de Hong Kong trasladaran la producción de discos voladores a un vendedor en China.

Cuando pregunté por primera vez si podría visitar la fábrica china de Wham-O, el vicepresidente de comercialización y de venta de licencias me respondió que no, aduciendo imperativos de confidencialidad que normalmente asocio a la tecnología nuclear o a la receta original del pollo frito del Coronel Sanders. Fabricar un disco volador «no es ninguna ciencia», explicó.

—Es un trozo muy sencillo de plástico moldeado por inyección. Cualquier tonto puede conseguir un molde y hacer uno. No quiero a nadie aquí a menos que venga de un organismo gubernamental o de los almacenes Walmart, o que se trate de alguien que necesite verlo por alguna razón crucial.

Finalmente, después de muchas súplicas por mi parte, el vicepresidente accedió a dejarme visitar la fábrica, pero con una condición: no podía identificarla ni revelar su ubicación, o me demandarían. Sólo me permitieron divulgar que se halla en la provincia de Guangdong, en el delta del río Perla, un lugar que ha sido descrito como el centro manufacturero del mundo.[52]

Durante los últimos treinta años, esta zona situada justo al norte de Hong Kong ha sido «el corazón que bombea la emergencia de China como potencia económica a escala mundial».[53] No menos de cincuenta mil fábricas salpican una zona del tamaño aproximado equivalente a un tercio de España. Producen artículos electrónicos, menaje doméstico, zapatos, tejidos, relojes, ropa, bolsos y un sinfín de artículos más, entre ellos el 80 por ciento de los juguetes que se compran en todo el mundo.[54] En gran medida, lo que permite la existencia de esta colmena de productividad es el plástico, el material usado más a menudo por todas estas industrias. Éste es el lugar donde se produce la mayoría de los artículos de plástico en China, por no decir en todo el mundo. Existen alrededor de 1800 fábricas y media docena de enormes mercados de resina al por mayor, donde los intermediarios venden gránulos de plástico virgen procedentes de todo el mundo. Hay el doble de gente trabajando en el sector del plástico en esa provincia que en toda la industria plástica de Estados Unidos.[55]

Antes del crac económico de 2008, las ciudades más florecientes de Guangdong atraían a decenas de millones de trabajadores emigrantes de las zonas rurales y captaban inversiones extranjeras al increíble ritmo de casi dos mil millones de dólares al mes.[56] Los contenedores salían de los transitados puertos de la zona a un ritmo de uno por segundo —día y noche— durante todo el año, calculó el periodista James Fallows.[57] Si la zona fuera un país, en aquel momento se habría vanagloriado de ser la undécima economía mundial.[58]

Es también uno de los lugares más poblados del mundo, con una población estimada de entre cuarenta y cinco y sesenta millones de habitantes. (Nadie lo sabe a ciencia cierta, debido a los trabajadores emigrantes.) Me costó apreciar la magnitud de dichas cifras hasta que subí al tren que salía de Hong Kong y llegué a la primera ciudad importante de la zona, Shenzhen. No se veían más que complejos de rascacielos extendiéndose en todas direcciones. Parecía como si alguien hubiera hecho múltiples copias del centro de Manhattan y las hubiera recortado y pegado bajo el mortecino cielo gris. (La niebla tóxica que cubre la provincia es tan espesa y persistente que acabó con la industria de la seda, de varios siglos de antigüedad. En la década de 1990 ya era imposible mantener vivos a los gusanos de seda.)[59] Los únicos huecos entre tantos rascacielos aparecieron cuando pasé frente a las grandes fábricas de forma cuadrada que, por alguna razón, tienen casi siempre cinco pisos de altura.

Hace treinta años, Shenzhen era una aletargada ciudad pesquera de alrededor de setenta mil habitantes. Ahora cuenta con una población de unos ocho millones. «Cambia todos los días», me dijo más tarde mi traductor, Matthew Wang. Matthew había pasado algunos años trabajando en fábricas de la zona. Fueron años solitarios para él.

—En esta ciudad, necesitas moverte continuamente. No hay nada estable. Alojamiento, empleos, amigos, todo. Por eso es buena desde un punto de vista económico, pero no es un buen sitio para vivir. Mi mujer dice que me habría vuelto loco si me hubiera quedado aquí.

Matthew, que por aquel entonces rondaba los cuarenta, personificaba este ritmo enfebrecido de cambio. Provenía de una familia campesina, y su padre fue encarcelado brevemente durante la Revolución Cultural. Matthew creció en un pueblecito agrícola, bebía agua que extraían de un pozo en un cubo de madera y hacía los deberes a la luz de lámparas de queroseno; pero le fue bien en el colegio, acabó dominando el inglés y ahora participaba, si bien modestamente, en la economía global. Seguía los asuntos internacionales en internet (dentro de lo permitido por los censores chinos) y se ganaba la vida como traductor e intermediario para aquellos extranjeros con algún asunto pendiente en Guangdong, como yo. Un día, mientras íbamos en coche hacia el lugar en el que yo iba a mantener una entrevista, Matthew recibió una llamada al móvil de un cliente australiano que quería que organizara un envío de zapatos a Sidney.

Esta imparable irrupción en el siglo XXI me pareció aún más surrealista debido a las imágenes contradictorias que no dejaban de aparecer, recordatorios de que el desarrollo y la prosperidad eran muy superficiales. Numerosos ciclistas pedaleaban por los arcenes de autopistas de seis carriles muy embotelladas. Campesinos con sombreros de paja azadonaban a mano pequeños terrenos agrícolas a las afueras de las ciudades. Se veían edificios en construcción con andamios de bambú. De todos los rascacielos colgaba ropa tendida en balcones y ventanas.

Aunque Guangdong ha sido un centro del comercio internacional de forma intermitente desde el año 200 a.C., esta actual fiebre del oro de inversiones extranjeras comenzó en 1979, cuando el presidente Deng Zhou Peng anunció su política de puertas abiertas.[60] Al socaire de toda una serie de reformas económicas, el Gobierno estableció «zonas económicas especiales» en las ciudades de Dongguan, Shenzhen, Guangzhou y Foshan. A todas ellas se les concedieron ventajas fiscales especiales que las hacían atractivas para los inversores extranjeros, sobre todo para aquellos ubicados en la cercana Hong Kong, que aún era colonia británica.

Por aquel entonces Hong Kong poseía una importante industria de procesado del plástico, dirigida principalmente hacia la exportación.[61] Tal y como sucediera en Estados Unidos, en la década de 1940 los fabricantes de plásticos de Hong Kong empezaron a producir peines y otros objetos sencillos, y luego pasaron a los juguetes. En los años ochenta producían para los mercados finales más lucrativos, como ordenadores, automóviles y suministros médicos. Pero los juguetes continuaron siendo los principales productos de exportación. Atraídos por la política de puertas abiertas de Deng, los procesadores de plásticos y los fabricantes de juguetes empezaron a emigrar a la China continental, donde los alquileres eran más bajos y la mano de obra mucho más abundante.[62] A día de hoy, la mayoría de las fábricas de juguetes de la provincia de Guangdong tienen propietarios taiwaneses o de Hong Kong.

El propietario de la fábrica de discos voladores, Dennis Wong, hizo un recorrido muy típico para llegar a esta zona. Wong, nacido y criado en Hong Kong, estudió ingeniería de los polímeros en la Universidad Politécnica de Hong Kong y adquirió experiencia en el sector trabajando para la sucursal de Union Carbide en Hong Kong. La industria del plástico aún era joven en Hong Kong, recordó Wong.

—Toda la información venía de Estados Unidos. Toda la tecnología para el moldeo del plástico, todo el equipo y los conocimientos sobre cómo moldearlo, cómo procesarlo y cómo fabricar buenos productos de plástico se introdujo desde Estados Unidos.

Cuando abrieron su empresa en 1983, Dennis y su esposa empezaron fabricando artículos prácticos y sencillos, como linternas e imanes para nevera. La empresa pronto adquirió la reputación de trabajar a conciencia. Cierto día una empresa juguetera le preguntó a Dennis si podría fabricar bolígrafos para ellos. Wong no tardó en introducirse en el negocio de fabricación de juguetes.

En 1987 construyó una fábrica en la provincia de Guangdong, en lo que era entonces un lugar remoto en el campo rodeado de arrozales. Los taxis solían tardar dos horas en llegar hasta la fábrica desde la estación de tren más cercana, y los taxistas siempre se perdían. Ahora, frente a la verja de entrada discurre una carretera muy transitada rodeada de calles bulliciosas llenas de tiendas, hoteles, bloques de pisos y otras fábricas. Aunque Dennis acude a la fábrica casi cada día, él y su familia siguen viviendo en Hong Kong, a noventa minutos en coche. Todos trabajan en este negocio. La empresa cuenta con una plantilla de unos mil empleados, un número bajo según los estándares de Guangdong. Con todo, disfruta de una sólida reputación.

Gran parte del trabajo de la empresa consiste en fabricar productos de marca de otras empresas, como el disco volador, así como todo tipo de cachivaches sin marca como llaveros, bolígrafos con luz y podómetros. Pero como les sucede a muchos procesadores chinos en la actualidad, la hija de Dennis, Ada, tiene ambiciones más elevadas. Espera que, con el tiempo, la empresa pueda empezar a producir sus propios juguetes: éste es el sector con más futuro. Por consiguiente, en su tarjeta pone Directora de Innovación de Productos. Ada es una mujer esbelta y simpática de unos treinta y pocos años, con el pelo largo hasta la barbilla y rasgos delicados. Habla un inglés impecable. Vino en coche desde Hong Kong para guiarme por la fábrica en un achicharrante día de marzo.

Ada había prometido mostrarme el proceso de producción de principio a fin, de modo que nuestra primera parada fue una pequeña sala situada cerca de la principal zona de producción, donde las resinas vírgenes se incorporan a las mezclas especiales que Wham-O precisa para sus discos voladores. Vi bolsas de gránulos limpios de color blanco amontonadas contra la pared, y me fijé en la etiqueta de ExxonMobil en algunas de ellas. (La fábrica usa casi exclusivamente resinas procedentes del extranjero —Estados Unidos, Taiwan, México, Oriente Próximo— porque, como explicó más tarde Dennis, las resinas chinas no resultan fiables; la calidad varía de lote en lote, lo que puede afectar el procesado. Pese a su enorme reputación como productora de artículos de plástico China todavía importa la mayoría de las resinas que usa, aunque la construcción de nuevas plantas de resina no tardará en cambiar la situación.) Estos gránulos —una combinación de polietileno de alta y baja densidad— se mezclan en un barril con granos de pigmento y agentes suavizantes de acuerdo con las proporciones prescritas por Wham-O. Las materias primas ya están listas para convertirse en discos voladores.

Rodeadas por el estruendo y los zumbidos de la fábrica principal vi seis máquinas de moldeo por inyección, cada una de ellas del largo aproximado de una limusina, moldeando discos voladores sin parar. (Unas cuantas más funcionaban a pleno rendimiento en otro edificio.) Me detuve junto a una de ellas y observé el proceso. Me recordó a una Fábrica Loca gigantesca de Play-Doh. Una tolva en forma de embudo colocada sobre la máquina se iba llenando con una mezcla de gránulos y de pigmento blanco. De vez en cuando, la tolva vertía un lote en un largo cilindro horizontal, donde lo calentaban inmediatamente hasta 205 grados centígrados. A medida que el plástico se derretía, un largo tornillo lo empujaba por el cilindro hasta una cavidad en forma de disco volador formada por moldes que se cerraban mediante una presión de más de cien toneladas por centímetro cuadrado. El molde se enfriaba para que el plástico comenzara a endurecerse tan pronto como llegara a la cavidad. Todo este proceso duraba cincuenta y cinco segundos. A continuación la parte delantera del molde se separó de la parte trasera y una mujer que permanecía sentada junto a la máquina abrió una pequeña puerta de cristal y sacó un reluciente disco volador blanco de 140 gramos. Lo inspeccionó cuidadosamente en busca de defectos y cortó cualquier filamento de plástico además de la marca de colada fría, el trocito de polímero solidificado con la forma del conducto por el que el plástico líquido entró en el molde. Entretanto otro disco volador recién moldeado ya estaba listo para ser extraído del molde. Una vez enfriado, la mujer colocó el disco volador sobre un estante junto a cientos de discos que esperaban ser decorados. Uno de los discos que sacó tenía una manchita roja en su parte superior, el residuo de un proceso de producción previo. La trabajadora cortó con una navaja la mancha ofensiva para evitar más contaminaciones y arrojó el disco al montón de artículos defectuosos que volverían a fundirse y a moldearse para fabricar nuevos discos voladores.

Puede que no sea ninguna ciencia, pero es más complicado de lo que parece. La empresa ha tenido que llevar a cabo muchas pruebas para garantizar que los discos contengan la mezcla idónea de materiales, para que salgan con el peso adecuado y para que no se deformen al enfriarse, explicó Ada. Lo cierto es que la empresa gastó una suma considerable para renovar su maquinaria, comprar equipo nuevo y hacer nuevos moldes para fabricar los discos voladores. ¿Y por qué ha valido la pena tanto esfuerzo? «Por la cantidad», respondió Ada sin titubear. Ahora la empresa producía más de un millón de discos al año.

De hecho, estaba produciendo un millón de discos en el espacio de unos cuatro meses. Dado que el verano es la estación en la que se venden más discos voladores, la fábrica no cesa de fabricar discos de enero a abril. Después se instalan moldes distintos en la maquinaria para poder producir otros juguetes de cara a la demanda navideña en Estados Unidos. La estacionalidad de la fabricación de juguetes significa que muchas jugueteras de Guangdong permanecen inactivas y tienen que despedir a sus trabajadores durante varios meses al año. Dennis ha tenido la inteligencia y la fortuna necesarias para mantener su empresa produciendo a todo ritmo durante todo el año.

Ada me llevó a la planta superior, donde se decoran los discos. Allí había un par de mujeres sentadas frente a las máquinas de termoimpresión manual, compradas específicamente para la producción de discos voladores. Una de las mujeres encajó un disco sin decorar en la máquina y —¡zas!— la cara superior quedó impresa en negro con la imagen de lo que parecía ser un pulpo rodeado de un anillo con las palabras *All Sport* y *140 gram*. La trabajadora le pasó el disco volador a su compañera, quien lo encajó con precisión en su máquina. A continuación la máquina estampó en plata un diseño de círculos y el logotipo FRISBEE DISC. Cerca de allí había decenas de estantes llenos de discos voladores recién salidos del horno en colores vivos: azul, amarillo, naranja y blanco.

Ada había mencionado que tenía alrededor de cien empleados trabajando en la fabricación de los discos voladores. De momento yo había contado como mucho una docena. Al parecer, el trabajo que requería el mayor número de empleados —o, para ser más precisos, de empleadas, dado que casi todos los trabajadores que vi eran mujeres jóvenes— era el embalaje de los discos. Subimos un tramo de escaleras y entramos en una gran sala abierta, donde dos largas líneas de producción dejaban los discos listos para su venta al por menor. Había varias mujeres jóvenes sentadas junto a las cintas transportadoras, dedicadas a la única tarea que repetirían cientos de veces al día durante el periodo de producción de los discos voladores, ya fuera colocar seis discos en expositores de cartón, ponerles etiquetas a los discos en la cara interna, añadir códigos de producción a las etiquetas, sellar blísteres o empaquetar discos en grandes cajas de cartón con la inscripción MADE IN CHINA. La única automatización provenía de las cintas transportadoras. El espacio era amplio y estaba bien ventilado, pero incluso con todas las ventanas abiertas continuaba haciendo un calor asfixiante y ni siquiera estábamos en verano. No había aire acondicionado.

La jefa de una de las líneas de producción era Huang Min Long, una mujer de complexión robusta vestida con vaqueros y camiseta, con el pelo peinado hacia atrás bajo una gorra azul. Como la mayoría de los obreros de la fábrica —y de otras fábricas repartidas por todo Guangdong—, Huang era una emigrante. Había «salido» —término que solían emplear los trabajadores emigrantes— tres años antes de Guangxi, una región situada a cientos de kilómetros al oeste, dejando a dos hijos allí. Sólo los veía una vez al año, cuando volvía a casa durante el festival de la primavera. El resto del año vivía en el dormitorio comunitario de la empresa, donde compartía habitación con un mínimo de nueve mujeres. La habitación que vi yo era un espacio estrecho lleno de literas. Del techo colgaba un único ventilador junto a una lámpara fluorescente. Sobre una de las camas reposaban las pequeñas taquillas donde las mujeres podían guardar sus pertenencias, y sobre otra sus maletas. De cada litera colgaba una sábana, la única medida de privacidad. A la entrada habían apilado barreños de plástico para hacer la colada, y el baño comunitario estaba en un pasillo exterior, cerca de la cantina donde desayunaban, comían y cenaban.

La vida de los trabajadores emigrantes es muy dura. Ada no parecía dispuesta a darme más detalles, ni a permitir que Huang contara cuánto ganaban ella y las otras empleadas, o las horas que trabajaban. Pero los trabajadores de las fábricas de juguetes trabajan muchísimas horas a cambio de sueldos ridículamente bajos. Entonces, una trabajadora típica de la fábrica de Mattel en Guanyao (también en la provincia de Guangdong) cobraba 175 dólares al mes por una semana de sesenta horas.[63] Con ese sueldo tenía que pagar su alojamiento en el dormitorio compartido y sus comidas. Puede que las recientes reformas de las leyes laborales mejoren levemente las condiciones de vida de los trabajadores emigrantes, pero aún les queda mucho camino por recorrer. El organismo de control China Labor Watch informó en 2007 de que las condiciones en muchas fábricas de juguetes son «de una brutalidad terrible», y se caracterizan por «horarios larguísimos, centros de trabajo poco seguros y libertad de asociación restringida».[64] En algunas fábricas, durante el fuerte de la temporada los trabajadores se ven obligados a trabajar entre diez y catorce horas diarias durante semanas, sin ni un solo día libre. Según este informe, las fábricas imponen multas y castigos ilegales que reducen aún más el mísero salario de los empleados. El organismo culpa principalmente no a los propietarios de las fábricas, sino a las empresas jugueteras multinacionales y a los hipermercados que insisten en vender juguetes a menos de veinte dólares la pieza. Los juguetes baratos tienen su precio: «A fin de obtener beneficios, aunque sean modestos, a muchas de estas fábricas no les queda más remedio que aceptar los bajos precios de las empresas jugueteras», observó el organismo. «Desgraciadamente, los sueldos de los trabajadores y el trato que se les dispensa son los únicos factores flexibles de la producción...»

Puede que éste no sea el caso en Wham-O ni en la fábrica de discos voladores. Mi breve recorrido no bastó para hacerme una idea justa de las condiciones de vida allí. La fábrica parecía limpia y segura, y aunque el dormitorio y la cantina al aire libre resultaban deprimentes según estándares estadounidenses, mi traductor me aseguró que había visto sitios peores. Mientras que la mayoría de los trabajadores emigrantes cambian de empleo con frecuencia, Ada me dijo que las empleadas de su empresa solían permanecer allí.

—No sé por qué —explicó—, pero las trabajadoras de nuestra fábrica se quedan trabajando aquí más tiempo. Algunas de nuestras empleadas llevan veinte años con nosotros.

Prácticamente todos los productos de la fábrica serán enviados al extranjero.[65] Esta orientación hacia las exportaciones construyó la franquicia de China en Plasticville, pero a falta de mercados nacionales fuertes, deja a los fabricantes de juguetes de China a expensas de acontecimientos mundiales como la epidemia de retiradas de juguetes que tuvo lugar en 2007.[66] El descubrimiento de pintura con plomo y otros riesgos para la seguridad obligaron a las empresas jugueteras estadounidenses a retirar más de veinticinco millones de juguetes fabricados en China aquel año. Estas retiradas, unidas a la recesión mundial que empezó en 2008, llevaron a la industria china al borde del desastre. Según algunos cálculos, más de cinco mil empresas jugueteras —no sólo en Guangdong— cerraron entre mediados de 2007 y principios de 2009.[67]

Entretanto, un número desconocido de empresas de otro tipo han estado trasladando sus instalaciones a partes menos caras de China o a países más baratos como Vietnam, siguiendo el mismo camino trillado que inicialmente trajo la industria juguetera a Guangdong. Al parecer, a las autoridades provinciales les complace verlas marchar en su afán por reemplazar las fábricas de artículos baratos que impulsaron el motor económico chino con industrias de más alta tecnología. Éstas también dependerán en alto grado de los plásticos.

Pese a su éxito, Dennis resultó ser vulnerable. Seis meses después de mi visita a su fábrica, Wham-O cambió de manos y los nuevos propietarios decidieron cancelar su contrato, sin tener en cuenta lo mucho que su empresa había invertido con el objetivo de producir discos voladores. El nuevo propietario, Marvel Manufacturing, cuenta con instalaciones manufactureras propias en China, así como en México y en Estados Unidos. Esta empresa anunció que volvía a trasladar la producción de discos voladores a Estados Unidos, aunque a mediados de 2010 la gran mayoría de discos aún se fabricaban en sus instalaciones de China.

La pérdida del contrato para fabricar discos voladores supuso una decepción, pero así son los negocios, me dijo Ada cuando me puse en contacto con ella después de la venta. Según Ada, la empresa sustituyó el trabajo que hacía para Wham-O gracias a un nuevo nicho de mercado: las tarjetas de felicitación musicales. Dichas tarjetas han permitido a la empresa ingresar en el campo de la electrónica, lo que supone un escalón más alto que los juguetes.

—Los juguetes no son demasiado estables —explicó Ada. Las tarjetas que tocan alguna melodía van dirigidas a «un mercado más masivo».

En realidad, las tarjetas de felicitación que emiten un monótono «Feliz cumpleaños» resultan más comprensibles para Ada y sus empleadas que un plato volador de polietileno.

—¿Son los discos voladores muy famosos en Estados Unidos? —me preguntó Ada tímidamente en un momento dado mientras recorríamos la fábrica.

—Claro —le respondí—. Son muy famosos. Todo el mundo ha tenido uno alguna vez.

Tanto para Ada como para las trabajadoras de la fábrica, semejante popularidad constituía un auténtico misterio.

—En Hong Kong no son nada populares. Por eso nos preguntamos por qué tanta gente hace pedidos de discos voladores.

—Entonces, ¿la gente no juega con discos voladores aquí? —pregunté.

—¡Oh, no! Sólo de vez en cuando, en la playa.

A Huang, la trabajadora con la que había hablado brevemente, también le desconcertaba el juguete que pasaba meses empaquetando en cajas dirigidas a países extranjeros. Le pedí a Matthew Wang, mi traductor, que le preguntara qué creía que hacía la gente con los discos voladores.

—Huang sabe que se usan en la playa.

—¿Ha jugado alguna vez con un disco volador? —pregunté.

—No —tradujo Matthew—. Nunca ha estado en la playa.

4
«Ahora los humanos son un poco de plástico»

Amy* nació en abril de 2010, cuatro meses antes de tiempo. No pesaba mucho más que dos Big Macs. La llevaron a toda prisa desde la sala de partos hasta la unidad de cuidados intensivos neonatales del Children's National Medical Center en Washington DC.

Cuando la vi dos días después en la unidad de cuidados intensivos no puede evitar un grito ahogado. Amy estaba perfectamente formada, pero seguía pareciendo inacabada, con deditos como minúsculas ramitas primaverales y piel tan translúcida como una hoja nueva. Reposaba en una incubadora de plástico transparente, conectada a una maraña de tubos. Unas almohadillas de espuma cubrían sus delicados ojos para protegerla de las luces ultravioleta especiales empleadas para prevenir la ictericia. Salvo el nido de suaves mantas sobre las que yacía, estaba rodeada de plástico por todas partes.

La falta de cuidados prenatales y la negligencia de su madre, toxicómana, apresuraron su llegada al mundo. Su madre se puso de parto prematuramente tras consumir polvo de ángel. Estaba embarazada de dos niñas, pero la gemela de Amy nació muerta, y las posibilidades de supervivencia de Amy eran escasas. «No esperábamos que sobreviviera todo este tiempo», afirmó la enfermera que cuidaba de ella. Billie Short, la doctora que estaba al frente de los cuidados intensivos neonatales, le dio un 40 por ciento de posibilidades de sobrevivir. El hecho de que Amy hubiera resistido los primeros días y pudiera acabar sobreviviendo suponía en cierto sentido una victoria para la tecnología de los polímeros. La neonatología, como gran parte de la medicina moderna, se ha

* No es su nombre auténtico. *(N. de la A.)*

beneficiado enormemente de la llegada de los plásticos, en formas tanto espectaculares como prosaicas.

Los polímeros han permitido la mayoría de los milagros médicos actuales. El médico holandés Willem Kolff, movido por la convicción de que «todo lo que Dios puede crear puede fabricarlo el hombre», hizo bolas con hojas de celofán y otros materiales en la Holanda ocupada por los nazis con el fin de perfeccionar su máquina de diálisis renal.[1] Hoy, los marcapasos de plástico mantienen el ritmo cardiaco de los corazones defectuosos, mientras que las venas y las arterias sintéticas permiten que fluya la sangre. Sustituimos nuestras caderas y nuestras rodillas gastadas con otras de plástico. Nos valemos de andamios de plástico para favorecer la regeneración de la piel y de los tejidos; los implantes de plástico cambian nuestro aspecto, mientras que la expresión «cirugía plástica» no es sólo una metáfora.

Los plásticos se encuentran en la cubierta protectora y en los componentes de sofisticados aparatos para la obtención de imágenes médicas. También podemos hallarlos en artículos básicos que se usan a diario en la medicina, desde orinales y vendas hasta los guantes y jeringas de un solo uso que aparecieron por primera vez en la década de 1950, pero que se volvieron absolutamente indispensables tras la propagación del sida. Gracias al plástico, los hospitales pudieron sustituir aquellos materiales que precisaban una esterilización laboriosa por productos desechables empaquetados en blísteres, los cuales mejoraron la seguridad, redujeron los costes de forma significativa y permitieron tratar a más pacientes en sus hogares.[2]

En cuanto a su tamaño, la medicina es un mercado final pequeño y consume menos del 10 por ciento de los polímeros producidos en Estados Unidos: una minucia en comparación con sectores como el de los envases y envoltorios (33 por ciento), los productos de consumo (20 por ciento) y la construcción (17 por ciento).[3] Con todo, se trata de un mercado fuerte que resiste bien las recesiones[4] y que ha proporcionado a la industria un enorme valor publicitario.[5] La medicina lleva mucho tiempo siendo la indisputada cara positiva de los plásticos, el escaparate de las ventajas de los polímeros. En una reciente campaña de relaciones públicas, el American Chemistry Council publicó la fotografía de un recién nacido en una incubadora de plástico.

Los plásticos resultan indispensables en neonatología, reconoció la doctora Billie Short mientras recorríamos la unidad de cuidados intensivos neonatales de cincuenta y cuatro camas en el Children's National, donde los bebés prematuros como Amy pueden pasar las primeras semanas o incluso los primeros meses de sus vidas. Short, directora de neonatología en el hospital universitario George Washington, describió la forma en que los plásticos posibilitan el cuidado de bebés tan frágiles como Amy mientras nos encontrábamos junto a su incubadora. La doctora Short metió las manos a través del par de orificios laterales de la incubadora de Amy y señaló el cuarteto de finísimos tubos transparentes que suministraban alimento y medicinas a la niña desde varias bolsas de plástico colgadas de un armazón metálico cercano. Le habían insertado un tubo en una vena de la cabeza para suministrarle fluidos; llevaba otro tubo, que administraba antibióticos, pinchado en una vena de su bracito, sólo un poco más grueso que el bolígrafo que yo estaba usando para tomar notas. Le habían introducido dos catéteres en el muñón del cordón umbilical, uno para suministrarle nutrientes a través de una vena, y el otro, conectado a una arteria, para que las enfermeras pudieran monitorizar la tensión sanguínea fluctuante de Amy y sus niveles de oxígeno en la sangre. La sonda respiratoria que le habían introducido por la garganta estaba conectada a una máquina revestida de plástico que la ayudaba a respirar. Todos los tubos tenían la suficiente blandura y flexibilidad para deslizarse a través de su delicado cuerpecito sin producir ninguna herida. Entretanto, la incubadora recubierta de plástico mantenía unos niveles de humedad y de calor cuidadosamente calibrados (los prematuros como Amy carecen de las capas de piel y grasa necesarias para mantener la temperatura corporal). Equipos como éste constituyen uno de los distintos factores que han contribuido a elevar las tasas de supervivencia de los niños prematuros durante los últimos cuarenta años.

Observé a Amy elevar y bajar el pecho tan rápidamente como un ruiseñor. De vez en cuando, un temblor involuntario sacudía su minúsculo cuerpecito, como si se estremeciera porque alguna fuerza implacable del universo la había arrancado del útero oscuro y acogedor de su madre para meterla en esta imitación sintética.

—¿Cuánto tiempo estará conectada a todo esto? —le pregunté a la doctora Short mientras le señalaba los tubos intravenosos.

—Durante semanas —respondió Short. Después, cuando se estabilizara, Amy recibiría el alimento por vía nasogástrica.

La neonatología es una especialidad médica relativamente nueva. La primera unidad de cuidados intensivos neonatales se inauguró en 1965. El hecho de que este campo haya florecido en la era de los polímeros puede no ser una coincidencia, dados los retos de tratar a bebés con venas finas como cabellos y piel delicada como el papel de seda. Con todo, hasta la década de 1980 la mayoría de los fluidos intravenosos administrados en cuidados intensivos procedían de botellas de cristal. Short recuerda la preocupación y las molestias que suponía que esas botellas se rompieran al caer al suelo. Al principio, explicó Short, el cambio a materiales de plástico nos pareció un enorme adelanto.

—Todos pensábamos que los plásticos eran seguros e inertes. No había motivos de preocupación. Pero luego, a medida que se fueron publicando los resultados de diversas investigaciones, quedó cada vez más claro que tendríamos que tener más cuidado.

Y aquí Short dio con la principal paradoja del empleo de plástico en la medicina: al curar también puede hacer daño. Diversos estudios indican ahora que los mismos tubos y bolsas de perfusión intravenosa que suministran medicinas y alimento a estos niños tan vulnerables también les suministran sustancias químicas que podrían dañar su salud en el futuro. El vinilo que suele emplearse en la fabricación de bolsas y tubos intravenosos contiene una sustancia química reblandecedora que puede impedir la producción de testosterona y de otras hormonas. Esta sustancia, denominada ftalato, no actúa del mismo modo que algunos agresores típicos del medio ambiente como el mercurio y el asbestos, en los que existe una conexión directa entre la exposición y algunos daños posteriores fácilmente reconocibles, como el cáncer, los defectos de nacimiento o la muerte. Los ftalatos dejan huella de forma más compleja y tortuosa porque atacan al sistema endocrino, la intrincada coreografía hormonal autorregulada que dicta la manera en que un individuo se desarrolla, se reproduce, envejece y lucha contra la enfermedad. Incluso dicta la manera en que dicho individuo se comporta.[6] De todas las sustancias químicas usadas en los plásticos corrientes, los ftalatos no son las únicas que tienen efectos perjudiciales. Al imitar, impedir o suprimir la producción de hormonas como la testosterona y el estrógeno, todas estas sustancias químicas pueden producir efectos sutiles a largo plazo que no se manifiestan durante años, o que aparecen únicamente en nuestros descendientes. Pueden hacernos más vulnerables al asma, la diabetes, la obesidad, las enfermedades cardiacas, la infertilidad y el trastorno de déficit de atención, por nombrar algunos de los problemas de salud que han sido relacionados a varias de estas sustancias en investigaciones animales y en estudios epidemiológicos. Y algunas de estas sustancias pueden causar daños incluso en concentraciones minúsculas que no se consideran preocupantes.[7]

Al igual que cambiaron la textura esencial de la vida moderna, los plásticos también están alterando la química básica de nuestros cuerpos y traicionando de pasada la confianza que habíamos depositado en ellos. Todos nosotros, incluso los recién nacidos, llevamos ahora en el cuerpo restos de ftalatos y de otras sustancias sintéticas, como productos ignífugos, repelentes de manchas, disolventes, metales y agentes impermeabilizantes y bactericidas. Aunque no deberíamos llevar dichas sustancias químicas en nuestro organismo, las amenazas reales para la salud humana continúan siendo inciertas. A pesar de lo distinta que es mi vida de la de Amy, no puedo evitar ver ciertas similitudes. En la era de los plásticos todos somos bebés de incubadora, irremediablemente ligados a los polímeros y enfrentados a un sinfín de nuevos riesgos.

Pocos objetos dan fe del impacto médico de los plásticos —las ventajas, los riesgos y las dificultades de equilibrar ambos— de forma tan clara como la bolsa de plástico para perfusión intravenosa con sus tubos como serpientes.

Este producto tan básico para el cuidado de la salud fue introducido en los años siguientes a la segunda guerra mundial por Carl Walter, cirujano y profesor en la facultad de Medicina de Harvard. Como muchos cirujanos, Walter poseía habilidades mecánicas y dotes de inventor.[8] A finales de la década de 1940 dedicó estos talentos a resolver los problemas derivados de la recolección y el almacenamiento de la sangre. El concepto de los bancos de sangre aún era nuevo. El propio Walter había establecido uno de los primeros bancos de sangre diez años atrás, y lo había ubicado en un oscuro sótano de Harvard para evitar despertar las iras de los miembros del consejo de administración de la universidad, los cuales consideraban «inmoral y poco ético» recoger y usar sangre humana. Los bancos de sangre de aquella época se enfrentaban a graves problemas.[9] La sangre de los donantes se extraía mediante tubos de goma y se introducía en botellas de cristal con tapones de goma, un proceso que solía dañar los hematíes y permitía la entrada de bacterias y de burbujas de aire. Mientras buscaba un sistema mejor, a Walter se le ocurrió la idea de emplear uno de los nuevos termoplásticos más sorprendentes, el cloruro de polivinilo, más conocido como PVC, o vinilo.

El PVC es un polímero singular.[10] A diferencia de otros plásticos, entre los componentes principales del PVC se encuentra el cloro, un gas verdoso procedente de una sal (el cloruro de sodio). A fin de fabricar PVC, el cloro se mezcla con hidrocarburos para formar el monómero conocido como cloruro de vinilo, que a continuación es polimerizado. El resultado de este proceso es un polvo blanco de grano fino.

Esta composición química poco habitual constituye la principal ventaja del PVC, pero también su mayor problema y la razón por la que la industria canta sus alabanzas y los ecologistas lo llaman la resina de Satán. La base de cloro otorga al PVC estabilidad química, resistencia al fuego, impermeabilidad y un coste bajo (dado que se precisa menos petróleo o menos gas para producir la molécula). Por otra parte, convierte al PVC en un material peligroso de manufacturar y en una pesadilla cuando hay que deshacerse de él, porque al incinerarlo libera dioxinas y furanos, dos de los compuestos más carcinógenos que existen.

El PVC es también una molécula inusualmente poliamorosa, dispuesta a unirse a múltiples sustancias químicas que pueden proporcionar a la resina un despliegue extraordinario de propiedades. De hecho, sin aditivos, el PVC es tan quebradizo que resulta casi inutilizable. Pero combinado con otras sustancias químicas puede «convertirse en una gama casi ilimitada de productos»,[11] como alardeaba su vocero, el Vinyl Institute. Puede convertirse en las planchas rígidas usadas para recubrir las fachadas laterales de las viviendas, en las fuertes tuberías por las que fluye el agua, en el revestimiento protector de los cables eléctricos, en los brazos blandos de una muñeca y en las suaves cortinas de ducha; o puede adoptar la textura carnosa de un consolador. Semejante versatilidad ha convertido al PVC en uno de los plásticos más vendidos del mundo,[12] así como en una opción frecuente para los fabricantes de suministros médicos.[13] Sin embargo, debido a su dependencia de los aditivos, esta resina es ahora blanco de múltiples críticas.

El material que llamó la atención de Carl Walter era una variedad particular del vinilo conocida como PVC plastificado,[14] en la cual el plástico se vuelve suave y flexible gracias a la adición de un líquido oleoso y transparente llamado di(2-etilhexil) ftalato *(di[2-ethylhexyl] phthalate,* DEHP), un miembro de la familia de los ftalatos. Los ftalatos se han vuelto tan omnipresentes en los productos industriales y de consumo que los fabricantes producen casi quinientos millones de kilos cada año.[15] Se usan como plastificantes, lubricantes y disolventes.[16] Podemos encontrar ftalatos en cualquier objeto fabricado con vinilo blando, pero también se encuentran en distintos tipos de plástico y en otros materiales, en envoltorios de alimentos y en máquinas para procesar alimentos, en materiales para la construcción, ropa, cortinas y alfombras, papel pintado, juguetes y productos para el cuidado personal como cosméticos, champús y perfumes; en adhesivos, insecticidas, ceras, tintas, barnices, lacas, revestimientos y pinturas.[17] Incluso se usan en los recubrimientos de liberación prolongada de algunas medicinas y suplementos nutricionales.[18] Hay alrededor de veinticinco tipos diferentes de ftalatos, pero sólo media docena se usan de forma generalizada.[19] De éstos, el DEHP es uno de los más populares, especialmente para usos médicos,[20] algo que podemos agradecerle a Carl Walter.

El PVC parecía idóneo para los objetivos de Walter: era resistente, flexible y, a diferencia del cristal, no parecía dañar los glóbulos rojos. Permitía que el CO_2 de la sangre se disipara y que el oxígeno se dispersara, lo que también era bueno para los glóbulos. Por lo que él sabía, el material era completamente inerte. A fin de persuadir a sus colegas de las virtudes del PVC, Walter llevó una bolsa llena de sangre a una reunión, la tiró al suelo y luego la pisó.[21] La bolsa no se rompió, lo que ya suponía una enorme ventaja con respecto al cristal. Pero la auténtica ventaja consistía en que la bolsa podía conectarse a otras bolsas para formar un sistema seguro y estéril que permitía separar la sangre en sus distintos componentes: glóbulos rojos, plasma y plaquetas.

Los nuevos adelantos tecnológicos revolucionaron la forma en que se recogía y se usaba la sangre: por primera vez era posible separar y almacenar sin riesgo los componentes sanguíneos.[22] En lugar de suministrarle a un paciente sangre entera, el médico podía administrar sólo las partes que cada persona necesitara. Ahora una única dosis de sangre podía ayudar a tres personas distintas.

Cuando el Ejército estadounidense las empleó durante la guerra de Corea, las nuevas bolsas demostraron ser un modo mucho más seguro y fiable de tratar a los soldados heridos en el campo de batalla.[23] El personal médico podía estrujar las bolsas para que su contenido saliera más deprisa. Los frascos de cristal, por otra parte, dependían de la gravedad; era preciso izarlos por encima del paciente, lo que proporcionaba un objetivo para el fuego enemigo. A mediados de los años sesenta, el empleo de bolsas de sangre de PVC ya era habitual en los bancos de sangre y en los hospitales civiles. El invento de Walter también empezó a expandirse en el campo de la terapia intravenosa. Con los años, los proveedores médicos fueron trocando gradualmente el vidrio por PVC para poder contener una amplia selección de fluidos suministrados por vía intravenosa, como soluciones salinas, medicamentos y suplementos nutricionales.

Uno de los principales atractivos del PVC residía en su supuesta estabilidad química.[24] Tal y como señaló *Modern Plastics* en un artículo de 1951 titulado «Por qué los médicos están usando más plásticos», «cualquier sustancia que entre en contacto con los tejidos humanos [...] debe ser químicamente inerte y no tóxica», además de compatible con los tejidos humanos y no absorbible. El PVC era uno de los plásticos que parecían satisfacer todos los requisitos, pero entre finales de los años sesenta y principios de los setenta, diversas revelaciones comenzaron a echar por tierra aquella presunción de inocencia.

En primer lugar, se descubrió que el gas de cloruro de vinilo —la principal sustancia química empleada para fabricar PVC— era mucho más peligroso de lo que se había creído hasta entonces. Los médicos de la fábrica de PVC de la empresa B.F. Goodrich en Louisville, Kentucky, descubrieron en 1964 que los trabajadores estaban desarrollando acroosteólisis, una afección sistémica que causaba lesiones cutáneas, problemas circulatorios y deformación de los huesos de los dedos de la mano.[25] Después, a principios de los años setenta, investigadores europeos hallaron pruebas de que el cloruro de vinilo era carcinógeno.[26] Tal y como detallaron David Rosner y Gerald Markowitz en su artículo de denuncia *Deceit and Denial: The Deadly Politics of Industrial Pollution* [Engaño y negación: la política mortífera de la contaminación industrial], la industria del vinilo ocultó inicialmente los resultados de diversos estudios que mostraban que niveles bajos de cloruro de vinilo causaban cáncer de hígado en las ratas. Pero la verdad salió a la luz en 1974 cuando cuatro trabajadores de la fábrica Goodrich murieron de un mismo tipo de cáncer de hígado poco común, el angiosarcoma. Un periodista de la revista *Rolling Stone* comparó la fábrica de Louisville a «un ataúd de plástico».[27]

Por alarmantes que fueran, las revelaciones sobre lo sucedido en Louisville describían un peligro ambiental conocido, causado por condiciones peligrosas en el lugar de trabajo y confinado principalmente a las instalaciones de la fábrica. Si el cloruro de vinilo causaba cáncer entre aquellos que manipulaban el PVC, sería preciso cambiar las condiciones de la fábrica para que los obreros dejaran de correr peligro. Y de hecho, después de una polémica batalla legal, un organismo de nueva creación, la Ocupational Safety and Health Administration [Agencia para la Salud y la Seguridad Laboral] impuso unos límites estrictos que restringían enormemente la exposición de los trabajadores a esta sustancia química. (La resolución reducía los niveles considerados aceptables de quinientas partes por millón a una parte por millón.) Los fabricantes pusieron el grito en el cielo, afirmando que el coste de acatar los nuevos estándares ascendería a 90 mil millones de dólares, pero finalmente aumentar la seguridad en las fábricas costó una pequeña parte de esa cifra, sólo 278 millones de dólares.[28] Desde entonces no han vuelto a denunciarse nuevos casos de angiosarcoma entre los trabajadores del sector del vinilo.

Mientras se extendía el escándalo del cloruro de vinilo, otra investigación apuntaba a un riesgo más insidioso, y también más incierto: el hecho de que varios productos de uso muy frecuente estuvieran liberando las sustancias químicas añadidas al PVC.[29]

Robert Rubin y Rudolph Jaeger, toxicólogos del hospital universitario Johns Hopkins, lo descubrieron casualmente durante un experimento realizado en 1969 con hígados de rata.[30] Mientras se perfundían los hígados con sangre procedente de bolsas y tubos de PVC, resultó evidente que algún compuesto desconocido estaba frustrando el experimento. Rubin le pidió a Jaeger, entonces alumno suyo, que averiguara cuál era este compuesto misterioso. Jaeger descubrió que se trataba de DEHP, el plastificante químico añadido al vinilo con el que se fabricaban las bolsas para sangre y los tubos. Como Jaeger no tardó en descubrir, estas bolsas podían contener hasta un 40 por ciento de DEHP al peso;[31] los tubos podían contener un 80 por ciento. El aditivo no está ligado atómicamente a la *cadena de margarita* molecular que compone el PVC, lo que significa que puede ser lixiviado, especialmente en presencia de sangre o de sustancias grasas.[32]

Ni Rubin ni Jaeger sabían si el DEHP era tóxico, pero se sorprendieron y se alarmaron un poco al realizar nuevos estudios en los que hallaron trazas de esta sustancia química en la sangre almacenada, así como en los tejidos de personas que habían recibido transfusiones de sangre. Cuando Jaeger entregó el informe que documentaba dichos hallazgos a la prestigiosa revista científica *Science,* el director de la publicación lo rechazó. En su opinión, a menos que se demostrara que la sustancia química era tóxica, no importaba demasiado si se introducía en la gente. Jaeger no se arredró, volvió a llamar al director y lo persuadió para que cambiara de opinión. Tal y como Jaeger recordó: «le dije: "Fíjese en lo mucho que se usan los ftalatos y el plástico de PVC en nuestra sociedad. Merece la pena publicarlo porque los científicos deben estar informados acerca de la naturaleza omnipresente de los extractos procedentes de los plásticos"».

Poco después, un químico del National Heart and Lug Institute [Instituto Nacional del Corazón y los Pulmones] comunicó que él también había encontrado residuos de DEHP y otros ftalatos en muestras de sangre tomadas de una muestra de población de cien personas. Sin embargo, no se trataba de personas que hubieran estado expuestas a estas sustancias debido a sus trabajos ni que hubieran recibido transfusiones de sangre; eran simplemente consumidores de artículos de plástico, gente que podría haber estado expuesta a los ftalatos presentes en cualquiera de los miles de productos cotidianos, ya fueran vehículos, juguetes, papel pintado o cables. Al informar acerca de estos hallazgos en 1972, el *Washington Post* afirmó: «Ahora los humanos son un poco de plástico».[33]

¿Qué quería decir exactamente «ser un poco de plástico»? Según la opinión generalizada, no significaba demasiado. Los fabricantes de plásticos sabían desde hacía bastante tiempo que los polímeros podían lixiviar aditivos, pero mantenían que la gente no estaba expuesta a niveles lo suficientemente elevados para sufrir daños. Después de investigar a fondo el DEHP y otros ftalatos, principalmente en adultos, varios toxicólogos independientes llegaron a la misma conclusión.[34] Descubrieron que las dosis muy altas podían causar defectos de nacimiento en roedores y provocar cáncer de hígado en ratas y ratones, pero sólo a través de un mecanismo que raras veces afecta a los humanos. Cuando llamé a Rubin y a Jaeger ambos afirmaron que, después de llevar a cabo muchos estudios, habían concluido que no había motivo de preocupación. Rubin, ahora retirado, me dijo que tras dedicar varios años al estudio del DEHP sólo descubrió un peligro relevante: se trataba de un fenómeno poco común que salió a la luz durante la guerra de Vietnam. Los soldados heridos que estaban en estado de shock murieron después de recibir transfusiones de sangre almacenada en bolsas de vinilo. En aquellas circunstancias tan poco frecuentes, la sustancia química podía desencadenar una reacción inmune letal en los pulmones. Por otra parte, añadió Rubin, él había llegado a la conclusión de que el DEHP y otros ftalatos «eran —¿cómo decirlo?— tan inofensivos como el caldo de pollo».

En aquel momento surgieron algunas voces contrarias, pero casi todas ellas reflejaban la inquietud generalizada de varios científicos preocupados por la creciente ubicuidad de las sustancias químicas industriales, y por la forma en que los humanos estaban entrando en contacto con ellas. Haría falta un cambio radical en la ciencia de la toxicología —y el cambio tardío de profesión de una mujer de Colorado— antes de que dichas voces fueran escuchadas.

Uno de los textos básicos de la toxicología, publicado en 1987, presenta con claridad la teoría acerca del veneno que ha predominado durante siglos. En la página 2 de *A Textbook of Modern Toxicology* [Manual de toxicología moderna], los autores Ernest Hodgson y Patricia Levi afirman que el veneno es «un concepto cuantitativo. Casi cualquier sustancia resulta perjudicial en determinadas dosis, y, por otra parte, es inocua a dosis muy bajas».[35] Hodgson y Levi ponen como ejemplo la aspirina: dos tabletas de aspirina curan, veinte pueden provocar diarrea y sesenta pueden ser letales. Sólo la dosis hace el veneno.[36] Esta idea, formulada por primera vez por el alquimista medieval Paracelso, ha sido uno de los principios fundamentales de la toxicología moderna.

Pero el mismo año en que Hodgson y Levi publicaron la primera edición de su texto sobre toxicología, una zoóloga llamada Theo Colborn empezó a desarrollar una teoría sobre los efectos tóxicos que desafiaría a la opinión ortodoxa.[37] Colborn ni siquiera había estudiado toxicología. Tras residir durante varios años en Colorado criando a sus cuatro hijos y trabajando de ranchera y de farmacéutica, a Colborn le empezó a preocupar la posibilidad de que los contaminantes vertidos en ríos y lagos guardaran alguna relación con los problemas de salud de los habitantes de la zona. Quería entender mejor las distintas cuestiones relacionadas con la calidad del agua, así que a la edad de cincuenta y un años volvió a la universidad y obtuvo un máster en ecología de agua dulce, y después un doctorado en zoología. A finales de la década de 1980 Colborn consiguió un trabajo en la Conservation Foundation de Washington DC, donde su jefe le pidió que examinara los documentos de investigación existentes sobre los efectos de la contaminación en los Grandes Lagos. Era una tarea ingente, pero Colborn, como observó un periodista que más tarde escribió una semblanza de su persona, tenía un don para hallar las pautas que se ocultaban entre montones de datos.[38]

Durante meses Theo examinó trabajosamente miles de estudios sobre los impactos de los pesticidas y de las sustancias químicas sintéticas en la flora y la fauna de los Grandes Lagos. Esperaba encontrar índices de cáncer que se salieran de los gráficos o la clásica marca reveladora de una toxina, pero los informes estaban llenos de historias extrañas e inquietantes acerca de polluelos atrofiados, cormoranes que nacían sin ojos y con los picos cruzados, gaviotas macho con células femeninas en los testes y gaviotas hembra que hacían el nido juntas. Parecía «un batiburrillo de información inconexa», recordó más tarde Colborn en un libro del que fue coautora, *Our Stolen Future* [Nuestro futuro robado]. Pero pronto cayó en la cuenta de que «algo importante acechaba detrás de la superficie confusa».[39]

Para intentar encontrar un sentido a los datos, Colborn creó una hoja de cálculo electrónica y clasificó la información según especie y efectos para la salud. Al revisar toda la serie de síntomas —fallos reproductivos, problemas inmunes, comportamientos anormales— acabó viendo una pauta. La mayoría de los síntomas podían deberse a una disfunción del sistema endocrino, la compleja red de glándulas que producen las hormonas (como el estrógeno, la testosterona, la hormona tiroidea y la hormona del crecimiento) que rigen el crecimiento, el desarrollo, el metabolismo y la reproducción. Se trataba de un tipo de peligro ambiental nuevo y potencialmente grave, en especial a la luz de otra pauta que Colborn veía en los datos: la mayoría de los animales adultos expuestos a toxinas químicas no presentaban síntomas preocupantes; los principales problemas de salud se daban en sus crías. A diferencia de las toxinas típicas, éstas parecían actuar como lo que Colborn denominó «venenos heredados».[40]

Estos efectos transgeneracionales no eran infrecuentes. Como bien sabía Colborn, el fármaco DES, un potente estrógeno sintético, había tenido efectos similares.[41] Este fármaco había sido recetado a mujeres embarazadas en las décadas de 1940 y 1950 para evitar los abortos naturales, pero, años después, los niños que estuvieron expuestos a la droga en el útero comenzaron a sufrir un sinfín de problemas de salud. Las niñas exhibían tasas más altas de lo normal de cáncer de mama y de un cáncer vaginal extremadamente raro, así como fertilidad reducida y otros problemas reproductivos, mientras que entre los niños se daban casos de criptorquidia y de hipospadias (cuando la abertura del pene no se localiza en el glande, sino en el tronco). La experiencia de lo sucedido con el DES alertó a los científicos sobre los peligros potenciales de las hormonas sintéticas.

Pero Colborn no estaba investigando ningún fármaco concebido para imitar a una hormona. Por otra parte, los pesticidas y los productos químicos industriales que examinaba estaban mucho más extendidos que el DES. Sus datos indicaban la alarmante posibilidad de que personas, plantas y animales estuvieran expuestos a un tipo de riesgo totalmente nuevo relacionado con sustancias químicas de uso generalizado, un riesgo que desafiaba el paradigma paracelsiano que constituía el principio fundamental de las pruebas reguladoras. El veneno no estaba únicamente en la dosis: también podía hallarse en el periodo de exposición.

Las implicaciones de su hipótesis supusieron una pesada carga mental para Colborn. Una vez redactado el informe la zoóloga pensó que no podía emprender otro estudio sin más, por lo que convocó una reunión en julio de 1991 en el Centro de Congresos de Wingspread en Racine, Wisconsin, a la que acudieron veinte investigadores destacados de distintos campos cuyo trabajo había influido en su evaluación y que contaban con la experiencia colectiva suficiente para considerar su teoría.[42] Los miembros del grupo procedían de toda una serie de disciplinas —biología, endocrinología, inmunología, toxicología, psiquiatría, ecología y antropología— que raras veces estaban en contacto. «¡Me moría de miedo!»,[43] recordó después Colborn. «Allí estaba yo, recién doctorada. Sólo conocía a un puñado de biólogos especializados en fauna silvestre.» Pese a ello, Colborn presionó mucho a los miembros del grupo, haciéndolos trabajar de la mañana a la noche para que pudieran conocerse entre sí y establecer conexiones entre sus respectivos trabajos. Cuando acabó el fin de semana, el grupo coincidió en que, como los ciegos del proverbio que palpan al elefante, cada uno de ellos había estado describiendo aspectos aislados de la misma inquietante tendencia. Lo denominaron «trastorno endocrino».[44] Se caracterizaba por tres descubrimientos importantes que solían pasarse por alto en las investigaciones toxicológicas tradicionales: los efectos podían ser transgeneracionales, dependían del tiempo de exposición y es posible que no resultaran evidentes hasta que los descendientes de los participantes en el estudio se desarrollaran.[45]

El primer congreso de Wingspread identificó alrededor de treinta sustancias químicas como interruptores endocrinos.[46] Hoy, el número puede variar entre setenta y mil, según quién lleve a cabo el recuento.[47] Es difícil dar cifras exactas debido a los complejos efectos que resultan de interferir en la actividad hormonal normal, así como a los muchos mecanismos mediante los que los interruptores endocrinos causan problemas. Por ejemplo, al imitar a las hormonas naturales, pueden introducirse en los receptores especiales de las células que activan ciertos genes.[48] O pueden impedir que una hormona natural llegue a su destino, evitando así que transmita su mensaje químico al receptor celular. El elevado número de interruptores endocrinos incluye a varios que se encuentran en los plásticos comunes.

Además de los ftalatos, una de las sustancias con peor fama en la actualidad es el bisfenol A, principal componente del policarbonato, un plástico duro y transparente que se usa para fabricar un sinfín de artículos de consumo, como biberones, discos compactos, lentes para gafas y botellas de agua. El bisfenol A es también un componente básico de las resinas epoxi usadas para revestir el interior de las latas de alimentos y de bebidas.[49] Desgraciadamente, los enlaces que unen a estas moléculas largas pueden debilitarse con relativa facilidad.[50] El agua caliente y los detergentes pueden aflojar los enlaces en la *cadena de margarita* polimérica, y cuando eso sucede, pequeñas cantidades de bisfenol A pueden desprenderse. Así, cada vez que lavamos una botella de policarbonato se libera un poco de BPA y esta sustancia puede lixiviarse. Los científicos saben desde la década de 1930 que el bisfenol A actúa como un estrógeno débil, lo que le permite ejercitar al menos dos formas de provocar interferencias en las conversaciones hormonales normales del cuerpo: o bien uniéndose a los receptores de estrógenos de las células o bien impidiendo que los estrógenos naturales más fuertes se comuniquen con las células.[51] Cualquiera de estas dos posibilidades puede trastornar la forma en que el cuerpo usa y produce estrógeno natural.

Ahora cientos de estudios indican que el bisfenol A tiene precisamente ese efecto en animales y en humanos. Diversos investigadores han manifestado que los efectos del compuesto en células y en animales son similares a algunas enfermedades cada vez más frecuentes en las personas, como cáncer de mama, problemas cardiacos, diabetes tipo 2, obesidad y problemas neuroconductuales como la hiperactividad.

La investigación sobre el bisfenol A ha provocado múltiples controversias, en parte porque los supuestos efectos que se aprecian a dosis muy bajas no se manifiestan a dosis más altas, una contradicción absoluta de la famosa máxima de Paracelso. Sin embargo, esta contradicción tiene sentido si consideramos la sustancia química una hormona y no un veneno típico cuyos efectos tóxicos aumentan cuanto más prolongada es la exposición.[52] Así lo explicó Frederick vom Saal, el endocrinólogo reproductivo de la Universidad de Missouri que lideró gran parte de la investigación sobre la molécula. Las hormonas se secretan de acuerdo con un sistema de retroalimentación muy preciso regulado por un par de glándulas alojadas en el cerebro dotadas de mecanismos de control, la pituitaria y el hipotálamo.[53] Si los niveles de determinada hormona son demasiado altos o demasiado bajos, el hipotálamo transmite esta información a la pituitaria, que a su vez le indica a la glándula que secreta dicha hormona que vaya más deprisa o más despacio. Debido a ese bucle de retroalimentación, explicó Vom Saal, «las hormonas sexuales provocan efectos opuestos a dosis altas y a dosis bajas. Es lo que les enseñamos a los estudiantes. A dosis altas, frenan las mismas respuestas que estimulan a dosis bajas».

En el caso del bisfenol A y de algunos plásticos más, este elemento preocupante constituye una parte integral de la estructura molecular. Asimismo, diversos críticos consideran que el poliestireno es potencialmente peligroso porque se obtiene a partir de un monómero, el estireno, y algunos estudios indican que el estireno también es capaz de emigrar de la cadena de polímeros.[54]

Pero la mayoría de los compuestos que preocupan a los expertos son aditivos, sustancias químicas como los ftalatos que se mezclan con los polímeros básicos para conferirles las propiedades deseadas. Si no están fuertemente vinculados a las *cadenas de margarita,* es muy probable que se desprendan de los polímeros. Los ftalatos presentes en el PVC, por ejemplo, se sienten atraídos por los lípidos, y abandonarán la cadena de polímeros para poder disolverse en las moléculas grasas. Los fabricantes emplean una enorme variedad de rellenos, ahuecadores, antioxidantes, tintes, ignífugos, lubricantes, estabilizadores, plastificantes y otros aditivos para modificar sus productos plásticos, tantos que un libro de consulta sobre los aditivos poliméricos tiene 656 páginas. Tantos que los aditivos de los plásticos constituyen un mercado mundial de casi treinta y siete mil millones de dólares.[55]

Algunos de los productos químicos usados en los plásticos —los ftalatos que se encuentran en las bolsas de perfusión intravenosa, el triclosán, un agente antibacteriano presente en artículos de cocina y en juguetes, y los ignífugos bromados tan usados en la fabricación de muebles— ya han llamado la atención de investigadores y de organismos reguladores. Pero aún quedan cientos, si no miles, de los que apenas sabemos nada. Pensemos en la experiencia reciente de los investigadores alemanes que, para su sorpresa, descubrieron que las botellas de agua fabricadas con tereftalato de polietileno (PET) parecían lixiviar pequeñas cantidades de uno o más compuestos desconocidos que imitan al estrógeno.[56]

—Sabíamos que algunos plásticos liberan interruptores endocrinos, pero no esperábamos [verlo] en el PET —me dijo Martin Wagner, autor del estudio.

Wagner no intentó identificar el compuesto que produce estos efectos, pero es posible que se trate del antimonio, un catalizador químico usado para fabricar PET que ha demostrado tener actividad estrogénica.[57]

Por desgracia, es imposible que los consumidores sepan qué sustancias químicas están presentes en los plásticos que compran.[58] A los fabricantes no suele exigírseles que incluyan una lista con los componentes de sus productos plásticos. Y dada la larga cadena de suministros desde polímero virgen hasta producto acabado, lo más probable es que no sepan qué contienen las resinas plásticas que han usado. (Los códigos de las resinas en los envoltorios fueron concebidos para facilitar el reciclaje; ofrecen, como mucho, una información limitada.) En general, los consumidores son tan ignorantes como los bebés prematuros acerca de los plásticos que les rodean, extremo que pude constatar el día en que compré una nueva alfombrilla de plástico en OfficeMax.

La alfombrilla emitía un leve olor químico en la tienda, pero después de dejarla en el coche un par de horas mientras hacía otros recados, el olor se volvió insoportable. La saqué de la caja y la miré por todas partes, esperando en vano encontrar alguna indicación de los componentes de la alfombrilla. En la caja sólo ponía que contenía una alfombrilla azul para colocar debajo de una silla, así como la utilísima nota «silla no incluida». Era muy probable que la alfombrilla fuera de vinilo, pero no creí que el olor pudiera deberse a alguno de los ftalatos usados en el vinilo porque, aunque liberan gases, son inodoros.[59] Si olisqueamos una bolsa intravenosa no oleremos nada. ¿Debería preocuparme aquel olor, o se trataba simplemente de una molestia? No tenía forma de saberlo. Cuando llamé más tarde a OfficeMax, la empresa me confirmó que la alfombrilla estaba hecha de vinilo, pero no pudo proporcionarme más información. Allen Blakely, portavoz del Vinyl Institute, sugirió que el olor podía deberse a las tintas y los sulfuros añadidos al plástico.

—A algunas personas les encanta ese olor —explicó, y luego añadió que se disiparía al cabo de unos días.

Intento no mostrarme alarmista ante casos así, y debo admitir que mi vida está llena de riesgos mucho más tangibles. Crecí en una familia de fumadores y yo misma fumé durante muchos años. A veces hablo por el móvil mientras conduzco. En mi casa suele haber moho. Olvido ponerme filtro solar. Después de mi viaje a OfficeMax, iba a meterme en una autovía repleta de partículas de diésel y de gases procedentes de los tubos de escape, por no mencionar los coches que corrían más de la cuenta. Sopesé la posibilidad de tirar la alfombrilla a la basura, pero eso equivaldría a tirar treinta y nueve dólares. Al final, decidí bajar las ventanillas y esperar a que el viento disipara el olor.

Muchos presuntos interruptores endocrinos afectan al estrógeno. Sin embargo, el DEHP, la sustancia química que se encuentra en las bolsas y en los tubos de perfusión intravenosa, es un antiandrógeno, lo que significa que afecta a la testosterona y a otras hormonas masculinizantes que fluyen por el cuerpo de hombres y mujeres. Los suministros médicos pueden ser una importante fuente de exposición al DEHP, pero casi todos nosotros tenemos contacto con esta sustancia a través de su empleo no médico en artículos de vinilo como cortinas de la ducha, papel pintado, persianas, baldosas, tapizados, mangueras de jardín, revestimientos de piscinas, impermeables, tapizados de vehículos y capotas de descapotables, así como cubiertas de cables y de alambres.[60] Se ha encontrado en chancletas y zapatos de plástico, arcilla para moldear como Fimo y Sculpey, alfombrillas para yoga, cosméticos y barniz de uñas, productos de limpieza, lubricantes y ceras, por no mencionar el polvo doméstico. Pero nuestra principal fuente de exposición tiene que ver con alimentos grasos como el queso y los aceites, particularmente susceptibles de absorber esta sustancia química, aunque no queda claro si esto sucede a través de los envoltorios de plástico, de las tintas usadas en los envoltorios de los alimentos o durante la preparación y el procesado comercial. Por ejemplo, el DEHP de la leche proviene de los tubos usados en las granjas lecheras.

Semejante ubicuidad significa que la sustancia química puede introducirse en nuestros sistemas a través de casi cualquier vía: mediante inhalación, ingestión o absorción a través de la piel. Una vez entra en el torrente sanguíneo, el compuesto se fragmenta en moléculas más pequeñas, llamadas metabolitos.[61] Estos metabolitos son en realidad los alborotadores tóxicos. Son lo suficientemente pequeños para ser absorbidos por las células, incluyendo las células de la glándula pituitaria, lo que es significativo. La pituitaria es el Leonard Bernstein del sistema endocrino, la glándula que dirige la compleja sinfonía de emisiones hormonales procedentes de otras glándulas y de otras células. El DEHP toma asiento y no tarda en comportarse como un violín caprichoso que introduce sonidos discordantes. Entre otras cosas, sus metabolitos impiden a la pituitaria secretar la hormona que indica a los testículos que fabriquen testosterona. Cuando eso ocurre durante periodos sensibles de desarrollo, los niveles de testosterona de todo el cuerpo pueden caer en picado, lo que a su vez desencadena una avalancha de efectos, al menos en aquellos animales que se están desarrollando.

Por ejemplo, los investigadores de la Environmental Protection Agency administraron DEHP y otro ftalato común, el DBP, a ratas macho en el útero durante el periodo en que tiene lugar la diferenciación sexual;[62] los estudios anteriores se habían centrado en otras fases del desarrollo. Los científicos descubrieron que estas sustancias químicas provocaban cambios drásticos en los sistemas reproductores de los fetos. Las crías eran más susceptibles a nacer sin testículos, o aquejadas de criptorquidia, bajos niveles de testosterona y recuentos de esperma reducidos. También eran propensas a tener una distancia menor de lo normal entre el ano y el pene, a sufrir hipospadias y otras malformaciones. El conjunto de síntomas resultaba tan sorprendente que los investigadores lo bautizaron como síndrome de los ftalatos. En estudios posteriores, descubrieron que las ratas aquejadas de este síndrome eran más proclives a tener problemas de fertilidad y a desarrollar tumores testiculares en el futuro. Aunque los efectos son más pronunciados en los machos, los investigadores descubrieron que las crías hembra de rata podían desarrollar quistes en los ovarios y dejar de ovular debido a su exposición al DEHP.[63]

Tal y como Colborn había predicho, el problema radicaba en el tiempo de exposición. En los estudios de la Environmental Protection Agency se emplearon dosis relativamente altas de ftalatos, pero otros estudios animales han demostrado que incluso cantidades muy pequeñas de DEHP pueden reducir la producción de esperma, provocar la pubertad temprana e inducir otras sutiles malformaciones si esta sustancia se administra durante periodos críticos del desarrollo.[64] Es entonces cuando ser un poco de plástico puede suponer un gran problema.

Los efectos en las ratas pueden extrapolarse a tendencias generales en la salud reproductora humana.[65] Los epidemiólogos han registrado tasas elevadas de infertilidad masculina, cáncer testicular, niveles bajos de testosterona y esperma de baja calidad en muchos países occidentales. Según algunos estudios (aunque no todos), el número de niños nacidos con hipospadias o con criptorquidias ha aumentado de forma significativa desde finales de la década de 1960. Entretanto, varios estudios reflejan que las tasas de infertilidad entre las mujeres están aumentando. Durante este mismo periodo, la exposición de los humanos al DEHP y a otros ftalatos ha aumentado de forma indudable, puesto que su producción y su uso son cada vez mayores. El resultado es que al menos el 80 por ciento de los estadounidenses —de todas las edades y razas, desde urbanitas a habitantes de pueblos remotos— ahora llevan trazas apreciables de DEHP y de otros ftalatos en el cuerpo, según los estudios de biomonitorización de los Centers for Disease Control.[66] Los investigadores han detectado la presencia de ftalatos en sangre, orina, saliva, leche materna y fluido amniótico, lo que significa que la gente se expone a las sustancias químicas en todas las etapas de la vida, empezando en el útero.[67] Estas sustancias salen rápidamente de nuestro cuerpo, pero estamos expuestos con tanta frecuencia que las cantidades totales en nuestro organismo no cambian significativamente con el tiempo. Nuestras células están sometidas a un asalto químico constante de baja intensidad.

Ninguno de nosotros está expuesto al DEHP a niveles tan elevados como los que produjeron resultados devastadores en las ratas fetales.[68] Con todo, muchos estamos absorbiendo una cantidad superior al límite diario aconsejado por la Environmental Protection Agency: un umbral establecido en 1986 y basado en estudios realizados mucho antes de que el concepto de trastorno endocrino fuera conocido.[69] Algunos de los individuos con los niveles más altos son los mismos que necesitan mantenerse alejados de los interruptores hormonales, como los niños y las mujeres en edad de procrear.[70] Los estudios han hallado de forma sistemática que los niños albergan niveles más elevados de ftalatos que los adultos, lo que puede deberse, entre otros factores, a que metabolizan las sustancias químicas más despacio, comen, beben y respiran más por kilo de peso corporal y son más propensos a meterse juguetes de vinilo en la boca. (Una investigadora me dijo que una vez encontró un libro de baño de vinilo para bebés con un olor particularmente tóxico titulado *Splish-Splash Jesus*.)[71] Estos hallazgos llevaron a un panel de expertos convocados por el Programa Nacional de Toxicología en 2006 a concluir que había «motivos para preocuparse» de que la exposición al DEHP pueda afectar el desarrollo reproductor de los varones menores de un año.[72]

Pero el grupo que parece correr el riesgo mayor es el de los recién nacidos que estén en tratamiento en una unidad de cuidados intensivos neonatales.[73] Diversos estudios muestran que un bebé como Amy que esté conectado a bolsas y tubos de perfusión intravenosa durante varias semanas seguidas puede acabar absorbiendo dosis de DEHP entre cien y mil veces más elevadas que las que absorbe la mayor parte de la población. La dosis química será aún mayor si a este bebé le suministran transfusiones de sangre o si más tarde tienen que conectarlo a una máquina cardiopulmonar que haga circular su sangre y la oxigene. Las máquinas se usan habitualmente para tratar a bebés con problemas respiratorios graves, o para aquellos que han sido sometidos a cirugía cardiaca. Estas máquinas salvan vidas, pero también suministran cantidades enormes de DEHP, afirmó Naomi Luban, una hematóloga pediátrica en el Centro Médico Nacional para Niños que trabaja con Short. A Luban le inquietan desde hace tiempo los riesgos que entrañan los plastificantes. La sangre transfundida lleva restos de DEHP procedente de las bolsas de sangre, pero éste no es el único problema. A medida que circula por el aparato cardiopulmonar, la sangre fluye a través de varios metros de tubos de plástico y de una membrana de plástico, los cuales también lixivian DEHP. Un bebé muy enfermo sometido a este tipo de tratamiento intensivo puede recibir una exposición acumulativa veinte veces mayor que el nivel considerado seguro para el consumo humano.[74] (De hecho, individuos de cualquier edad que se sometan a procedimientos como las diálisis de riñón y las transfusiones sanguíneas corren el riesgo de recibir una cantidad considerable de DEHP.)[75]

Debido a su escaso desarrollo, los niños prematuros pueden ser excepcionalmente vulnerables al impacto hormonal de estas sustancias químicas.[76] Las barreras celulares de sus cerebros y de sus órganos son más fáciles de penetrar. Es más, aún no tienen la capacidad de los adultos, o incluso de los niños algo mayores, de expulsar la sustancia química de sus organismos, lo que significa que ésta circula durante un periodo más largo y se acrecienta la probabilidad de que resulte nociva.

Tal y como ha señalado el Centro para el Control de las Enfermedades, la mera presencia de DEHP —o de cualquier sustancia química— en la sangre o en la orina de alguien no significa que constituya un peligro para la salud de esa persona. La pregunta, sin duda difícil, es si las pequeñas cantidades a las que todos estamos expuestos habitualmente son suficientes para afectar a la salud de algunas personas. Puede que todos seamos un poco de plástico, pero eso no significa que a todos nos afecte de la misma forma.[77] Algunos individuos, como los bebés de cuidados intensivos, pueden correr un riesgo mayor debido a las cantidades absorbidas, o a su etapa vital. Dado que los investigadores no pueden someter a los humanos al tipo de pruebas a que someten a las ratas de laboratorio para determinar las condiciones que causan efectos adversos, parece bastante razonable que nos veamos a nosotros mismos como sujetos de un experimento extenso e incontrolado. Sin embargo, no viajamos totalmente a ciegas mientras recorremos este vasto laboratorio plástico denominado vida moderna. Los estudios epidemiológicos —estudios sobre grandes grupos de individuos— ofrecen una forma indirecta de recoger pruebas. Shanna Swan, epidemióloga reproductiva en la facultad de Medicina y Odontología de la Universidad de Rochester, ha llevado a cabo varios estudios de este tipo, y sus conclusiones indican que algunos de nosotros pagamos un precio más elevado por ser un poco de plástico.

En un estudio, Swan midió los niveles de ftalatos en 134 mujeres embarazadas y luego examinó detenidamente los genitales de sus hijos varones.[78] La epidemióloga descubrió que los hijos de aquellas madres con niveles más elevados de ftalatos exhibían síntomas leves pero inconfundibles que recordaban el síndrome de los ftalatos visto en las ratas. Estos niños eran más propensos a sufrir criptorquidia y a tener un pene más pequeño y una distancia menor entre la base del pene y el ano, la medida que en los estudios sobre ratas se veía como señal evidente de niveles disminuidos de testosterona fetal. «Estos bebés no presentaban ninguna anomalía que un facultativo pudiera reconocer», recalcó Swan. Pero dados los efectos a largo plazo en las ratas expuestas, Swan veía incluso estos cambios sutiles como un conjunto preocupante de síntomas que podrían afectar la fertilidad de los niños en el futuro.

Swan decidió entonces estudiar de qué otras formas un antiandrógeno podría afectar a un feto en desarrollo.[79] El tracto reproductor masculino no es el único sistema corporal afectado por la testosterona. Al igual que el estrógeno, esta hormona circula por todo el cuerpo y afecta al metabolismo, al crecimiento, a la conducta y a la cognición, así como a las acciones de otras hormonas, tanto en los niños como en las niñas. «El cerebro es el órgano sexual de mayor tamaño», gusta de decir Swan. «También se desarrolla bajo la influencia de la testosterona.»

Normalmente, los niveles de testosterona en el cerebro aumentan durante determinados momentos críticos del desarrollo, lo que parece desempeñar un papel esencial en el proceso de diferenciación sexual. Diversos estudios han mostrado que cuando las ratas embarazadas están expuestas a drogas que restringen este aumento hormonal, sus hijos machos evitan el tipo de juegos bruscos en los que participan las crías no expuestas.

Basándose en estas conclusiones, Swan se volvió a poner en contacto con el mismo grupo de padres e hijos a los que había estudiado antes. Los niños se encontraban ahora en la etapa preescolar. Para realizar este estudio, Swan pidió a los padres que rellenaran un cuestionario detallado sobre la forma en que jugaban sus hijos. Les preguntó con qué frecuencia jugaban sus hijos con juguetes como muñecas o camiones, o a las casitas, o simulaban pelear. Los niños con la exposición fetal más elevada a los ftalatos DEHP y DBP obtuvieron las puntuaciones más bajas en los típicos juegos masculinos, como simular disparar un arma. También eran más proclives a preferir juegos de género neutro, como resolver rompecabezas. Las niñas no mostraron efecto alguno.

Era el tipo de hallazgo que entusiasma a los que escriben titulares. SUSTANCIAS QUÍMICAS COMUNES VUELVEN BLANDOS A LOS NIÑOS, afirmó un periódico australiano. Pero Swan no pretendía proporcionar una solución ingeniosa a la agresividad machista, sino que describía el cambio sutil en las conexiones cerebrales de los niños que los llevaban a jugar de formas «menos típicamente masculinas». Era un efecto leve pero que tenía implicaciones potencialmente profundas, dado que la testosterona, el estrógeno y otras hormonas configuran las múltiples diferencias en el modo en que los cerebros masculinos y femeninos se desarrollan y procesan los acontecimientos.

Sería preciso volver a realizar ambos estudios. Pero, tras haber descubierto que los ftalatos pueden afectar a dos sistemas corporales muy diferentes, Swan preguntó: «¿Por qué deberíamos dar por sentado que los efectos están limitados a estos dos sistemas? Lo que me preocupa es que estamos viendo cambios en todas las partes del cuerpo donde la testosterona desempeña un papel clave, y me refiero a muchísimas partes».

Otras conclusiones epidemiológicas corroboran sus argumentos.[80] Varios estudios menores han hallado una asociación entre exposición a ftalatos y obesidad, pubertad temprana, alergias, trastorno por déficit de atención con hiperactividad y función tiroidea alterada, todas ellas afecciones que, plausiblemente, podrían guardar relación con los trastornos hormonales. La mayoría de los estudios se han centrado en niños de sexo masculino, pero unos cuantos sugieren que las niñas también pueden estar afectadas por la reducción de la testosterona o por ciertos efectos aún no descritos en sus niveles de estrógeno.[81] Algunos investigadores han postulado que esta sustancia química puede suprimir la producción de estrógeno en las hembras, afirmó Swan.

—A todos nos está costando mucho saber qué sucede con las niñas. Es difícil, porque el sistema reproductor femenino es invisible. En los varones resulta más fácil, porque lo llevan todo colgando.

En cualquier caso, un pequeño número de estudios epidemiológicos han hallado correlaciones entre niveles de ftalatos y endometriosis, aborto natural, fibromas uterinos y desarrollo prematuro de los senos.

Puede que los efectos hormonales del DEHP no sean el único problema. Un estudio de 2010 indica que, en niños muy pequeños, esta sustancia puede interferir en los sistemas celulares que controlan la inflamación, uno de los recursos que tiene el cuerpo para luchar contra la infección.[82] Otros estudios han vinculado el DEHP al sistema inmune y a problemas respiratorios, y han continuado advirtiendo acerca de la toxicidad en el hígado, sobre todo en niños prematuros expuestos al DEHP debido a su tratamiento en las unidades de cuidados intensivos neonatales. Investigadores alemanes mostraron que los bebés en cuidados intensivos que recibieron fluidos procedentes de bolsas de perfusión intravenosa que contenían DEHP eran más proclives a desarrollar un tipo determinado de problema hepático que aquellos cuyas bolsas no contenían esta sustancia química.[83]

Pese a que todos estos datos resultan contundentes, la ciencia raramente mete canastas limpias. Consideremos sólo uno de los criterios de valoración que se cree que están afectados por el DEHP: las células en los testículos que secretan testosterona. Los estudios en ratas han demostrado repetidamente que el DEHP daña dichas células, pero las ratas son la especie más sensible a los ftalatos de todas las sometidas a experimentos. Estudios recientes sobre primates centrados en titís jóvenes no han probado este efecto.[84] ¿Significa esto que los primates, nuestros parientes más próximos, no son tan sensibles a esta sustancia química como los roedores? ¿O acaso los titís del experimento sobrepasaban la edad en la que habrían sido vulnerables a estos efectos? Los investigadores continúan debatiendo esta cuestión.[85] Asimismo, las conclusiones epidemiológicas sobre la calidad del esperma resultan contradictorias: algunos estudios muestran correlaciones con los niveles de ftalatos, otros no.

Resulta difícil y costoso llevar a cabo el tipo de estudios que pueden proporcionar respuestas claras. Por ejemplo, los doctores Short y Luban llevan bastante tiempo esperando hacer un seguimiento de los bebés que estuvieron más expuestos al DEHP por el hecho de estar conectados a máquinas cardiopulmonares.

—Si existe un segmento de la población que va a sufrir problemas reproductores a largo plazo, será sin duda el de estos niños —explicó Short—. Si los resultados fueran negativos, podríamos olvidarnos de este asunto.

Se llevó a cabo un pequeño estudio piloto para el que buscaron a dieciocho adolescentes que de bebés habían pasado algún tiempo en las máquinas de la unidad de cuidados intensivos neonatales y los sometieron a diversas pruebas.[86] Ninguno dio muestras de tener problemas reproductores, pero es imposible extraer conclusiones válidas a partir de un grupo tan pequeño. Desde un punto de vista estadístico, al menos habría que estudiar a doscientos cincuenta niños para obtener resultados fiables. Short y Luban estimaron que costaría diez millones de dólares encontrar a semejante número de supervivientes y someterlos a pruebas. Redactaron una propuesta para poder llevar a cabo el estudio, pero ni los National Health Institutes [Institutos Nacionales de Salud] ni la industria privada estuvieron dispuestos a financiarlo.

—Esos diez millones de dólares eran un precio prohibitivo —afirmó Short.

—Pero ¡caramba!, qué bien nos habría ido tener las respuestas —añadió Luban.

Las continuas incertidumbres son una de las razones por las que los grupos de expertos que han analizado el DEHP y otros ftalatos han llegado a conclusiones distintas, y también por las que casi todos los documentos de investigación acaban con el mismo mantra: se precisan más y mejores estudios.

Una de las mayores lagunas en la investigación se debe a la escasez de estudios sobre la exposición química en el mundo real. Los individuos no están expuestos a un solo producto químico: cada uno de nosotros se encuentra con centenares a diario. Y este bombardeo químico empieza antes incluso de nacer: un estudio de la organización Grupo de Trabajo Medioambiental encontró una media de doscientos contaminantes y sustancias químicas industriales en la sangre del cordón umbilical de diez recién nacidos.[87] ¿Cuál es el efecto acumulativo? Los investigadores acaban de empezar a formular esta pregunta, pero las primeras conclusiones ya son motivo de preocupación.

Earl Gray, el investigador de la Environmental Protection Agency que había identificado el síndrome de los ftalatos, analizó distintas mezclas de ftalatos en ratas. Usó deliberadamente dosis bajas de cada uno, muy por debajo de las cantidades que podrían producir efectos de forma individual.[88] Sin embargo, cuando expuso a ratas macho en el útero a estas mezclas, al menos un 50 por ciento nacieron con hipospadias o con otras anomalías reproductoras. Combinadas, las sustancias químicas eran mucho más potentes que por separado, lo que indicaba que los compuestos que actúan en las mismas vías hormonales tienen un efecto acumulativo, explicó Gray.

Los investigadores afirman que es preciso llevar a cabo más estudios concebidos para imitar la experiencia real de la exposición humana. Swan y otros científicos esperan que se realicen más trabajos de investigación centrados en mujeres embarazadas y en niños para poder obtener una imagen a largo plazo de los efectos químicos, más que distintas instantáneas aisladas. Esto es precisamente lo que pretende conseguir un estudio iniciado recientemente: el Estudio Nacional Infantil llevará a cabo el seguimiento de cien mil niños de todo Estados Unidos desde su nacimiento hasta que cumplan veintiún años con el fin de extraer información sobre las influencias medioambientales —como la exposición a los ftalatos y al bisfenol A— en la salud.

Así que si el DEHP y otros ftalatos no han demostrado ser perjudiciales; ¿significa eso que son seguros?

La industria química, como cabría esperar, mantiene que lo son. Después de todo, hay un mercado de 1,4 mil millones de dólares en ftalatos en juego. La postura del American Chemistry Council, como observó una portavoz, es que «los suministros médicos que contienen DEHP llevan usándose desde hace más de cincuenta años, y no existen pruebas confirmadas de que causen daño a los humanos».[89] Incluso en el caso de los neonatos, sostiene este organismo, las ventajas que aporta el tratamiento superan los riesgos inherentes a la exposición.

El American Chemistry Council sigue atentamente todas las investigaciones, publica aquellos estudios que muestran que no hay efectos adversos y desacredita cualquier descubrimiento que indique la existencia de un problema. El organismo criticó a Swan por usar «métodos no probados», como la medida de la distancia anogenital y la encuesta sobre hábitos de juego, y condenó los errores metodológicos. Swan los reconoce, pero insiste en que no afectan a la relevancia estadística de los resultados finales. En general, el American Chemistry Council recurre a una serie de críticas habituales para señalar fallos que pueden ser ciertos, pero que no siempre son significativos.[90] Éstas son algunas de sus quejas más repetidas: el tamaño de las muestras es demasiado pequeño; no se deberían utilizar ratas a fin de averiguar los peligros para la salud de los humanos; las dosis administradas en los estudios animales son mucho más altas que las que reciben los humanos; los efectos demostrados en la salud no son necesariamente adversos. Casi siempre, cuando un estudio epidemiológico menciona un riesgo asociado a los ftalatos el Consejo contraataca con una nota de prensa en la que señala que el estudio sólo muestra una correlación, y no la prueba de un efecto causal. Lo cual es cierto, eso es precisamente lo que hacen los estudios epidemiológicos. Con todo, las correlaciones descubiertas por los estudios epidemiológicos son desde hace tiempo el estándar por el que se rige la evaluación de riesgos para la salud pública.

Al centrarse reiteradamente en los fallos de cada estudio individual, el American Chemistry Council pasa por alto —y empaña— la forma en que cada uno de ellos puede estar contribuyendo a un conjunto de pruebas cada vez más alarmante. La búsqueda de defectos trata de amplificar la incertidumbre que siempre es inherente a la ciencia. Se trata de una estrategia copiada directamente de la industria tabaquera, y, aunque parezca increíble, en 1969 la consignó por escrito un ejecutivo de la empresa tabaquera Brown and Williamson: «La duda es nuestro producto, ya que constituye la mejor forma de competir con el "conjunto de hechos" que existe en la mente del gran público».[91]

Como Swan y otros investigadores han señalado, no apareció ni un solo estudio que «demostrara» que fumar causa cáncer de pulmón. Fue preciso llevar a cabo una combinación de estudios in vitro, con animales y con humanos, para demostrar los peligros del tabaco. Una serie de estudios epidemiológicos señalaron el riesgo, lo que llevó a las autoridades de salud pública a emitir su famosa advertencia en 1964. A lo largo de los cuarenta años siguientes, los investigadores reconstruyeron concienzudamente —a través de estudios celulares y animales— los mecanismos biológicos que explicaban cómo el humo del tabaco podía producir tumores en los pulmones. Entretanto, la industria tabaquera negó durante todas estas décadas que existiera ninguna conexión.

Es poco probable que en un futuro próximo la ciencia proporcione respuestas claras y definitivas sobre los riesgos de los interruptores endocrinos. ¿Debemos esperar a que niños como Amy crezcan antes de descubrir los peligros de la exposición al DEHP? ¿Aguardaremos para ver si Amy desarrolla problemas hepáticos, experimenta una pubertad temprana o tiene problemas para concebir? ¿O acaso hemos llegado al punto en que existen suficientes pruebas para actuar con precaución? Creo que hemos llegado a ese punto. Sin embargo, nuestro actual sistema para regular las sustancias químicas lo hace difícil.

No disponemos de un cuerpo de leyes coherente o completo que permita gestionar las sustancias químicas con las que nos encontramos en la vida diaria. Sólo contamos con un batiburrillo mal coordinado de leyes estatales y nacionales. La regulación federal de las sustancias químicas está dividida entre varios organismos, lo que conduce a políticas fragmentadas e incoherentes. La Environmental Protection Agency, por citar un ejemplo, anunció recientemente que tomaría medidas para limitar el uso de los ftalatos, como el DEPH. Sin embargo, la Food and Drug Administration [Agencia de Alimentación y Medicamentos] aún considera que esta sustancia ofrece más ventajas que riesgos, y por ello ha pasado por alto hasta ahora las llamadas a limitar su uso en suministros médicos y a exigir el etiquetado de los productos médicos que la contengan.[92] La única acción de la Food and Drug Administration hasta la fecha ha consistido en emitir un comunicado en 2002 recomendando que los hospitales no usen artículos que contengan DEHP en mujeres embarazadas de hijos varones, así como en niños y adolescentes varones. Los organismos reguladores estadounidenses, tanto en la Food and Drug Administration como en la Environmental Protection Agency, van por detrás de los conocimientos científicos sobre los riesgos químicos.[93] Por ejemplo, ambos organismos aún basan sus evaluaciones sobre la seguridad de las sustancias químicas en estudios de cada sustancia por separado, en lugar de investigar los efectos totales.[94]

Pero existe un problema mucho mayor: las leyes estadounidenses suelen considerar segura una sustancia química hasta que se demuestre lo contrario. A los organismos reguladores se les exige encontrar lo que el autor Mark Schapiro denominó «una pista reveladora científicamente improbable» antes de poder retirar del mercado una sustancia sospechosa.[95] Los fallos de este enfoque resultan especialmente evidentes en la principal ley federal que regula las sustancias químicas sintéticas, la Ley para el Control de las Sustancias Tóxicas. Esta ley, aprobada en 1976, otorga a la Environmental Protection Agency poder para exigir pruebas de las sustancias químicas y para restringir su uso. No obstante, este organismo apenas ha tenido la oportunidad de ejercer dicho poder. Las sesenta y dos mil sustancias químicas que estaban en uso cuando se aprobó la ley quedaron exentas de las pruebas. Y las disposiciones de la ley abocan a los funcionarios de la institución a un callejón sin salida: necesitan pruebas de daños o de exposición a determinada sustancia química antes de poder exigirle a un fabricante que proporcione más información sobre dicha sustancia, pero sin esa información, ¿cómo pueden establecer las pruebas de los daños? Sin estas pruebas, los funcionarios no pueden actuar. Así que aunque se hayan introducido veinte mil sustancias químicas desde 1976, la Environmental Protection Agency únicamente ha podido exigir revisiones exhaustivas de doscientas, y ha ejercido su autoridad para restringir sólo cinco. Los obstáculos son tan grandes que el organismo ni siquiera pudo prohibir con éxito el asbestos, un carcinógeno indiscutible. «Esto significa», escribió John Wargo, experto en políticas químicas, «que casi todas las sustancias químicas del ámbito comercial se han sometido a pruebas poco concienzudas para determinar su comportamiento medioambiental o sus efectos en la salud humana.»[96]

¿Son peligrosas todas estas sustancias? Es difícil decirlo, pero la Environmental Protection Agency ha afirmado que al menos dieciséis mil eran potencialmente preocupantes debido a su elevado volumen de producción y a sus propiedades químicas.[97] Entretanto, los organismos reguladores europeos han estimado que un increíble 70 por ciento de las nuevas sustancias químicas poseen alguna propiedad peligrosa, que va desde la carcinogenicidad a la inflamabilidad.

Todas aquellas personas relacionadas con las políticas químicas —el director de la Environmental Protection Agency, los activistas medioambientales, incluso el American Chemistry Council— están de acuerdo en que esta ley es un vehículo deficiente para recorrer nuestro paisaje químico actual. Sin embargo, acordar algún enfoque alternativo ya es otra cuestión (como ha resultado evidente en el debate sobre un proyecto de ley de reforma que está circulando por el Congreso estadounidense desde mediados de 2011). Otra cuestión controvertida es que los que formulan las políticas en Estados Unidos están empezando a mirar hacia Europa en busca de pautas para regular la industria química.

En Europa, la carga de la prueba recae en la seguridad más que en el peligro. Los organismos reguladores europeos «actúan de acuerdo con el principio de prevenir el daño antes de que se produzca, aunque exista incertidumbre científica».[98] Guiados por este principio preventivo, los europeos comenzaron a restringir el uso del DEHP y de otros ftalatos mientras los reguladores estadounidenses continuaban debatiendo sus riesgos.[99] (Por ejemplo, la Unión Europea prohibió el uso del DEHP en juguetes infantiles en 1999, nueve años antes de que el Congreso estadounidense aprobara una ley similar.) Una nueva directiva conocida como REACH (Registration, Evaluation and Authorization of Chemicals [Registro, evaluación y autorización de productos químicos]), adoptada en 2007, exige analizar tanto las sustancias químicas de introducción reciente como las que ya están en uso, y obliga a los fabricantes a demostrar que se pueden usar con seguridad. El organismo encargado de poner en marcha esta directiva designó el DEHP como una de las primeras quince «sustancias muy preocupantes» que debían ser reguladas.[100] En suma, los organismos reguladores europeos tratan las sustancias químicas del mismo modo en que los reguladores estadounidenses tratan las drogas: se presupone que son peligrosas a menos que se demuestre lo contrario. Los fabricantes estadounidenses ya están vendiendo productos en los mercados europeos que han sido reformulados para acatar el principio de precaución. ¿No deberían los ciudadanos estadounidenses exigir lo mismo por lo que a ellos respecta?

Algunos estados ya han tomado la iniciativa. En 2008, California aprobó leyes históricas sobre la seguridad de las sustancias químicas que exigen al estado recoger datos relativos a la toxicidad química, restringir algunas de las sustancias más peligrosas y promover la investigación de sustitutos más seguros. La ley amplía el enfoque adoptado por Massachusetts, que desde 1989 exige a las empresas que emplean grandes cantidades de materiales tóxicos que revelen dicho uso y que investiguen posibles alternativas a las sustancias peligrosas. También ha promovido programas para ayudar a las empresas o bien a pasarse a alternativas más seguras o a usar cantidades más pequeñas de las sustancias peligrosas.[101]

Con todo, los esfuerzos estatales no pueden sustituir a una protección más amplia por parte del Gobierno federal. John Wargo, profesor en la Universidad de Yale, argumentó de manera convincente que lo que necesitamos es una «ley nacional para controlar los plásticos».[102] El Congreso, señaló Wargo, ha aprobado leyes para regular otros riesgos medioambientales o para la salud, como los pesticidas, los productos farmacéuticos y el tabaco. ¿Por qué no hace lo mismo con el plástico, un material presente en la vida de todos y cada uno de los estadounidenses? Wargo propuso una política exhaustiva que, entre otras cosas, incluya pruebas rigurosas de las sustancias químicas usadas en los plásticos antes de introducirlos en el mercado, etiquetado obligatorio de todos los componentes y prohibiciones estrictas de aquellas sustancias y compuestos químicos que supongan una amenaza para la salud humana o que no se transformen rápidamente en sustancias inocuas.

Obviamente, es posible poner el listón de la seguridad o demasiado alto o demasiado bajo. Los plásticos han demostrado ser beneficiosos en la medicina y en otros campos. Proponer estándares inalcanzables —como exigir que las sustancias demuestren ser totalmente benignas— podría producir la misma «parálisis por análisis» reguladora que estamos experimentando en la actualidad. Pero cuando la investigación provista de recursos suficientes indique que existen pruebas significativas de daños, estaremos traicionando a nuestros hijos si no actuamos contra una sustancia química potencialmente peligrosa, especialmente cuando haya otras alternativas disponibles.

¿Quién debe asumir la responsabilidad de pasar a la acción? A menudo el primer paso lo da una persona normal y corriente que presta atención a lo que la rodea. Una persona como Paula Safreed. A principios de la década de 1990, Safreed trabajaba como enfermera en la unidad de cuidados intensivos neonatales del Brigham and Women's Hospital de Boston.[103] Además de cuidar a los bebés Safreed se encargaba de pedir suministros para la unidad, lo que le permitía hablar regularmente con los vendedores de material médico. Fue así como empezó a oír rumores acerca de la sustancia química presente en las bolsas y los tubos de perfusión intravenosa que usaba para tratar a sus minúsculos pacientes. Lo que le llamó la atención no fueron los potenciales efectos del DEHP en los órganos reproductores, sino el comentario de un vendedor acerca de los daños hepáticos que supuestamente podía provocar el DEHP. Dicho comentario le hizo recordar a un niño al que había cuidado años atrás, uno de dos gemelos prematuros. El otro gemelo murió, pero este niño sobrevivió y pasó meses en los cuidados intensivos del Brigham recibiendo transfusiones de sangre, proteínas, lípidos y nutrientes intravenosos a través de bolsas y tubos de vinilo. La enfermera se alegró muchísimo de verlo mejorar lo suficiente para irse a casa, y quedó destrozada cuando más tarde el niño desarrolló cáncer de hígado y murió a los tres años. Safreed sabía que el niño tenía problemas hepáticos, una complicación frecuente en prematuros que pasan mucho tiempo alimentándose de nutrientes artificiales. Con todo, le atormentaba la posibilidad de que fuera precisamente lo que el personal de los cuidados intensivos hizo para salvar la vida del niño lo que había contribuido a su muerte.

—Fue entonces cuando empecé a interesarme en los plásticos —explicó.

Safreed se dedicó a interrogar a los vendedores acerca del contenido de sus productos y a obligar a los administradores hospitalarios a comprar bolsas, tubos y otros artículos fabricados sin DEHP. En aquella época las alternativas eran escasas y considerablemente más caras. Pese a ello, la enfermera continuó insistiendo.

No estaba sola. Durante aquel mismo periodo, una coalición de grupos ecologistas fundó una nueva organización, Health Care Without Harm [Salud sin Daño], concebida para conseguir que los hospitales retiraran paulatinamente las bolsas y tubos intravenosos, así como otros artículos de vinilo que contuvieran la sustancia química plastificante DEHP. Esta iniciativa formaba parte de una campaña más amplia para obligar a los hospitales a dejar de usar PVC en general, porque la incineración de residuos médicos que contenían PVC había convertido a los hospitales en una de las primeras fuentes de emisiones de dioxinas. El descubrimiento de este hecho fue «una increíble paradoja y una buena ocasión para aprender», según el fundador de Health Care Without Harm, Gary Cohen.[104] «Porque si quieres eliminar la toxicidad de la economía, tienes que empezar por el sector de personas que han jurado no causar daño.»

Algunos organizadores de este grupo empezaron a hablar de los riesgos del DEHP en hospitales de todo el país, y muy pronto se ganaron el apoyo de influyentes hospitales universitarios como el Brigham, y también el de poderosas agrupaciones, como Kaiser Permanente y Catholic Healthcare West, las cuales prometieron eliminar completamente el PVC y su aditivo DEHP de sus instalaciones. (Kaiser incluso ha sustituido su moqueta y su pavimento de vinilo por otros materiales.) En 2010, alrededor de 120 de los más de cinco mil hospitales en Estados Unidos se habían apuntado públicamente a la campaña de Health Care Without Harm.[105]

La unidad de cuidados intensivos neonatales del Brigham fue una de las primeras en empezar a adoptar alternativas al PVC en Estados Unidos, y los enfermeros de este hospital reconocen que todo el mérito fue de Paula Safreed, quien ya se ha jubilado.

—Todos nuestros productos están libres de DEHP —me dijo con orgullo Julianne Mazzawi, directora adjunta de los cuidados intensivos neonatales, y para demostrármelo me señaló la etiqueta de un paquete que contenía una fina espiral de tubos intravenosos.

Puede que la Food and Drug Administration aún no exija etiquetarlo todo, pero algunos fabricantes ya han decidido hacerlo por su cuenta.

Pero lo que realmente ha instigado el cambio en el mercado médico ha sido la exitosa iniciativa de Health Care Without Harm para captar a la media docena de organizaciones que negocian compras al por mayor en nombre de la mayoría de los hospitales del país.[106] Estas agrupaciones de compras rigen los designios del mercado; cuando empezaron a preguntar acerca de alternativas al PVC y al DEHP, los fabricantes de suministros médicos prestaron atención.

En la actualidad la mayoría de los proveedores médicos ofrecen productos libres de DEHP y de PVC, particularmente muchos tipos de bolsas y tubos de perfusión intravenosa, así como otros artículos para el cuidado neonatal. Algunos proveedores, como Baxter, han introducido alternativas pese a continuar defendiendo la seguridad del PVC y el DEHP, lo que otorga cierto sesgo esquizofrénico a sus folletos promocionales. Otros proveedores no tardaron en acoger con entusiasmo el nuevo enfoque. Desde principios de los años setenta, los directivos de la empresa B. Braun (ahora B. Braun McGaw) detectaron la oportunidad de hacerse con un nuevo nicho de mercado mediante el desarrollo de alternativas al PVC y al DEHP. B. Braun emplea principalmente el plástico común polipropileno (con el que se fabrican tapones de botellas, pañales desechables y sillas monobloc). «El polipropileno es un material más limpio que el vinilo porque no contiene cloro. Y tampoco contiene plastificantes» por lo que no hay nada que pueda lixiviarse, explicó David Schuck, vicepresidente del departamento de pruebas farmacéuticas de la empresa. Schuck me explicó que las pruebas de seguridad han demostrado que la resina no tiene efectos hormonales. (Con todo, la empresa usa recipientes de cristal sólo para sus suplementos nutritivos intravenosos infantiles.) Otras empresas están usando diversos tipos de plástico —como el poliuretano, los polímeros similares al polietileno y la silicona— que, según afirman, son más seguros y no requieren el uso de aditivos químicos.

Entretanto, los fabricantes de aditivos están produciendo plastificantes alternativos ostensiblemente más seguros, los cuales pueden usarse para ablandar el PVC. Al menos cuatro de estos plastificantes —entre ellos los citratos, compuestos basados en ácido cítrico— ya se usan actualmente en la fabricación de productos infantiles. Estaban disponibles desde hace años, pero apenas se usaban porque cuestan más que los ftalatos. Otro plastificante alternativo es la sustancia química llamada Hexamoll DINCH introducida por BASF, uno de los principales fabricantes de ftalatos del mundo.[107] Patrick Harmon, director de comunicación de BASF, reveló que la empresa había gastado siete millones de dólares en pruebas de seguridad y que «tiene plena confianza» en que se trata de una sustancia segura. Aunque los fabricantes estadounidenses aún no la emplean, Harmon explicó que se usa en Europa para fabricar juguetes, envoltorios de alimentos y suministros médicos, como las bolsas y los tubos intravenosos empleados para suministrar suplementos nutritivos a los prematuros.

Dada la creciente disponibilidad de materiales y aditivos alternativos, me sorprendió descubrir que representan sólo alrededor de una cuarta parte del mercado médico.[108] Hay muchos hospitales —e incluso unidades neonatales de cuidados intensivos— que todavía usan material que contiene PVC y DEHP. Estos hospitales se muestran comprensiblemente cautos a la hora de probar algo nuevo: prefieren lo viejo conocido. Por el momento las alternativas aún cuestan más, así es la realidad del mercado. A falta de una ley federal —la advertencia de la Food and Drug Administration fue sólo un comunicado— no es difícil entender por qué los hospitales escasos de fondos se muestran reacios a cambiar.

La unidad de cuidados intensivos neonatales del Children's National Hospital ha efectuado cambios allí donde le ha sido posible, dice Short. Los bebés ahora reciben suplementos nutricionales procedentes de bolsas que no son de PVC. Supone un cambio importante, porque los líquidos grasos absorben particularmente bien el DEHP del vinilo. Pero cuando la visité en 2010, Short dijo que aún no tenía una alternativa satisfactoria para los tubos que se usan con esas bolsas, o para los juegos habituales de bolsas y tubos de perfusión intravenosa que resultaban esenciales para el cuidado de Amy.

—Los tubos tienen que ser flexibles —explicó Short mientras pasaba los dedos por uno de los conductos extremadamente finos introducidos en las minúsculas venas de Amy.

(Al año siguiente encontró por fin un juego de tubos de perfusión intravenosa que respondían a sus requerimientos y cuyo coste el hospital estaba dispuesto a asumir.)

Y también hay suministros médicos para los que no se han encontrado alternativas.[109] Las máquinas cardiopulmonares sólo usan tubos de vinilo que contienen DEHP. Paradójicamente, lo mismo sucede con el objeto que atrajo el interés de los críticos en primer lugar, la bolsa para sangre. Al parecer, el DEHP sirve de conservante de los glóbulos rojos, pues impide que se descompongan.

Para muchos bancos de sangre, el hecho de que el DEHP se lixivie de las bolsas es una ventaja y no un inconveniente, afirmó Gary Moroff, portavoz de la Cruz Roja Estadounidense. Ningún otro plastificante funciona tan bien, insistió.

—¡Eso es porque nadie las ha evaluado! —respondió Luban con tono exasperado cuando le conté lo que Moroff había dicho.

Luban lleva mucho tiempo reaccionando con frustración ante la postura inamovible de los bancos de sangre, y ante su aparente falta de interés en continuar investigando los riesgos potenciales del DEHP. Pero también reconoció que cambiar el material básico usado en los bancos de sangre requeriría «una cantidad astronómica de trabajo, tiempo, esfuerzo y dinero». Las alarmas aún no suenan en la medida necesaria para conseguir que el sector de los bancos de sangre se involucre en un proyecto tan inmenso.

¿Son las alternativas a los ftalatos más seguras que las sustancias químicas a las que sustituyen? Es lo que cabría esperar. DINCH ha pasado el escrutinio de los organismos reguladores de la Unión Europea, y los citratos parecen tener un historial seguro. Pero a falta de métodos fiables para evaluar los riesgos químicos y sin una política química preventiva, no hay forma de asegurar que el sustituto introducido hoy no acabe siendo el DEHP de mañana.

No podemos confiar en que los mercados protejan el interés general. Responden a las presiones públicas, pero la ciudadanía no siempre está preparada para ejercerlas. Hasta que los estadounidenses cuenten con leyes rigurosas concebidas para prevenir los daños antes de que éstos ocurran, tendremos que abrirnos paso en un mundo de opciones imperfectas. Por citar un ejemplo, incluso aquellas unidades de cuidados intensivos neonatales que han eliminado casi por completo el DEHP y el PVC aún pueden albergar otros riesgos relacionados con el plástico. En un estudio reciente sobre la unidad de cuidados intensivos neonatales libre de vinilo del Brigham, los investigadores descubrieron bisfenol A en la orina de los bebés.[110] Según Steve Ringer, director de la unidad y uno de los autores del estudio, la fuente resulta poco clara. Pero dada la omnipresencia del bisfenol A existen muchas posibilidades, como las incubadoras de policarbonato, los recipientes de plástico en que se conservan las grasas suministradas a los bebés e incluso la leche materna que toman estos niños.

Si la leche materna resulta ser una fuente importante de bisfenol A, ¿cómo debería actuar el hospital?

—Nuestras posibilidades de intervención son bastante limitadas —admitió Ringer.

A los niños se les podría suministrar leche maternizada, pero dados los riesgos inciertos y a largo plazo del bisfenol A y las ventajas inmediatas y reconocidas de la leche materna, aclaró, «creo que seguiría decantándome por las ventajas de la leche materna».

Y, obviamente, aunque las presiones del mercado lograran eliminar por completo sustancias químicas sospechosas como el bisfenol A y el DEHP de las instalaciones médicas, continuaríamos encontrándolas a cada paso en nuestra vida diaria. Es casi imposible escapar de la burbuja plástica.

Cuando pienso en que buena parte de nuestras vidas es un poco de plástico, acabo confundida y sin saber cómo enfrentarme a este nuevo mundo lleno de riesgos. Es una de las razones por las que pregunté a la mayoría de los investigadores a los que entrevisté qué hacían ellos respecto a los plásticos.

Sé que hay blogueros y sitios web que instan a la eliminación total de los plásticos, por lo que me sorprendió descubrir lo moderados que eran la mayoría de los expertos. Joel Tickner, profesor adjunto de Salud Medioambiental en la Universidad de Massachusetts en Lowel que lleva años criticando el DEHP, me dio una respuesta típica. «Intento ser lo más cuidadoso posible, pero no me obsesiono», explicó. Cuando sus hijos eran pequeños, Tickner les permitió tener algunos juguetes de vinilo flexible —de los que suelen contener ftalatos—, pero no demasiados. El profesor usa recipientes de Tupperware, film transparente y bolsas herméticas de la marca Baggies. No calienta comida en el microondas en recipientes de plástico, dado que esto acelera la ruptura del polímero. (Todos los expertos tomaban esta precaución, como mínimo.) Tickner cambió las botellas de agua de sus hijos, hechas de policarbonato que contenía bisfenol A, por otras de metal, pero no le preocupa demasiado usarlas él. Controla la cantidad de comida enlatada que come su familia —para evitar el bisfenol A—, pero no ha eliminado las latas de la despensa. Cuando operaron a su hijo de una hernia, comprobó los tubos intravenosos y otros dispositivos para saber si contenían DEHP. Al parecer no lo contenían, pero aunque hubieran contenido ftalatos, Tickner se habría mostrado confiado. Era una operación puntual, no una terapia continuada, y las ventajas compensaban claramente los riesgos.

—Haces cuanto está en tu mano, sin olvidar que no existe una respuesta fácil —explicó Tickner—. Preferiría cambiar las normas para que la gente no tuviera que preocuparse de esto en lugar de pasarme todo el tiempo preocupándome yo.

5
Materia fuera de lugar

Como a tantos otros niños, cuando era pequeña me cautivaba la idea de enviar un mensaje en una botella. Había algo muy atrayente en esta forma tan primitiva de comunicación de larga distancia, a la vez íntima y aleatoria. La idea de lanzar una misiva desde una playa estadounidense y que alguien pudiera recogerla en China, Tanzania o Irlanda hacía que el ancho mundo pareciera de repente mucho más pequeño y abarcable. Los océanos nos conectaban a todos.

Me acordé de ello no hace mucho, mientras hablaba con un investigador acerca de un tramo remoto del océano Pacífico, situado al noreste de Hawai.[1] Durante un largo periodo, esta zona era conocida únicamente como un lugar tranquilo y sin viento que los marineros intentaban evitar. Recientemente ha adquirido relevancia por ser el emplazamiento de un enorme remolino de basura plástica. El investigador y sus colegas fueron hasta allí para investigar las condiciones supuestamente deplorables en la zona bautizada como «gran mancha de basura». Dos veces al día echaban redes en las claras aguas azules, y cada vez que las izaban encontraban restos de plástico. La mayor parte de lo que recogían eran trozos imposibles de identificar, pero un día, dijo el investigador, vieron que la red contenía un encendedor desechable de plástico transparente. Estaba en tan buen estado que incluso podía leerse la dirección que tenía impresa en un lado. El investigador me contó que habían colgado una fotografía del encendedor en el sitio web de su laboratorio.

Busqué la foto y me esforcé en leer la inscripción —que estaba escrita en chino y en inglés— hasta que finalmente conseguí descifrar una dirección de Hong Kong y un número de teléfono. Sintiéndome como si hubiera encontrado un mensaje en una botella, decidí marcar el número.

Resultó pertenecer a una empresa que vende y distribuye vino chino. Alex Yueh, el paciente director que sin duda lamentó haber contestado a mi llamada, no sabía nada acerca de encendedores promocionales. La empresa no los regalaba, pero puede que lo hubiera hecho en el pasado, sugirió Yueh, porque la inscripción del encendedor era la dirección donde la empresa había estado ubicada siete años atrás.

—No sé cómo pudo ir a parar al océano —se preguntó Yueh—. Es muy raro.

Pero lo cierto es que, en la era del plástico, lo raro se convierte en frecuente: un encendedor diseñado para durar unos pocos meses puede sobrevivir fácilmente durante años flotando kilómetros y kilómetros en alta mar.

Uno de los lugares a los que podía llegar un encendedor náufrago es el atolón de Midway, una isla minúscula entre muchas otras del archipiélago hawaiano. En Midway se libró un histórico combate en la segunda guerra mundial. Hoy se encuentra sometido a un tipo muy distinto de ataque, el de los montones de basura que llegan allí arrastrados por el mar tras las tormentas. Los voluntarios recogen toneladas de desechos de sus playas de arena blanca cada año. Han reunido cientos de encendedores.[2]

Midway también es el hogar del albatros de Laysan, una impresionante ave marina de casi un metro y con una envergadura del doble de esta altura. Sus amplias alas le permiten volar grandes distancias mientras busca comida a diario en el trecho de mar que rodea a Midway. Unos 1,2 millones de estas aves anidan en el atolón, y casi todas albergan alguna cantidad de plástico en el estómago. El contenido de los estómagos de estos albatros «podría abastecer las estanterías de una tienda de autoservicio», dijo un experto.[3]

John Klavitter, biólogo del Servicio Estadounidense de Pesca y Fauna Silvestre especializado en fauna silvestre, lleva trabajando en Midway desde 2002 y en este periodo ha diseccionado cientos de albatros muertos. Klavitter suele encontrar, entre otros objetos, tapones de botella, capuchones de bolígrafo, juguetes, sedal, tubos de plástico usados en granjas de ostras y encendedores, todos ellos recogidos accidentalmente por las aves mientras buscan los calamares y las huevas de peces voladores que componen su dieta habitual.

—Y luego también hay todo tipo de trocitos de plástico, es imposible saber qué son —añadió Klavitter.[4]

Al hurgar en el estómago de un ave durante una autopsia suelen oírse los horribles chasquidos que produce el plástico. Un polluelo muerto tenía más de quinientos trozos de plástico en el estómago, entre ellos un trozo de chapa verde oliva perteneciente a un bombardero de la Marina estadounidense hundido a más de noventa y seis kilómetros ¡en 1944![5]

Hace un siglo, el mayor peligro para estas aves eran los cazadores de plumas. Hoy, una de las principales amenazas es el plástico.[6] Los polluelos, que dependen de sus padres para alimentarse, son los más vulnerables. Normalmente los padres regurgitan en los picos de sus hijos una mezcla de calamar y huevas de pescado extraídos del mar abierto, pero desde que los científicos empezaron a establecer controles en la década de 1960, las aves han estado llevando a sus nidos cantidades crecientes de plástico.

—Si te sientas y observas a los padres alimentando a sus crías, es posible ver cómo les pasan los trozos de plástico a sus polluelos —explicó Klavitter.

Durante los dos meses en que limpiaron las zonas que rodean las colonias de estas aves, un grupo de voluntarios recogió más de mil encendedores desechables.[7]

La muerte es frecuente entre las crías de albatros. De los quinientos mil polluelos nacidos cada año, alrededor de doscientos mil acaban muriendo, en su mayor parte de deshidratación o de hambre. Pero un nuevo factor que posiblemente esté contribuyendo al número de muertes es la dieta cada vez más sintética de estas aves.[8] Cuando tienen el estómago lleno a rebosar de trozos sueltos de plástico, puede que los polluelos sean incapaces de comer o de beber, o incluso de reconocer que sus cuerpos necesitan comida o agua. En un estudio financiado por la Environmental Protection Agency, los investigadores descubrieron que los polluelos muertos o bien de hambre o por deshidratación tenían el doble de plástico en el estómago que los que habían muerto por otras causas. Y el plástico es también en ocasiones una causa directa de muerte, como cuando un polluelo se traga un trozo de plástico lo suficientemente afilado para agujerearle la pared estomacal, o tan grande que le obstruye el esófago.

Klavitter no suele saber si un ave sufre por haber ingerido plástico cuando aún está viva. Las aves no exteriorizan su sufrimiento, y dado que tienen el estómago diseñado para hacer frente a objetos no digeribles, como los picos de calamar, a menudo regurgitan los plásticos que se han tragado. Pero en cierta ocasión Klavitter descubrió a un albatros adulto que intentaba expectorar un trozo de plástico que al parecer se le había atascado en la garganta. Cogió al ave y le hizo un masaje en la garganta para extraer con cuidado lo que resultó ser la larga asa blanca de un cubo infantil. El albatros de Laysan es una de las más de 260 especies animales en el mundo que mueren o que sufren heridas por culpa del plástico.[9] Y según Klavitter, lo que vemos en el albatros está sucediendo en la parte más baja de la cadena alimentaria. Peces grandes y pequeños, e incluso medusas del tamaño de una moneda, están ingiriendo plástico. «Llega tan abajo que hasta da miedo.»

He visto fotos de docenas de albatros de Laysan muertos, imágenes que capturan de la forma más cruda posible la amenaza que los plásticos suponen para el mundo natural. Cada animal muerto parece una burla al orden natural: un cesto a punto de desmenuzarse con forma de pájaro, hecho de plumas y de huesos blanqueados por el sol y lleno de un montón de encendedores, cañitas para beber y tapones de botella, todos de colores llamativos. Los pájaros se descomponen y vuelven a la tierra; los plásticos prometen perdurar durante siglos.

Se puede establecer una relación directa entre la creciente producción de plásticos, la dependencia cada vez mayor por parte de los humanos de productos desechables como los encendedores y la contaminación plástica del medio ambiente. Tal y como escribió el biólogo británico David Barnes, «uno de los cambios recientes más omnipresente y duraderos en la superficie de nuestro planeta es la acumulación y fragmentación de los plásticos».[10] Y esto ha sucedido en el espacio de una sola generación, o, para ser exactos, desde la década de 1960, cuando comenzó a extenderse la era de la desechabilidad.

Las mismas cualidades que convierten a muchos plásticos en materiales fantásticos para el mundo humano —ligereza, resistencia y durabilidad— los convierten también en un desastre cuando se esparcen por el mundo natural. El aire, la tierra y el mar soportan las huellas de nuestra dependencia de este material tan duradero. Veo la prueba en el cubo de compostaje que guardo en el jardín trasero de mi casa, donde de vez en cuando una minúscula etiqueta de plástico con código de barras —como las que pegan indefectiblemente a las frutas y las verduras en la actualidad— reaparece entre el humus: «Nectarina 3576»; «Aguacate 2342». El que tantas de estas etiquetas lleven también la palabra «orgánico» parece particularmente retorcido.

Bolsas, paquetes, vasos y botellas de plástico se desplazan sin cesar por los distintos paisajes del mundo, desde los centros de ciudades abarrotadas de gente hasta las zonas rurales más remotas. Suponen una afrenta visual para los humanos, así como un peligro para la naturaleza.[11] A lo largo del pasado año he encontrado cuatro encendedores de plástico durante mis paseos diarios por el parque Golden Gate. Incluso aquellos plásticos que se tiran a los vertederos de basuras pueden causar problemas y lixiviar sustancias químicas que afectan al sistema endocrino, como ftalatos, bisfenol A y alquifenoles que pueden contaminar la tierra, los arroyos y las aguas subterráneas.[12]

Pero lo más preocupante de todo es la contaminación a causa del plástico vertido en los océanos, final de trayecto tanto para las vías fluviales como para los humanos. Allí donde la vista no alcanza, los plásticos se van acumulando a un ritmo enfebrecido, se depositan en el lecho del océano a cualquier profundidad y se juntan a lo largo de amplios trechos de mar abierto, como en la zona del Pacífico Norte donde encontraron el encendedor náufrago. Nadie sabe a ciencia cierta cuánto plástico hay en los océanos del mundo: he visto cálculos que oscilan entre 13.000 y 3,5 millones de trozos de plástico por kilómetro cuadrado.[13] Un experto calculó que 725 millones de kilos de plástico acaban en los océanos cada año, lo que equivale aproximadamente a la cantidad de bacalao pescado anualmente en el Atlántico.[14] Una pregunta clave que los investigadores se hacen ahora es si ese plástico —y las toxinas que puede contener— se está introduciendo en la cadena alimenticia. ¿Acaba toda esta basura plástica en nuestras mesas?

Los investigadores comenzaron a fijarse en la presencia de plástico en el océano a mediados de los años sesenta.[15] El problema ha aumentado de forma exponencial debido a la creciente producción de plástico, que se ha multiplicado por veinticinco en el último medio siglo. Durante este periodo, el volumen de fibras de plástico acumuladas en el agua salada que rodea a las islas británicas aumentó entre dos y tres veces, según muestran diversos estudios.[16] Junto a la costa de Japón, la cantidad de partículas de plástico que flotan en el océano aumentó de forma aún más pronunciada, multiplicándose por diez durante las décadas de 1970 y 1980 y por diez de nuevo cada dos o tres años durante los noventa. Si bien en algunas zonas, como el Pacífico Norte, el problema no deja de agudizarse, diversos estudios indican que en otros lugares podría estar estabilizándose.[17] Los registros de los arrastres realizados en las costas Este y Oeste de Estados Unidos, por ejemplo, no reflejan aumentos en años recientes.

Con todo, si consideramos las enormes cantidades de plástico presentes en los mares, ésta podría ser la forma de contaminación plástica más desconcertante y difícil de solucionar. Tal y como el vertido de petróleo de BP en el golfo de México demostró de forma tan trágica, los daños producidos en el fondo del océano tienen difícil solución. ¿Por dónde se empieza a limpiar un hábitat que cubre el 70 por ciento de la superficie de la Tierra? Una vasta extensión sin ley que nos pertenece a todos, y por consiguiente, a nadie. Como en el famoso dilema descrito por el ecologista Garret Hardin, es una tragedia de los bienes comunes, y se trata de una tragedia funesta dado que en este caso el bien común es, como lo denominó la oceanógrafa Sylvia Earle, «el corazón azul del planeta», fuente de casi todo el oxígeno de la atmósfera y hogar de más especies de plantas y animales que ningún otro hábitat.

Los océanos han absorbido los desechos de la humanidad durante siglos, pero «estamos llegando a un punto de inflexión», advirtió Richard Thompson, decano de investigación sobre residuos marinos. «Va a ser muy difícil, por no decir imposible, eliminar los restos de plástico que ya se encuentran en el medio ambiente. Debido al crecimiento exponencial que estamos viendo en la producción de plástico, en diez o veinte años nos enfrentaremos a un grave problema a menos que cambiemos de hábitos.»

El encendedor desechable es un icono de la cultura de usar y tirar que empezó a extenderse en los años posteriores a la segunda guerra mundial, cuando la tecnología que ayudó a los Aliados a ganar la guerra puso sus miras en el frente interior. La desechabilidad no era un concepto totalmente nuevo: cuando se abarató el papel en el siglo XIX, los cuellos de camisa de papel desechable se pusieron de moda, y las tiendas empezaron a entregar bolsas de papel con las compras. Con todo, la mayoría de los consumidores daban por sentado que los artículos que compraban podían usarse una y otra vez, y si se rompían podían repararse. La naturaleza de los nuevos materiales surgidos a raíz de la segunda guerra mundial desafió esta creencia. Los plásticos no eran algo que la gente pudiera fabricar o arreglar en sus casas.[18] ¿Cómo se puede arreglar un bol de Tupperware resquebrajado? ¿Merecía la pena tomarse la molestia?

En los años inmediatos de la posguerra, los plásticos empezaron a sustituir a los materiales tradicionales en la fabricación de productos duraderos, pero era evidente que los consumidores comprarían un número limitado de coches, refrigeradores y radios. La industria reconoció que su futuro dependía de la creación de nuevos mercados, y las constantes innovaciones en la ciencia de los polímeros comenzaban a allanar el camino. El mercado para artículos de corta duración era «realmente inmenso», cacareó la revista del sector *Modern Plastics*.[19] O como un conferenciante admitió sin rodeos a un público compuesto por fabricantes de plásticos en un congreso de 1956: «Vuestro futuro está en el camión de la basura».[20]

Todos aquellos materiales duraderos creados para sobrellevar las privaciones de la guerra no tardaron en emplearse para fabricar las comodidades efímeras de la paz. El aislante Styrofoam [poliestireno extruido], usado por los guardacostas estadounidenses para fabricar balsas salvavidas porque flotaba muy bien, pasó a utilizarse en vasos y neveras de picnic; al compuesto a base de vinilo Saran, que resultó tan útil para proteger el cargamento militar, se le asignó la protección a corto plazo de las sobras de comida; y la extraordinaria capacidad del polietileno para aislar a altas frecuencias pasó al olvido cuando este polímero inició una nueva carrera como bolsa para bocadillos y para ropa de la tintorería.

Al principio costaba mucho vender estos productos, al menos a la generación que había sobrevivido a la Depresión y a las recogidas de chatarra en tiempos de guerra gracias al mantra «úsalo, gástalo, aprovéchalo, o prescinde de ello».[21] Los valores de la reutilización estaban tan arraigados que a mediados de la década de 1950, cuando las máquinas expendedoras de café empezaron a utilizar vasos de plástico, la gente se los quedaba y los reutilizaba. Era preciso que aprendieran —y que alguien les enseñara— a tirar las cosas.[22]

Captaron enseguida la lección con la ayuda de un despliegue cada vez mayor de nuevos productos desechables, desde baberos para comer langosta hasta pañales (que, según algunos entendidos, propiciaron el aumento de las tasas de natalidad después de la guerra). La revista *Life* celebró lo que denominó «Un mundo de usar y tirar» con una fotografía que mostraba a una pareja joven y a su hija, todos ellos con los brazos levantados en señal de júbilo bajo una lluvia de artículos desechables: platos, cubiertos, bolsas, ceniceros, platos para el perro, cubos de playa, parrillas de barbacoa y varios objetos más.[23] Limpiar las versiones no desechables habría llevado cuarenta horas, calculó *Life,* pero ahora «ninguna ama de casa tiene que molestarse». No sorprende que la joven mamá pareciera tan contenta. Aprendimos tan pronto a tirar las cosas que hoy la mitad de los plásticos que se producen se destinan a artículos de un solo uso.[24]

El encendedor desechable, llegado con este tsunami de artículos de usar y tirar que inundaron el mercado, se convirtió en un emblema de cómo estaba cambiando el modo de pensar. No es que conseguir una cerilla o volver a llenar un encendedor de gas fueran tareas pesadas precisamente. Con todo, incluso estas pequeñas cargas podían aligerarse gracias a la desechabilidad.

Los encendedores desechables empezaron a hacerse populares en Estados Unidos a principios de los años setenta, hacia la misma época en que aparecieron las primeras botellas de refresco de plástico y unos cuantos años antes de que llegaran las bolsas de plástico. El encendedor fue creado por Bernard DuPont, miembro de una venerable familia francesa que había estado fabricando y vendiendo artículos de lujo en cuero y en metal desde la guerra francoprusiana, hacía casi un siglo.[25] Su empresa fabricaba encendedores de buena calidad que funcionaban con cartuchos de combustible reemplazables. En cierta ocasión, a principios de los años sesenta, mientras DuPont sostenía uno de aquellos cartuchos de repente se le ocurrió una idea: ¿por qué no le añadían al cartucho un sencillo mecanismo de encendido, le ponían una cubierta de plástico y comercializaban el resultado como un encendedor de bajo coste que podría tirarse a la basura cuando se acabara el combustible? DuPont introdujo el producto en Francia en 1961 y en Estados Unidos algunos años después, y lo llamó Cricket. Tanto si fumaban Gauloises como Marlboro, a los fumadores les encantó «el atractivo artículo desechable», tal y como lo bautizó *The New York Times*.[26] El Cricket era, según este periódico, «un símbolo tan evidente de la América contemporánea como el duradero Zippo lo había sido durante los años difíciles de la segunda guerra mundial». Este comentario llamó la atención de dos empresas que ya tenían mucha experiencia en la comercialización de artículos desechables: Bic, que trajo al mundo el bolígrafo desechable en 1952, y Gillette, fabricante de la primera hoja de afeitar desechable. Ambas empresas vieron en el encendedor otro producto que, como el bolígrafo y la maquinilla de afeitar, podía producirse a bajo coste y venderse en los supermercados, autoservicios y tiendas de autoservicio que habían brotado como setas por todo el paisaje de la posguerra. Gillette compró el Cricket y amplió su producción, mientras que Bic introdujo su propio encendedor. Durante la década de 1970 las dos empresas se enzarzaron en un combate de márketing que fue famoso por su brutalidad.[27] Pero el logotipo del vivaracho grillo de Gillette no pudo competir con la sugerente campaña «Flick my Bic» [Enciende mi Bic] de Bic, y a principios de los años ochenta Gillette tiró la toalla y le cedió el mercado a su rival. Para entonces, las ventas anuales de encendedores desechables en todo el mundo se habían sextuplicado hasta alcanzar más de 350 millones de encendedores vendidos.[28] Los fumadores —e incluso los no fumadores— se dejaron seducir por la comodidad que ofrecían los mecheros desechables. En retrospectiva, sorprende la rapidez con que los consumidores estuvieron dispuestos a trasladar su afecto de las cerillas, que a menudo eran gratis, a estos encendedores de aspecto elegante por los que tenían que pagar.

Un encendedor podría parecer un anacronismo en una época en la que fumar ha seguido la misma senda que el almuerzo con tres martinis. Sin embargo, mientras que el número de fumadores en Estados Unidos y Europa occidental no deja de descender, en otras zonas del mundo, particularmente en Asia, la antigua Unión Soviética y algunas partes de África y Latinoamérica, los cigarrillos están en alza.[29] «La epidemia mundial del tabaco es peor hoy que hace cincuenta años», lamentó la Organización Mundial de la Salud en un informe reciente que predecía que, al ritmo actual, el número de fumadores en todo el mundo aumentaría casi un 60 por ciento antes de 2050.

Para los que trabajan en el negocio de los encendedores, éstas son buenas noticias. Bic cuenta ahora con mercados en 160 países distintos y vende cinco millones de encendedores desechables al día.[30] Y estas cifras son sólo de productos Bic y no incluyen las ventas de los encendedores desechables sin marca, muchos de los cuales están fabricados en China. Sólo en exportaciones, China vendió encendedores por más de 700 millones de dólares en 2008.[31]

Semejante volumen de ventas ayuda a explicar por qué los encendedores desechables continúan siendo un residuo habitual. De hecho, el encendedor de plástico es un producto más claramente desechable que muchos artículos de un solo uso que pueden usarse de nuevo o reciclarse. Los encendedores desechables se fabrican con el único propósito de encender unos pocos miles de llamas. Una vez el cartucho de combustible se vacía, la vida útil del encendedor toca a su fin. No puede usarse para nada más; no puede reciclarse, debido al combustible. Sólo puede tirarse a la basura.

El plástico que recubre los encendedores desechables de la marca Bic es un primo muy resistente del acrílico creado en la década de 1950 que comercializa DuPont con la marca registrada Delrin. Se trata de un plástico conocido por su dureza, su resistencia a la fricción y su impermeabilidad a los disolventes y a los combustibles, cualidades que lo convierten, alardeó DuPont, en «un puente entre el metal y los plásticos corrientes».[32] Esta habilidad similar a la del metal para contener combustible es la razón por la que Bic lo eligió para sus encendedores. El Delrin es un plástico concebido para resistir las condiciones más duras.

Así pues, ¿qué sucede cuando alguien tira al suelo despreocupadamente uno de estos cartuchos usados de Delrin, o cuando dicho cartucho es arrastrado mar adentro? A fin de hallar respuesta a esta pregunta acudí a Anthony Andrady, quizás el principal experto a nivel mundial en el comportamiento de los plásticos en el medio ambiente. El propio Andrady escribió una de las principales obras sobre este tema: *Plastics and the Environment,* un tomo de 762 páginas respetado tanto por la industria como por los ecologistas. Tras estudiar química de polímeros, Andrady se interesó en lo que denominó «el problema de cómo eliminar los plásticos» en 1980, mientras visitaba su país de origen, Sri Lanka. En sus paseos por las playas donde había jugado de niño el químico quedó consternado al encontrarlas cubiertas de bolsas y envoltorios de plástico, así como de otros desechos. Andrady reconoció que el objetivo paradójico por parte de la industria de fabricar materiales que fueran duraderos y desechables a un tiempo planteaba un auténtico problema.

Los materiales naturales como la madera y el papel se deshacen mediante la biodegradación, un proceso que requiere la participación de microorganismos capaces de disolver las moléculas y de volver a convertir los trozos de dichas moléculas en carbono y en agua. Pero, tal y como observó Andrady, se precisaron millones de años para desarrollar los talleres microbianos que pueden dar cuenta de un árbol o de un charco de crudo. Los plásticos existen desde hace apenas setenta años, periodo en absoluto suficiente para la evolución de microbios capaces de desmantelar estas moléculas de larga cadena tan enormes y complejas.* En lugar de biodegradarse, la mayoría de los plásticos se fotodegradan, lo que significa que la radiación ultravioleta del sol los desintegra. Tal y como me explicó Andrady, los rayos ultravioleta desgastan y agrietan los enlaces moleculares, partiendo las largas cadenas de polímeros en secciones más pequeñas; el plástico pierde flexibilidad y tracción, y empieza a romperse. Los fabricantes de plástico acostumbran añadir antioxidantes y sustancias químicas resistentes a los rayos ultravioleta para ralentizar el proceso, una de las razones por las que el ritmo de descomposición varía de producto a producto.

En cualquier caso, el proceso no es rápido. En tierra firme, la cubierta de plástico de mi encendedor se fotodegradaría lentamente: al cabo de unos diez años la capa brillante perdería lustre, y la cubierta se volvería quebradiza y se agrietaría, fragmentán-

* Existen plásticos que se prestan a la biodegradación. Pero salvo en algunos artículos concretos, como las bolsas de basura compostable y el film transparente, no se utilizan de forma generalizada. *(N. de la A.)*

dose en piezas cada vez más pequeñas hasta convertirse en un fino polvo de moléculas de Delrin. Con el tiempo, las moléculas largas se partirían en secciones lo suficientemente pequeñas para que los microbios pudieran biodegradarlas. ¿Cuánto tiempo llevaría este proceso? ¿Décadas? ¿Siglos? ¿Milenios? Andrady no lo sabe. Sólo sabe con certeza que se trata de un proceso increíblemente lento, tan lento que, según él, «carece de relevancia práctica».[33]

En el océano, dicho proceso se ralentiza hasta paralizarse. Andrady ha sumergido cientos de muestras de diferentes materiales plásticos en agua de mar durante largos periodos y ha descubierto que ninguno se descompone fácilmente.[34] Su investigación indica que, en un entorno marino, las moléculas poliméricas son prácticamente inmortales, lo que significa que a menos que llegue hasta la arena o que sea extraído del agua, cada trozo de plástico vertido al océano durante el siglo pasado permanece allí con una u otra forma. Es una intrusión sintética eterna en la ecología marina natural.

Al principio el encendedor náufrago flotará sobre las olas: como aproximadamente la mitad de los plásticos, el Delrin flota. (También flotan plásticos corrientes como el polietileno, el poliestireno, el polipropileno y el nailon. El PET, el plástico usado para fabricar botellas de refresco, se hunde como una piedra, así como el vinilo y el policarbonato.) La radiación ultravioleta tendría algún efecto, pero menor que en tierra firme; las temperaturas más bajas del agua de mar ralentizan la fotodegradación, y el encendedor quedaría recubierto rápidamente de algas y de otros «organismos incrustantes» que bloquean los rayos ultravioleta.

Tanto si el encendedor permaneciera cerca de la costa como si se adentrara en el mar lo zarandearían las olas, lo cual también rompe en pedazos los objetos de plástico. Con el tiempo el encendedor, o sus fragmentos, quedaría tan recubierto de algas, percebes u otros organismos incrustantes que se hundiría, uniéndose a todos los objetos de plástico que son más densos que el agua. En el fondo del océano, un lugar helado y negro como la boca del lobo, es totalmente imposible que la naturaleza descomponga los polímeros. Tal y como escribió Murray Gregory, geólogo neozelandés que lleva treinta años investigando esta cuestión, «en el lecho marino, particularmente en las aguas más calmadas y profundas, están condenados a quedar sepultados de forma lenta pero permanente».[35] Un investigador afirmó haber buceado a una profundidad de más de dos mil metros cerca de Japón y haber encontrado bolsas de plástico flotando «como una reunión de fantasmas».[36]

Todavía se desconoce el impacto de estos plásticos sumergidos. Los expertos temen que un lecho marino cubierto de plástico (y de los demás desechos que han acabado reposando en el fondo del océano) pueda reducir los niveles de oxígeno en las profundidades, ahogar a los organismos que viven en el sedimento e incluso alterar el intercambio de oxígeno, dióxido de carbono y otros gases entre los distintos niveles del agua que resulta fundamental para la química oceánica. Sin embargo, nadie sabe exactamente cuánto plástico yace en el fondo del océano. Sólo podemos extrapolar ciertos datos a partir de lo que vemos en la orilla.

Kehoe Beach es un lugar bastante remoto según los estándares urbanos: está situado a unas dos horas al norte de San Francisco, cerca del final de la larga lengua peninsular que forma Point Reyes. Para llegar hasta allí es preciso recorrer medio kilómetro a través de una marisma de eneas, y luego hay que bajar por el viejo lecho de un arroyo hasta el océano. Es un lugar de belleza natural agreste, pero yo fui allí en busca de los objetos nada naturales que aparecen con frecuencia en la playa. Su ubicación, cerca de donde la Bahía vierte sus aguas en mar abierto, convierte a Kehoe en un imán para todos aquellos residuos plásticos que se dirigen hacia el océano, lo que la Oficina de Administración de Tierras denomina con eufemismo burocrático «materia fuera de lugar».

Gran parte de esta materia fuera de lugar fue desechada originalmente en tierra. Sólo alrededor del 20 por ciento procede de barcos, y dicha cantidad probablemente ha disminuido desde 1983, año en que entró en vigor un tratado internacional que prohíbe los vertidos oceánicos. En Kehoe, los residuos plásticos empiezan a aparecer después de que las fuertes tormentas invernales hayan arrastrado hasta el mar todos los desechos que han estado revoloteando por calles y campos y acumulándose en desagües y vías fluviales de toda la Bahía.

Judith Selby Lang y Richard Lang, un matrimonio de artistas que llevan más de una década recogiendo desechos plásticos de

Kehoe, fueron los que me hablaron de esta playa.[37] Su primera cita consistió en una caminata por la orilla, donde descubrieron que compartían el interés de crear arte con basura plástica. Para su boda en 2004 —en el festival neohippy de Burning Man, ¿dónde si no?— Selby Lang confeccionó su vestido de novia con bolsas de plástico blancas y lo decoró con trocitos de plástico blanco recogidos en la playa.

La pareja calcula que ha sacado más de dos toneladas de este material del tramo de medio kilómetro de largo. En realidad no es demasiado en comparación con playas famosas llenas de basura como Kamilo Beach, en el extremo meridional de la Isla Grande de Hawai. Allí, las corrientes convergentes arrojan tantos desechos que los equipos de limpieza han llegado a sacar entre cincuenta y sesenta toneladas de una vez, principalmente redes de pesca y sedales abandonados.[38] Aparejos como éstos suponen una seria amenaza para los animales marinos, y el problema va en aumento desde la década de 1950, cuando las flotas de pesca empezaron a pasarse de los materiales naturales degradables al nailon.[39]

El matrimonio no intenta preservar su querida playa.

—Es imposible limpiarla —afirmó Selby Lang—. Solemos decir que somos sus conservadores, como si fuera un museo.

Los Lang usan sus hallazgos playeros para crear arte que haga sonar la alarma sobre toda esta materia fuera de lugar. Rastrean la playa en busca de, en palabras de Selby Lang, «objetos que muestren por su número y por su uso frecuente lo que está sucediendo en los océanos de todo el mundo». A continuación los ensamblan para crear esculturas, joyas o *collages* fotográficos: una corona hecha de pasadores de niña, o una exposición de bolas de desodorante *roll-on* —conocidas como alubias Ban en los círculos de artistas que buscan objetos en las playas—, o una cuadrícula hecha con docenas de encendedores de diferentes tamaños, formas y colores dispuestos en filas ordenadas. Las obras resultan fascinantes. Poseen una belleza abstracta que capta la atención y un impacto emocional que nos sacude cuando reconocemos objetos que antes habían pasado por nuestras manos, como los palitos rojos de diseño similar al de una bandera que, al inspeccionarlos más de cerca, descubrí que eran los untadores de plástico que venían con las galletitas con queso de untar que solía comprar para el almuerzo de mis hijos.

El día en que visité Kehoe Beach un cielo plomizo amenazaba lluvia. Me subí la cremallera del anorak, dirigí los ojos al suelo y me puse a andar. Tardé unos minutos en mantener a raya a la buscadora de tesoros que llevo dentro y me obligué a no hacer caso de las bonitas conchas, piedras y lianas de kelp para centrarme en toda aquella basura. A medida que cambiaba mi enfoque, me di cuenta de que la playa estaba cubierta de náufragos de plástico que, obviamente, habían llegado desde cualquier rincón del área de la Bahía. Vi tubos de goma negra de los que usan los criadores de ostras en la cercana bahía de Tomales; cadenas verdes empleadas para arrodrigonar las parras en Napa Valley, a unos cincuenta y cinco kilómetros al este; tacos de escopeta de campos de tiro situados más al interior; restos de globos que se habían escapado; madejas de sedal de nailon; y, por supuesto, los auténticos clásicos de la basura, como botellas, tapones, cucharas de plástico, envoltorios de alimentos y unas cuantas bolsas de plástico. Saqué la mitad de una silla monobloc verde de la arena y no tardé en descubrir no uno sino dos encendedores de plástico, ambos con la parte superior metálica oxidada, pero de colores aún tan vivos como los de una carpa de circo.

El plástico supone sólo alrededor del 10 por ciento de toda la basura que produce la humanidad, y sin embargo, a diferencia de la mayoría de desechos, es un material obstinadamente duradero.[40] Por consiguiente, los estudios realizados en playas de todo el mundo muestran de forma sistemática que entre el 60 y el 80 por ciento de los residuos que se amontonan en la orilla son de plástico.[41] Cada año, el organismo Ocean Conservancy [Conservación Oceánica] patrocina un día internacional de limpieza de playas en el que ahora participan más de cien países. Después, dicho organismo publica un inventario detallado de todos los residuos que se han recogido. La lista en sí constituye un poderoso testigo de hasta qué punto los plásticos sirven de «lubricantes de la globalización», en palabras del investigador y activista oceánico Charles Moore.[42] Pero también resulta sorprendente la uniformidad del material recogido.[43] Tanto si limpian playas chilenas, francesas o chinas, los voluntarios siempre encuentran lo mismo: botellas, cubiertos, platos y vasos de plástico; cañitas para beber y palitos para remover el café, envoltorios de comida rápida y envases. Los residuos relacionados con el tabaco se encuentran entre los más comunes. Las colillas —hechas con miles de fibras de acetato de celulosa, un polímero semisintético— encabezan siempre la lista.[44] Los encendedores desechables no se quedan muy atrás: en 2008, los voluntarios recogieron 55.491 encendedores llegados hasta la orilla, más del doble del número recogido sólo cinco años antes.[45]

Cuando menos, los residuos recogidos cada año constituyen el testimonio de la adicción generalizada a la comodidad que proporcionan los artículos de usar y tirar. Pero para apreciar en su justa medida los efectos nocivos que esta acumulación de residuos está causando en el planeta, tenemos que alejarnos de la costa y adentrarnos en el océano.

En 1997 Charles Moore, un marino que vivía en California, volvía a casa desde Hawai después de una regata cuando decidió seguir una nueva ruta que lo llevaría a través de la esquina nororiental de una zona de dieciséis millones de kilómetros cuadrados conocida como el giro subtropical del Pacífico Norte.[46] El giro es un enorme círculo oval que abarca todo el Pacífico y comprende cuatro fuertes corrientes que se desplazan entre las costas de Washington, México y Japón antes de volver al punto de partida.

En aquel soleado día de agosto, Moore dirigió su barco hacia una parte remota del giro que los marineros suelen evitar. Allí soplan vientos flojos, los peces escasean y una masa perpetua de altas presiones cubre la zona, obligando a las corrientes a girar formando un vórtice lento en la dirección de las agujas del reloj, como el agua que se arremolina alrededor del desagüe de una bañera. Salvo que aquí el vórtice no se detiene nunca. Moore, marino experimentado, estaba acostumbrado a ver alguna boya de pesca o alguna botella de refresco junto a su barco. Pero nunca había visto nada como lo que encontró en el vórtice. «Al contemplar desde la cubierta la superficie de lo que tendría que haber sido un océano limpísimo, me encontré con montones de plástico hasta donde alcanzaba la vista», escribió más tarde.[47] Durante toda una semana, prosiguió, «no importa a qué hora del día mirara, los residuos de plástico flotaban por todas partes: botellas, tapones, envoltorios, fragmentos».

Éste era el lugar donde se alimentaba el albatros de Laysan.

Lo que Moore descubrió no supuso ninguna novedad para los estudiosos de las corrientes del océano. Curtis Ebbesmeyer, un oceanógrafo de Seattle, se ha dedicado a seguir la pista de los desechos flotantes y del contenido de los contenedores de cargamentos perdidos en el mar, como patos de goma y zapatillas deportivas, con el fin de comprender mejor los movimientos del océano.[48] Ebbesmeyer descubrió que los desechos procedentes de América del Norte y de Asia van a parar a las corrientes del giro, donde pueden girar en torno a los países de la costa del Pacífico Norte durante décadas. Pero algunos objetos acaban girando hasta el centro del vórtice, donde no sopla el viento ni existe el fuerte brazo de una corriente que pueda hacerlos reaparecer en la superficie; los objetos quedan atrapados. El nombre técnico de este lugar es Zona de Convergencia Subtropical del Pacífico Norte, pero Ebbesmeyer fue quien lo bautizó con el nombre más pintoresco —y que ha perdurado hasta hoy— de basurero del Pacífico. (También existe otra zona de convergencia llena de residuos al otro extremo del giro, en el Pacífico occidental cerca de Japón.) Para Moore, la palabra «basurero» no alcanzaba a describir lo que estaba viendo: una zona que según calculó entonces tendría el tamaño de Texas, en la que flotaban casi un millón y medio de kilos de desechos, la misma cantidad que se depositaba cada año en el mayor vertedero de Los Ángeles.[49]

Ese desvío a través del giro cambió el curso de la vida de Moore. Dejó su negocio de restauración de muebles y se dedicó a tiempo completo a investigar y documentar la plastificación de los océanos. Los alarmantes despachos de sus repetidos viajes al giro contribuyeron a llamar la atención sobre el problema. Pero, por desgracia, esta conciencia se ha ido forjando a partir de un sinfín de percepciones erróneas, algunas alimentadas por las descripciones iniciales de Moore.[50]

En la actualidad el vórtice de plástico ha adquirido una cualidad casi mítica en el imaginario popular. En las noticias y en la blogosfera suele describirse como una enorme isla de basura flotante, o, como *The New York Times* lo denominó recientemente, «el octavo continente».[51] Cuando Oprah Winfrey emitió un programa sobre el vórtice —algo que los activistas contra los desechos marinos consideraron la señal de que el tema obtenía finalmente el reconocimiento que merecía—, la presentadora exhibió fotografías de una ciénaga sucia y llena de botellas, bolsas y envoltorios.

Sin embargo, estas imágenes están muy alejadas de la realidad. El vórtice no está lleno de desechos, sino que, tal y como han descubierto los que han viajado hasta allí, es un lugar de belleza singular, donde en un día tranquilo las aguas son de un azul cerúleo y transparente, mientras que de noche la superficie resplandece con rastros bioluminiscentes de un verde fantasmagórico trazados por los peces que acuden a alimentarse.[52] No es raro encontrar botellas de detergente, boyas fugitivas o los ocasionales montones de traínas del tamaño de un coche, llenas de todo tipo de residuos más pequeños, desde juguetes hasta cepillos de dientes. Pero no son omnipresentes. Doug Woodring, empresario y activista oceánico de Hong Kong que pasó un mes en el vórtice durante el verano de 2009 como parte de una expedición científica, se sorprendió por la ausencia de bolsas de plástico. Woodring está acostumbrado a verlas por todo el puerto de Hong Kong, pero no vislumbró ninguna en el vórtice: se halla tan lejos de la costa que las bolsas llevarían tiempo hundidas, o hechas jirones por las corrientes oceánicas. Lo que vio era algo mucho más insidioso: toneladas de minúsculos trocitos en suspensión, como los copos de nieve en un pisapapeles, flotando por toda la columna de agua, desde la superficie hasta las profundidades visibles. Los investigadores de su barco soltaban las redes de arrastre dos veces al día, y cada vez que las izaban aparecían cubiertas de este confeti de plástico. Una isla de basura flotante sería un problema mucho más fácil de resolver. Paradójicamente, esa imagen espantosa en realidad minimiza la gravedad del problema, porque lo vuelve solucionable mediante una hipotética versión en mar abierto de una limpieza de playa.

Pero, a diferencia de una playa, el vórtice «no es un entorno estático», explicó Seba Sheavly, consultora medioambiental residente en Virginia que lleva trabajando en asuntos relacionados con los desechos marinos desde 1993.[53]

—Cambia con cada estación. Se mueve. Es muy dinámico. Llamarlo «basurero» equivale a insinuar que tiene límites y que es posible medirlo. No lo es.

En un lugar tan vasto como el océano Pacífico, explicó Sheavly, la concentración de residuos en el vórtice equivale a unos cuantos granos de arena en una piscina olímpica.

Sheavly trabaja de asesora para el Proyecto Kaisei, un grupo organizado originalmente por Woodring y otros activistas en 2009 con el objetivo admirable, si bien ingenuo, de usar barcos equipados con redes y achicadores para «capturar el vórtice de plástico». Pero los líderes del grupo no tardaron en reconocer que sólo era posible capturar los desechos de mayor tamaño, como las traínas. Y un científico le advirtió a Woodring que intentar extraer todos los trocitos flotantes podría causar más daños que beneficios.[54] «No se puede sacar todo el plástico del océano sin sacar también algunas especies de fitoplancton y zooplancton», organismos que son la base de la red alimentaria marina. «Si destrozamos esa base, se producirá un efecto dominó, como si sacáramos los ladrillos inferiores de una pirámide.»

Pero el desafío de sacar desechos del océano se vuelve aún más difícil si pensamos que el vórtice del Pacífico Norte no es el único punto del globo donde se acumula el plástico. Los giros y los vórtices anticiclónicos son características naturales de los océanos terrestres. Hay al menos cinco, todos ellos centrados alrededor de los trigésimos paralelos norte y sur. Supuestamente, se conoce a estas zonas como las latitudes del caballo porque la ausencia de viento ralentizó tanto a los marineros españoles que tuvieron que echar a sus caballos por la borda a fin de conservar el agua.[55] En el Atlántico Norte, al este de las Bermudas, puede encontrarse un giro donde las corrientes convergentes atrapan enormes marañas de sargazos, creando así el mar de los Sargazos.[56] Los investigadores han encontrado desechos plásticos allí desde la década de 1980; durante un estudio de seis semanas llevado a cabo en 2010, los investigadores recogieron cuarenta y ocho mil piezas de plástico en la zona. Otros giros rodean el Atlántico Sur y el océano Índico, al este de África. El de mayor tamaño se encuentra en el Pacífico Sur, la zona sin viento de las calmas ecuatoriales donde la tripulación de Ahab en *Moby Dick* se vio obligada a remar.[57]

Hasta años recientes, se sabía muy poco acerca de la acumulación de desechos en cualquiera de los giros. Pero en 2009 y 2010 al menos media docena de grupos emprendieron viajes a distintas partes de los giros del Pacífico Norte y del Atlántico para dar publicidad al problema y recoger información, como el Proyecto Kaisei, La Alagalita Marine Research Foundation de Moore y la

Expedición Plastiki, en la cual el ecoactivista David de Rothschild navegó en un barco hecho con botellas de refresco usadas desde San Francisco hasta Sidney. Y una nueva organización, 5 Gyres [5 Giros], se está preparando para realizar también viajes de investigación a los giros meridionales menos explorados.

Probablemente, estas corrientes siempre han transportado y acumulado desechos flotantes y residuos generados por los humanos. Pero antes de la era de los plásticos, la basura consistía en materiales que los microorganismos marinos podían descomponer rápidamente. Ahora en los giros se arremolinan objetos que, en el mejor de los casos, se descomponen en bocaditos demasiado duros para que la naturaleza pueda masticarlos. Como observó el biólogo de Midway John Klavitter, «pasarán varias décadas antes de que todo ese plástico salga del sistema. Aunque la gente dejara de verterlo en los océanos hoy, el plástico seguiría llegando a Midway durante muchos años más».

La proximidad del albatros de Laysan al basurero oceánico lo ha convertido en emblema de los peligros que suponen los desechos plásticos marinos. Pero las aves no son en absoluto los únicos animales afectados por la creciente presencia de plásticos en lo más profundo del océano. Al parecer, otras aves marinas, peces, focas, ballenas, tortugas de mar, pingüinos, manatíes, nutrias de mar y crustáceos han ingerido desechos plásticos o se han enredado en ellos, lo que les ha provocado, tal y como explicó un investigador, «problemas para moverse y para alimentarse, reproducción reducida, laceraciones, úlceras y la muerte».[58] ¿Cuántos animales mueren cada año?[59] Nadie lo sabe a ciencia cierta. La estadística más citada —que los desechos matan a cien mil animales marinos cada año— es una cita errónea extraída de un documento de 1984 sobre los osos marinos septentrionales, en el que se calculaba que al menos cincuenta mil morían al enredarse en aparejos de pesca abandonados. (Y no existe ninguna base documentada para respaldar la estadística tantas veces citada de que los desechos marinos matan a un millón de aves marinas al año.)[60]

Pero aunque no dispongan de cifras exactas, los investigadores han informado de un número importante de muertes. Los desechos plásticos han sido identificados como causa de heridas o de muerte en 267 especies distintas, entre ellas el 86 por ciento de todas las especies de tortugas marinas, el 44 por ciento de todas las aves marinas y el 43 por ciento de todos los mamíferos marinos.[61] Los investigadores han encontrado a animales que ingieren plástico en todos los rincones del mundo, desde los fulmares, aves acuáticas que buscan comida en las aguas árticas del mar del Norte, hasta los osos marinos meridionales, que habitan en islas cercanas a la Antártida. Incluso aquellos animales que desconocemos saben de nosotros a través de nuestra basura: el primer espécimen de que se tiene noticia de una nueva especie de ballenas, el zifio peruano, fue hallado en 1991 con una bolsa de plástico atascada en la garganta.[62]

Puede que los residuos plásticos también estén exacerbando el frágil estado de especies que peligran por otras razones. La población de juguetonas focas monje en las islas hawaianas septentrionales, reducida ya a mil doscientas, está disminuyendo aún más deprisa a causa de las peligrosas redes fantasma en las que se enredan y con las que se ahogan. Las tortugas laúd —una especie que sobrevivió a la extinción de los dinosaurios— está amenazada ahora, entre otros peligros, por las bolsas de plástico que confunden con medusas;[63] las necropsias de las tortugas muertas halladas desde 1968 muestran que una tercera parte había ingerido bolsas de plástico. Las yubartas en peligro de extinción que emigran entre la Antártida y las aguas tropicales en dirección norte han sido vistas repetidas veces arrastrando marañas de cuerda y otros desechos.[64]

El biólogo británico David Barnes teme que los desechos plásticos puedan causar estragos aún mayores por el hecho de contribuir a la propagación de especies invasoras.[65] Diversos organismos podrían viajar fácilmente sobre una red a la deriva o sobre un encendedor, y dichos objetos pueden ser vehículos aún más eficaces para transportar especies por todo el planeta que los cascos de los barcos o el agua de lastre, explicó Barnes. Hay más desechos que barcos en los océanos, y estos desechos viajan por todas partes; llegan a lugares nunca visitados por los barcos, como las remotas islas del océano Antártico, donde la misma flora y la misma fauna existen desde hace siglos, a salvo de las mezclas incesantes que tienen lugar en el resto del mundo. Cuando los investigadores desembarcaron en la bien llamada isla Inaccesible, una minúscula isla volcánica del océano Antártico, Barnes dijo que encontraron boyas de pesca, botellas de plástico y encendedores desechables, objetos que podrían albergar a emigrantes poco gratos. La primera especie nueva que llegara a un lugar como aquél tendría un impacto enorme en el ecosistema. «El plástico no es sólo un problema estético», afirmó Barnes.[66] «Puede llegar a cambiar ecosistemas enteros.»

Pero también hay organismos que pueden beneficiarse de la creciente flotilla de plásticos, lo que pone de relieve cuán compleja es la forma en que el mundo natural está haciendo frente al asalto sintético. Los océanos están llenos de microorganismos —diatomeas, bacterias y plancton— que buscan continuamente superficies a las que adherirse. Para estos microorganismos, los desechos plásticos pueden suponer un regalo increíble: una auténtica lluvia de lugares en los que vivir, según David Karl, investigador de la Universidad de Hawai. El equipo de investigación de Karl fue el que encontró el encendedor de Hong Kong que flotaba en el giro. El encendedor, como cualquier otro desecho plástico que izaron en sus redes, estaba recubierto de una fina capa de microbios entre los que había bacterias y fitoplancton, organismos esenciales para la salud del océano. Para su sorpresa, Karl descubrió que las plantas adheridas a estos objetos de plástico producen copiosas cantidades de oxígeno. La producción es mayor desde estas plataformas poliméricas de lo que suele ser en el océano abierto. Este descubrimiento indica que, en cierto modo, la multitud de desechos plásticos podría estar «mejorando la eficacia del océano para hacer acopio de nutrientes y producir comida y oxígeno», afirmó Karl. Aunque, dado el daño que causan los plásticos, se apresuró a decir que no abogaba por la presencia de más plástico en el océano.

Pese a todos los peligros que entrañan las bolsas flotantes, los encendedores náufragos y las redes abandonadas, la amenaza más profunda e insidiosa muy bien podrían ser los trillones y trillones de minúsculos trozos de plástico que salpican las playas de todo el mundo y se esparcen por sus océanos. Estos trocitos diminutos, conocidos colectivamente como microdesechos, no llegaron al radar de los expertos hasta hace poco. (El primer congreso dedicado a los microdesechos se celebró en 2008.)[67] Pero ahora constituyen la mayor preocupación de muchos investigadores.

Para empezar, su presencia está aumentando, según dicen los científicos que llevan décadas haciendo un seguimiento de los desechos marinos. Los microdesechos se han estado acumulando en playas de todo el mundo, incluso en lugares remotos sin industrializar como Tonga y Fiyi. En mi viaje a Kehoe Beach, me sorprendió ver que la arena estaba bañada de minúsculos fragmentos rosas, azules, amarillos y blancos de quién sabe qué material, además de las lisas cuentas opacas que reconocí como gránulos de preproducción. ¿Cómo habían llegado los gránulos industriales a esta playa salvaje? Podrían haberse derramado desde un contenedor que llevara gránulos al extranjero, pero lo más probable es que provinieran de una planta para el procesado del plástico ubicada en algún punto del área de la bahía, donde podrían haberse derramado desde un silo de almacenaje, un muelle de carga o una zona de descarga de vagones industriales. Después habrían sido transportados por el viento o arrastrados por el agua hasta desagües pluviales que los habrían conducido hasta el mar, para luego volver a ser arrojados a la playa.

El aumento de los microdesechos se debe en parte a la creciente producción de plásticos, que conduce a su vez a un aumento de gránulos que pueden acabar en el medio ambiente: se cree que ahora constituyen alrededor del 10 por ciento de todos los desechos oceánicos.[68] También se debe al uso creciente de minúsculas bolitas de plástico en productos de limpieza cosmética y del hogar y para arrancar la suciedad de los barcos.[69] (No hace mucho me fijé en que los bolígrafos nuevos llevan una diminuta bolita protectora pegada en la punta.) Pero la fuente principal de microdesechos son probablemente los macrodesechos: los trozos más grandes de plástico que, tras ser arrojados a la basura, han sido fragmentados por el sol y por las olas. Los expertos están cada vez más convencidos de que estos trocitos son tan peligrosos para los ecosistemas marinos como los collares letales hechos con correas de plástico para embalajes y redes de nailon que pueden asfixiar a focas, tiburones e incluso ballenas.

El emblema de esta clase de amenaza no será ni mucho menos tan carismático como el albatros de Laysan. Podría ser un humilde invertebrado como el poliqueto excavador, una criatura larga de color marrón rojizo que hace agujeros en el sedimento costero.

Es uno de los animales que estudia Richard Thompson, ecologista marino en la Universidad de Plymouth en Inglaterra. Thompson se especializó en el estudio de organismos marinos diminutos como las diatomeas, las algas y el plancton, pero durante la última década su investigación se ha centrado en el impacto de los microdesechos marinos. En una serie de experimentos de laboratorio, Thompson dio de comer micropartículas de plástico y microfibras a tres criaturas distintas que se alimentan en el sedimento: los poliquetos excavadores, los percebes y las pulgas de mar. Todos ellos se alimentan de distintos tipos de detritos que se encuentran en la playa e ingirieron de inmediato sus comidas sintéticas.[70] A veces las partículas les obstruían los intestinos, produciéndoles la muerte. Pero si los trocitos eran lo suficientemente pequeños, pasaban por el tracto digestivo de estos animales sin mayores consecuencias. Otro investigador llevó a cabo un estudio similar con mejillones: no sólo se comieron los trocitos de plástico, sino que cuarenta y ocho días después aún tenían estos trocitos en el organismo.[71]

No sólo los habitantes del fondo del mar ingieren microdesechos. En 2008, cuando volvía de un viaje al giro del Pacífico, Moore recogió cientos de peces linterna, unos pececillos que habitan en las profundidades medias del océano y suben a la superficie por la noche para comer plancton y, por lo que sabemos ahora, plástico.[72] Moore descubrió que el 37 por ciento de los peces que examinó tenían plástico en las entrañas; uno llevaba en los intestinos ochenta y tres trocitos de plástico, un cargamento considerable para un animal que mide apenas cinco centímetros. Estos peces constituyen la dieta básica de los atunes, peces espada y dorados pescados cerca de Hawai, que a su vez forman parte de la dieta de las siguientes criaturas en la cadena trófica: nosotros.

Se trata de un dato particularmente inquietante a la luz de los recientes descubrimientos sobre lo que esos trocitos de plástico pueden contener. Investigadores japoneses han descubierto que los gránulos y los fragmentos de ciertos plásticos (particularmente el polietileno y el polipropileno) hacen las veces de esponja y absorben las sustancias químicas tóxicas que pueblan los océanos, como el policloruro de bifenilo (PCB), el DDT —dos carcinógenos prohibidos desde hace tiempo en Estados Unidos— y otras sustancias que afectan el sistema endocrino como el bisfenol A, los agentes extintores y los ftalatos.[73] El geoquímico Hideshige Takada ha descubierto que los gránulos recogidos en playas de todo el mundo pueden contener concentraciones de sustancias químicas entre un 100.000 y un 1.000.000 por ciento más altas que el agua o los sedimentos circundantes. Paradójicamente, esto no supone ninguna sorpresa para los científicos que estudian los contaminantes del océano: llevan mucho tiempo usando cuentas de plástico precisamente con este objetivo, extraer toxinas de las muestras de agua salada.[74] En realidad, Takada argumenta que los gránulos pueden usarse para seguir de cerca la presencia de contaminantes orgánicos persistentes en los océanos de todo el mundo.[75]

Empaqueté ciento cincuenta gránulos que había recogido en Kehoe Beach y se los envié a Takada para que los analizara.[76] El informe que recibí casi un año después indicaba que los gránulos contenían pequeñas cantidades de pesticidas, incluido el DDT, el compuesto que llevó a Rachel Carson a escribir su libro *Primavera silenciosa* y que desde 1972 está prohibido para la mayoría de usos. El análisis también mostró que los gránulos tenían «concentraciones moderadas» de PCB (noventa y seis nanogramos por gramo), lo que, según Takada, era un nivel mucho más alto que el de los gránulos hallados en América Central o en Asia tropical, pero más bajo que los procedentes de zonas urbanas como el Puerto de Boston, Seal Beach en Los Ángeles y Ocean Beach en San Francisco.

Thompson y otros investigadores temen que estos microplásticos sean como minúsculas bombas de relojería que podrían introducirse en la cadena alimenticia marina e ir ascendiendo por la larga escalera que lleva hasta los humanos. Aunque aún hay más preguntas que respuestas claras, las primeras pruebas son preocupantes. Está documentado que más de 180 especies comen desechos plásticos, y el pequeño número de estudios llevados a cabo hasta la fecha indica que las sustancias químicas absorbidas por estos plásticos también pueden liberarse en los sistemas digestivos y en los cuerpos de los animales.[77] Thompson colocó poliquetos excavadores en sedimentos que contenían plásticos contaminados y descubrió que al cabo de diez días había una concentración más elevada de sustancias químicas en los tejidos de los poliquetos que en el lodo, lo que indicaba que estas sustancias habían emigrado de los microtrozos y se habían introducido en los gusanos.[78] La colega de Thompson Emma Teuten alimentó a aves marinas con gránulos que contenían los persistentes PCB, y más tarde halló rastros de esta sustancia en los tejidos y en las glándulas uropígeas de las aves.[79]

El hallazgo de PCB es especialmente preocupante porque cuando se ingieren los PCB, estas sustancias químicas emigran a los tejidos grasos, donde permanecen. Las consecuencias de esta persistencia se han demostrado de forma lamentable en el ecosistema ártico, donde en el curso de varias décadas las sustancias químicas han ido ascendiendo por la cadena trófica desde los peces pequeños a los peces grandes, los osos polares, las focas, las ballenas y finalmente hasta los inuit, quienes, debido a una dieta rica en carne grasa de focas, ballenas y osos, albergan niveles excepcionalmente altos de PCB en la sangre y en la leche materna.

Con todo, resulta complicado definir el papel que desempeñan los polímeros en la transmisión de estas toxinas que ya se encuentran presentes de forma generalizada en el medio ambiente. Por ejemplo, el investigador Hans Laufer de la Universidad de Connecticut encontró alquifenoles —sustancias químicas usadas en la fabricación de plásticos y de caucho— en la sangre, los tejidos y los caparazones de algunas langostas.[80] Laufer sospecha que los compuestos podrían ser responsables de una enfermedad que ablanda los caparazones y que ha asolado a las poblaciones de langostas en la Costa Este. Pero ¿cómo se introdujeron los alquifenoles en las langostas? Por el hecho de alimentarse en el fondo del océano, las langostas podrían haber ingerido fragmentos de plástico contaminado o bien organismos más pequeños que a su vez habrían comido trozos contaminados. O tal vez absorbieron los alquifenoles directamente del agua salada. El océano, el lecho marino y las costas de muchas partes del mundo ya están contaminados con sustancias químicas. La pregunta pertinente, dijo Thompson, es: «¿Hasta qué punto empeoran los plásticos la situación?».

No cabe duda de que los plásticos fomentan la cultura de usar y tirar sin pensar apenas en las consecuencias. La era de la desechabilidad ha cambiado por completo nuestra relación con los objetos que nos rodean, ya estén elaborados por nosotros o por la naturaleza. Consideremos, por ejemplo, el cambio mental y cultural que supuso adoptar un objeto como el encendedor desechable.

Los encendedores desechables no sólo sustituyeron a las cerillas desechables de papel: la herramienta a la que realmente reemplazaron era el encendedor recargable de bolsillo representado principalmente por el Zippo, el encendedor barato de cromo y acero que se hizo un hueco en el corazón de Estados Unidos durante la segunda guerra mundial, cuando se entregaba a todos los soldados. Desde su aparición en 1932 hasta la época actual, el Zippo lleva una garantía vitalicia: «O funciona o lo arreglamos gratis». A lo largo de los años, la empresa de Bradford, Pensilvania, ha reparado casi ocho millones de encendedores.[81]

Aunque los Zippos, como los Bic, se producen en serie y se fabrican con materiales humildes, son muy buscados en los mercados de coleccionistas; esto no sucede con los Bic o con otros encendedores desechables. A los coleccionistas les gustan los logotipos de los anuncios y las imágenes temáticas que Zippo siempre ha imprimido en sus encendedores. Bic ha hecho lo mismo; ofrece encendedores de edición limitada cada año, decorados con retratos de pilotos de la NASCAR (National Association for Stock Car Auto Racing, Asociación Nacional de Carreras de Automóviles de Serie), logotipos de equipos deportivos o imágenes de animales salvajes y de árboles. Sin embargo, los coleccionistas muestran escaso interés.[82]

—No los consideramos encendedores —me confesó Judith Sanders, miembro de un club de coleccionistas llamado On the Lighter Side [La parte más divertida].

Ted Ballard, un aficionado a los encendedores de Oklahoma que usó su colección de cuarenta mil mecheros para crear el Museo Nacional del Encendedor, desdeñó la idea de coleccionar encendedores Bic.

—Sería un mundo muy triste que la gente aceptara los encendedores de plástico como objetos que les gustaría llevar en el bolsillo —me dijo Ballard—. Es imposible apreciarlos.

¿Por qué «aprecia» la gente sus encendedores duraderos pero no los desechables? Estrictamente hablando, no existe una gran diferencia entre un Bic y un Zippo. Ambos emplean en lo esencial el mismo mecanismo para hacer fuego: el combustible es suministrado a través de una válvula, y se enciende haciendo girar una piedra de fricción. Pero existe una enorme diferencia en el hecho de que un Zippo pueda recargarse y un Bic no. Si no podemos volver a usar o reparar un artículo, ¿realmente lo poseemos? ¿Desarrollamos alguna vez la sensación de orgullo y de propiedad que surge al mantener un objeto en perfecto funcionamiento?

Solemos aportar algunas de nuestras características al mundo material que nos rodea, el cual a su vez refleja quiénes somos. En la era de la desechabilidad que el plástico ha contribuido a fomentar, hemos concedido una importancia cada vez mayor a objetos que no significan nada en nuestras vidas. Consideramos los encendedores desechables una comodidad, y sin duda lo son —preguntemos a cualquier fumador o a los que hacen barbacoas en el jardín trasero—, y sin embargo no pensamos demasiado en lo que sacrificamos a cambio de conseguir dicha comodidad.

Los cómodos artículos desechables que la revista *Life* celebró en la fotografía de 1955 parecían estar mágicamente suspendidos en el aire; los lectores no vieron la siguiente imagen del reportaje fotográfico, que los habría mostrado apilados en el suelo. A lo largo de varias décadas, los humanos han aceptado la falsa impresión ofrecida por aquella primera fotografía: que la comodidad no acarrea costes ni consecuencias. Pero ahora nos vemos obligados a admitir que nuestros artículos desechables de plástico no desaparecen como por arte de magia. Van a parar a alguna parte, y, en el peor de los casos, se convierten en materia fuera de lugar.

6
La batalla de las bolsas

No siempre es fácil darse cuenta de que una relación no funciona. La gente ha llegado a talar sus bosques, a acabar con sus suministros de agua y a agotar los nutrientes del suelo sin reconocer ni comprender los fundamentos naturales de la existencia humana. Los plásticos parecían prometer un nuevo fundamento para esta existencia: la comida viene cortada en rodajas y en dados y empaquetada en plástico; los deportes se juegan sobre un césped de plástico; las casas están envueltas en plástico; y todos los años aparecen nuevos artilugios que ahorran tiempo y un sinfín de milagros electrónicos, todos ellos recubiertos de plástico.

Ahora hemos empezado a reconocer que esta relación nos acarrea muchos problemas, quizá problemas muy graves. Pero llevamos tanto tiempo juntos que cuesta imaginar un mundo diferente en el que la gente decida el destino del plástico, y no a la inversa.

Sin embargo, un grupo pequeño pero decidido de personas ha empezado a imaginarse ese mundo. Sus integrantes han caído en la cuenta de que la mejor manera de impedir que los océanos se vean invadidos por los residuos plásticos consiste en gestionar mejor esos residuos en tierra firme, lo que significa, entre otras cosas, reducir la dependencia humana de los artículos desechables. Para empezar, han centrado su atención en el más omnipresente de todos los artículos de usar y tirar: la bolsa de plástico. Puede que la bolsa no sea más perniciosa que los vasos de espuma de poliestireno, los tenedores de picnic o los envases tipo concha de la comida para llevar, pero se trata del artículo de un solo uso que, más que cualquier otro, ha despertado la ira popular. Gente de todo el mundo está pidiendo la prohibición de la bolsa, desde los activistas comunitarios que la consideran casi un engendro satánico hasta el director del Programa Medioambiental de Naciones

Unidas, algo más sobrio, quien sostiene que «no hay justificación alguna para seguir fabricándolas en ningún sitio».[1]

En 2007, San Francisco se convirtió en la primera ciudad estadounidense en prohibir las bolsas de plástico en comercios y supermercados, uniéndose así a decenas de ciudades y países de todos los continentes que han empezado a movilizarse para librarse de las bolsas. Inspirados por San Francisco, gobiernos municipales de todo Estados Unidos —desde Plymouth, Massachusetts, hasta la soleada Maui— anunciaron sus propias medidas para eliminar las bolsas de plástico, lo que también hicieron cadenas importantes como Ikea, Whole Foods, Walmart y Target. En total, se han introducido más de doscientas medidas antibolsa en Estados Unidos, y aunque la industria de los plásticos ha conseguido frustrar o desbaratar muchas de dichas medidas, tanto los activistas como los expertos del sector predicen que con el tiempo la bolsa de plástico tal y como la conocemos ahora desaparecerá, al menos de las tiendas de alimentación. (Utilizamos innumerables tipos de bolsas de plástico.)[2]

No cuesta entender por qué las bolsas se han convertido en un objetivo favorito. Carecen prácticamente de sustancia: son soplos evanescentes de polietileno, efímeras y sin embargo omnipresentes. Están diseñadas para un uso breve, pero al parecer permanecen con nosotros para siempre como fuente ostensible y costosa de basura —colgando de los árboles, pegadas a las vallas, revoloteando por las playas— y también como amenaza potencial para la vida marina. Causan daños reales, pero su carga simbólica es aún más importante: han acabado por representar los pecados colectivos de la era del plástico, como emblema «de desperdicio y exceso, y de la destrucción progresiva de la naturaleza», tal y como afirmó la revista *Time*.[3] Las bolsas son el paradigma del mundo excesivamente lleno de envoltorios que a todos nos encanta odiar; el símbolo de todas las maneras en que «la industria de los plásticos ha contribuido a convertirnos en una sociedad desechable», como declaró un activista antibolsas.[4]

A menudo, cuando nos encontramos inmersos en una relación que nos hace sentir culpables queremos ponerle fin lo antes posible. Sin embargo, con las prisas por obtener un divorcio rápido, puede que acabemos metiéndonos por despecho en otra relación tan enfermiza como la que acabamos de romper.

¿Cómo nos enganchamos a las bolsas de plástico?

A lo largo de todo un siglo, diversos empresarios imaginativos contemplaron las posibilidades proteicas del plástico y se preguntaron: ¿a qué sustancias naturales pueden sustituir estos materiales maravillosos? No todos la consideraron una pregunta pertinente. Como el director de la revista del sector *Modern Plastics* observó en 1956, «ni uno solo de los mercados importantes que tienen los plásticos en la actualidad esperaba ansiosamente estos materiales».[5] Cada nuevo producto plástico se enfrentaba «o bien a una feroz competencia por parte de los materiales establecidos o a inercia y a malentendidos en su aceptación, todo lo cual era preciso superar antes de que los plásticos se hicieran con un mercado».

La lucha por conquistar la caja del supermercado formó parte de la larga y continua incursión de los plásticos en el sector general de los envoltorios. Alrededor de la mitad de todos los artículos que se venden en la actualidad vienen envueltos en film adherente, envasados en blísteres y en envases tipo concha o contenidos, protegidos o recubiertos de algún tipo de plástico.[6] De hecho, uno de cada tres kilos de todo el plástico producido se destina a los envoltorios, como la ahora omnipresente bolsa de la compra que se te pega a los dedos de buenas a primeras.[7] La introducción en el sector de los envoltorios comenzó a finales de los años cincuenta, a medida que el plástico iba desafiando a un bastión del papel tras otro. Al cabo de poco, el pan cortado en rebanadas se vendía en bolsas de plástico y el papel de cera era sustituido por bolsas para sándwich. Las tintorerías abandonaron las pesadas bolsas de papel y se pasaron a las bolsas de polietileno.

Este último cambio, sin embargo, provocó una crisis nacional en 1959, tras la avalancha de noticias de que las nuevas bolsas podían matar: ochenta bebés y niños pequeños se asfixiaron accidentalmente, y al menos diecisiete adultos las habían usado para suicidarse. Durante el «pánico de las bolsas» que tuvo lugar a continuación, decenas de comunidades propusieron prohibir las bolsas, lo que supuso la primera amenaza importante para el sector.[8] Los fabricantes de películas plásticas se reunieron apresuradamente a fin de salvar a la industria incipiente, y desembolsaron cerca de un millón de dólares en una campaña de educación nacional para advertir a los consumidores acerca de los peligros de las bolsas transparentes, así como para desarrollar nuevos estándares industriales que permitieran fabricarlas más gruesas y menos adherentes. Entretanto, el presidente de la Society for Plastics Industry prometió insertar anuncios en los periódicos y en la radio «hasta que no haya ni una madre, ni un padre, ni un niño o niña en este país que no sepa para qué sirve una bolsa de plástico... y para qué no sirve».[9] Las medidas combinadas acallaron las voces que exigían prohibiciones. Como recordó Jerome Heckman, el abogado que durante décadas representó a la Society for Plastics Industry en el periodo del pánico por las bolsas y en incontables luchas posteriores, «nuestro trabajo consistía y debería consistir siempre en abrir mercados para los plásticos, y en mantenerlos abiertos».[10]

Una de las empresas más interesadas en abrir nuevos mercados era Mobil Oil, entonces principal productora de film de polietileno. Cuando un joven licenciado llamado Bill Seanor comenzó a trabajar en Mobil en 1966, la empresa ya había desarrollado una amplia gama de sustitutos para los envoltorios de papel. Su rollo de bolsas de plástico había reemplazado a las bolsas de papel en las secciones de frutas y verduras de las tiendas de comestibles, y sus bolsas de basura de la marca Hefty habían contribuido a cambiar la costumbre de toda la vida de revestir el interior de los cubos de basura con periódicos. Impaciente por encontrar nuevas posibilidades para el film de polietileno, a principios de los años setenta Mobil comenzó a interesarse en uno de los productos de papel más lucrativos, la bolsa de la compra.[11] Seanor explicó que la empresa ya había dedicado varios años y millones de dólares a crear una versión en plástico rígido y base cuadrada de la clásica bolsa de papel marrón.[12]

—Según la opinión general, tenías que fabricar algo muy parecido. Pero dado que la bolsa de imitación salía más cara que la de papel, «nunca llegó a producirse».

Entonces a los directivos de Mobil les llegó la noticia de la existencia de una bolsa de la compra que una empresa sueca estaba distribuyendo en pequeñas cantidades, principalmente en Europa.[13] Su inventor, Sten Thulin, había ideado un diseño totalmente distinto al de cualquier bolsa de papel tradicional.[14] Tras resolver los problemas técnicos que frustraron a otros inventores en el pasado, Thulin diseñó un ingenioso sistema de pliegues y soldaduras que permitía transformar un frágil tubo de película de polietileno en una bolsa fuerte y resistente. En los dibujos de su patente de 1962, la bolsa parecía una camiseta sin mangas con escote redondo, de ahí el nombre que se usa ahora de forma generalizada en el sector: la bolsa camiseta.

Según Seanor, que gestionó la primera incursión de la empresa en la producción de bolsas camiseta, los ejecutivos de Mobil reconocieron inmediatamente que aquélla era la bolsa que estaban buscando.[15] Se dieron cuenta de que, a diferencia del diseño inicial de Mobil, esta bolsa podría ganarle la batalla a la bolsa de papel en la caja de los supermercados. De hecho, la bolsa de plástico acabó siendo tan popular entre los vendedores precisamente porque no era como la bolsa de papel tradicional de base plana. Thulin aprovechó las virtudes características del polietileno para crear una clase de bolsa completamente nueva. Hoy la bolsa de plástico está tan denostada que olvidamos que se trata de una maravilla de la ingeniería: es un recipiente impermeable, duradero y de peso pluma, capaz de aguantar más de mil veces su peso.

Puede que Seanor y sus colegas estuvieran entusiasmados con la bolsa que introdujeron en Estados Unidos en 1976 (las versiones inaugurales estaban decoradas en rojo, blanco y azul en honor del bicentenario estadounidense), pero a los compradores no les impresionó.[16] No les gustaba la forma en que los cajeros solían lamerse los dedos para abrir las bolsas, ni el hecho de que no se mantuvieran erectas, recordó Seanor.

—La gente cogía su compra y la llevaba hasta el coche. Entonces las provisiones se les desparramaban y los consumidores se ponían furiosos.

Y cuando los compradores no estaban contentos, los tenderos pagaban las consecuencias.

Los directivos de la incipiente industria bolsera tenían claro que para ganarse a los consumidores, era preciso ganarse antes a los comerciantes. Una agrupación sectorial, la Asociación de Embalajes Flexibles, lanzó una campaña publicitaria dirigida a los comercios de alimentación con el siguiente eslogan: «Fíjate en la bolsa, llega pisando fuerte».[17] Entretanto, las empresas bolseras se dirigieron directamente a las tiendas con programas educativos para ayudar a los comerciantes a reducir el rechazo que sentían los compradores hacia las bolsas. «Organizamos programas formativos que instruían a los empleados de las tiendas sobre cómo llenar las bolsas de plástico», explicó Seanor, quien acabaría dejando Mobil junto con algunos colegas para abrir su propia empresa de bolsas, Vanguard Plastics.

Pero el factor más persuasivo a favor de las nuevas bolsas era el ahorro: las bolsas de plástico valían uno o dos centavos, mientras que las de papel costaban entre tres y cuatro veces más, y dado que eran más voluminosas y pesadas, resultaban más caras de transportar y almacenar.[18] Dos de las principales cadenas de supermercados del país, Safeway y Kroger, se pasaron a las bolsas de plástico en 1982, y la mayoría de cadenas importantes lo hicieron poco después.

—Cuando conseguimos que los Krogers de este mundo cambiaran, todo lo demás vino rodado —recordó Peter Grande, un veterano del negocio que actualmente dirige una empresa bolsera de Los Ángeles llamada Command Packaging.[19]

Siguieron produciéndose enfrentamientos de vez en cuando con los fabricantes de bolsas de papel por los mercados regionales, afirmó Grande.

—Pero la sensación en el seno de la industria del plástico era «éste es el futuro, el plástico va a llegar a todos los rincones».

La exactitud de esta predicción acabó convirtiéndose en un quebradero de cabeza para el sector. Las bolsas de plástico eran tan baratas de producir y distribuir que, según la lógica inexorable del libre mercado, estaban destinadas a proliferar. Obviamente, los productores fabricarían tantas como pudieran vender, y los comerciantes no tenían ningún incentivo para racionarlas. Si comprabas unas cuantas cosas en la tienda, entre meter una bolsa dentro de otra sin que hiciera falta y no aprovechar bien el espacio, puede que salieras con una docena de bolsas. (Lo cual a su vez dio lugar a un nicho de mercado completamente nuevo: los productos de plástico para meter las bolsas de plástico usadas. Yo misma tengo dos organizadores de bolsas en el armario de los artículos de limpieza.) Con la llegada del nuevo milenio, la bolsa camiseta se había convertido quizás en el artículo de consumo más común del planeta. En todo el mundo, la gente usaba entre quinientos mil millones y un billón de bolsas al año, más de un millón por minuto.[20] El americano medio se llevaba a casa unas trescientas al año.[21] Y sin embargo, como sucedía con tantos otros envoltorios de plástico, casi todas estas bolsas acababan en la basura, o en algún sitio peor.

Cuando comenzó a introducirse en el mercado de los envoltorios, el plástico fue publicitado por su durabilidad, no por su desechabilidad. La razón por la que los bebés de la década de los cincuenta podían asfixiarse con bolsas de la tintorería era que la gente las guardaba para otros usos, como DuPont había alentado a hacer cuando las introdujo.[22] Además, aquellas primeras bolsas eran algo caras. «Guarde sus bolsas de plástico transparente... Límpielas por dentro y por fuera frotándolas un poco con una esponja y agua jabonosa», aconsejaba un organismo llamado «Departamento de Limpieza» a los lectores del *New York Times* en 1956.[23] «Seque la bolsa inmediatamente y se conservará de maravilla durante largas temporadas.»

Pero la industria no tardó mucho en darse cuenta de que los artículos desechables ofrecían grandes posibilidades de crecimiento. Los compradores más prósperos se acostumbrarían muy pronto a la idea de tirar los envoltorios de plástico, más aún si dichos envoltorios se multiplicaban. Hoy, el americano medio tira al menos ciento cincuenta kilos de envoltorios al año;[24] la montaña compuesta por envoltorios desechados y recipientes vacíos de los estadounidenses representa un tercio del total del flujo de residuos municipales.

Las bolsas de plástico se han convertido en el símbolo más notorio de estos residuos.

Mark Murray tenía a las bolsas de plástico en su punto de mira mucho antes de que lo hiciera la actual oleada de guerreros antibolsa.

Murray es el director ejecutivo de Californians Against Waste, un grupo de ámbito estatal formado en 1977 para instar a la aprobación de una ley de envases retornables en California. Desde entonces su misión se ha ampliado para abarcar toda una serie de temas relacionados con los residuos, desde el reciclaje de artículos electrónicos hasta los desechos de las granjas lecheras. Californians Against Waste, y por extensión, Murray, es una de las razones por las que California se cuenta desde hace tiempo entre los impulsores de la legislación sobre residuos sólidos. Murray ha dedicado toda su carrera profesional a este grupo desde su incorporación como becario en 1987, cuando era un recién licenciado apasionado por la política que llegó a Sacramento en busca de empleo. A Murray no le interesaba demasiado el reciclaje, pero dada su naturaleza sumamente competitiva, el tema resultó ser idóneo para él. Como observó una vez un periodista que escribió un perfil sobre Murray, «el reciclaje proporcionaba batallas que era posible ganar, a diferencia de salvar a las ballenas o cerrar las plantas nucleares».[25] Puede que Murray se topara con este tema por casualidad, pero el reciclaje —o, más bien, todo el asunto de la reducción de residuos— no tardó en convertirse en una obsesión para él. Además, aprendió a equilibrar sus objetivos idealistas con las exigencias de la política real. Murray es un hombre pragmático y abierto a los pactos, a veces incluso demasiado, según los críticos que se encuentran a su izquierda.

Murray rondará ahora los cuarenta. Tiene el pelo muy corto, con entradas pronunciadas, y el cuerpo de un corredor de maratones, sin un gramo de grasa. En realidad, Murray corre maratones, y la capacidad de resistencia constituye una cualidad muy útil cuando alguien es miembro de un grupo de presión sin ánimo de lucro con objetivos a largo plazo. Murray sabe lo que significa continuar avanzando con la mira puesta en una meta distante: lleva más de veinte años esperando eliminar las bolsas de plástico.

Según Murray, ciertas cuestiones relacionadas con los residuos pueden ser complicadas, pero no lo son las que se refieren a las bolsas.[26]

—La bolsa de plástico es un producto problemático —afirmó rotundamente cuando nos encontramos para comer un día de otoño en que la asamblea legislativa no estaba reunida—. No estoy diciendo que deberíamos prohibir todos los productos de plástico. Pero hay algunos cuyos costes medioambientales sobrepasan su utilidad, y la bolsa es uno de ellos.

La principal queja de Murray con respecto a las bolsas no es la que suele aducirse con frecuencia: que ocupan un espacio muy valioso en los vertederos. En realidad, diversos estudios demuestran que las bolsas de plástico y otros desechos plásticos ocupan mucho menos espacio en los vertederos que los residuos de papel o de otros materiales, en parte porque el plástico puede comprimirse más.[27] Y a Murray tampoco le preocupa que las bolsas de plástico puedan «durar cientos de años en un vertedero», una de las razones aducidas en Fairfield, Connecticut, para prohibir las bolsas. Casi toda la basura —no importa de qué material— puede perdurar en un vertedero.[28] El arqueólogo William Rathje —que se autoproclama «basurólogo» debido a sus estudios sobre los vertederos— ha desenterrado periódicos de la década de 1930 que se leían tan claramente como la edición de ayer, y bocadillos de más de una década que parecían recién hechos.[29]

A Murray no le preocupa lo que sucede cuando las bolsas llegan a los vertederos; lo que le molesta es que sean tantas las que no llegan. A veces la basura se acumula cuando una persona tira descuidadamente una colilla o una lata de refresco al suelo, explicó.

—Pero la bolsa camiseta suele convertirse en basura incontrolada pese a que la hayan tirado en el lugar indicado. Las bolsas de plástico salen volando de los cubos de basura, de la parte trasera de los camiones de basura, de las estaciones de transferencia y de los vertederos.

Son intrínsecamente aerodinámicas. Incluso son más aerodinámicas ahora de lo que solían ser: en respuesta a la preocupación de la generación anterior de ecologistas sobre el espacio en los vertederos, los fabricantes de bolsas las han hecho aún más finas y ligeras.

Sin embargo, a diferencia de los residuos de papel, las bolsas permanecen en el medio ambiente porque no son biodegradables. Hace veinte años, Murray organizó lo que él mismo denominó maniobra publicitaria a fin de ilustrar el problema: clavó con tachuelas unas cuantas bolsas de papel y de plástico en el tejado de un edificio del centro de Sacramento y, como cabía esperar, a medida que pasaron las semanas las bolsas de papel se deshicieron gradualmente, pero las de plástico se fueron rompiendo en trozos cada vez más pequeños.

Las consecuencias medioambientales de esta durabilidad es lo que ha llevado a muchos activistas, especialmente a aquellos preocupados por los desechos marinos, a entablar un combate contra las bolsas.[30] A Murray, sin embargo, le motivan más las cuestiones relacionadas con el despilfarro: el impacto creciente de nuestra cultura de usar y tirar. Es un defensor del residuo cero, un concepto que ha ido ganando adeptos entre los legisladores durante la última década, especialmente en California, donde varios organismos estatales y diversos condados y ciudades lo han adoptado. Residuo cero no es tanto un objetivo concreto como un principio rector de diversas políticas concebidas para reducir drásticamente el torrente de basura que ahora enterramos en vertederos y quemamos en plantas incineradoras.[31] Más que una receta para convertir la basura en artículos reciclados o en abono compostable, residuo cero encarna una ética general concebida para aligerar la carga que le estamos imponiendo al planeta. Las políticas relacionadas con el concepto de residuo cero animan a la gente a reducir el consumo y presionan a la industria para que amplíe la vida útil de los objetos cotidianos diseñando y produciendo artículos que puedan reutilizarse, repararse o reciclarse más fácilmente. En esencia, residuo cero es una ética basada en la conservación de recursos que les habría resultado muy familiar a nuestros bisabuelos.

La bolsa de plástico supone una clara afrenta a dicha ética. Está hecha con recursos que tardaron cien millones de años en constituirse, y sin embargo su vida útil se mide en minutos, el tiempo suficiente, afirmó Murray, «para llevar la compra del supermercado a la puerta de mi casa». La bolsa no puede repararse. No se recicla fácilmente. Y el número de veces en que puede volverse a usar es limitado. Las bolsas podrían usarse más de una vez para llevar el desayuno, recoger caca de perro y revestir cubos de basura, pero diversos estudios muestran que una bolsa de plástico tiene que usarse al menos cuatro veces para mitigar el impacto medioambiental que supone fabricarlas y luego deshacerse de ellas.[32] Las bolsas de papel tienen un impacto medioambiental similar, pero no son desperdicios duraderos y se reciclan fácilmente. En el mundo regido por la filosofía de residuo cero que pregona Murray, todos llevaríamos bolsas reutilizables. Pero durante muchos años Murray no consiguió que nadie, salvo los miembros de los grupos ecologistas, se interesara en atajar el problema de las bolsas descontroladas.

Charles Moore navegó entonces con su catamarán hasta el vórtice plástico del Pacífico Norte y reveló adónde nos llevaba nuestro modo de vida de usar y tirar. Esta visión distópica fue especialmente alarmante para la California de idílicas playas, un lugar que considera el océano su patio trasero. La extensa costa del estado es un tesoro natural de valor incalculable, que atrae una industria turística de cuarenta y seis mil millones de dólares,[33] una zona pesquera rica y diversa y una meca para surfistas, marineros, nadadores y submarinistas. Ansioso por salvaguardar este recurso, el Californian Ocean Protection Council [Consejo para la Protección del Océano en California] exigió que se limitaran todos los productos de plástico de un solo uso mediante tasas y prohibiciones. En un estado lleno de amantes de la playa, incluso aquellos conservadores que defendían el libre mercado como el gobernador republicano Arnold Schwarzenegger consideraban las bolsas un problema lo suficientemente grande para decirles *sayonara baby*. Las bolsas tiradas en cualquier parte fueron lo que llevó a Schwarzenegger a manifestarse en contra. «La basura que se acumula en la playa ha sido siempre la obsesión favorita de Arnold. No puede soportarla», explicó Leslie Tamminen, activista medioambiental que trabajó con Schwarzenegger y que desempeñó un papel decisivo en la organización de una amplia coalición favorable a una prohibición estatal de las bolsas en 2010.[34]

¿En qué medida contribuyen las bolsas al aumento de ese enorme remolino de basura situado frente a la costa? Nadie lo sabe a ciencia cierta. Las bolsas suponen un peligro para la vida marina, pero probablemente no sean una amenaza tan grande como las redes fantasma o los microdesechos de plástico duro que abundan en el giro. Con todo, las bolsas están colonizando las playas como una nueva especie invasora: los voluntarios en la limpieza de playas organizada a escala internacional en 2008 recogieron casi 1,4 millones.[35] No cabe duda de que algunas las tiraron excursionistas descuidados, pero diversos estudios indican que la mayoría caen al suelo a varios kilómetros de la costa y llegan al océano a través de desagües pluviales y vías fluviales. Un estudio realizado en el condado de Los Ángeles reveló que el 19 por ciento de los desechos acumulados en los desagües pluviales eran bolsas de plástico.[36] Esto supone una mala noticia para las comunidades costeras de California, porque la mayoría debe acatar un mandato federal para mantener los desagües pluviales limpios de basura que pueda ser arrastrada hasta el océano. Acatar el mandato les ha costado a las ciudades del sur de California más de 1,7 mil millones de dólares desde la década de 1990.[37] Para estas comunidades, las bolsas desechadas suponían «una enorme carga económica» en potencia, afirmó Murray. Así que a principios del nuevo siglo:

—No sólo los ecologistas, sino políticos tanto moderados como conservadores de los ayuntamientos del sur de California también despotricaban sobre el problema de las bolsas de plástico.

Por primera vez en todos los años que llevaba trabajando para Californians Against Waste, Murray vio una posibilidad política real de prohibir las bolsas camiseta. Si un número considerable de ayuntamientos mostrara interés en el asunto de las bolsas, Californians Against Waste dispondría de suficiente munición para entablar pelea a nivel estatal. Según su experiencia, ésa era la manera de obtener el apoyo de las tiendas y de las grandes cadenas más poderosas, que sin duda preferían una política estatal coherente a un batiburrillo de regulaciones locales. Declarar la guerra a las bolsas de plástico de pronto parecía políticamente viable.

Entonces San Francisco disparó la primera bala, provocando así una reacción política en cadena que situaría a la ciudad, y en última instancia a todo el estado, en primera línea de fuego en la batalla de las bolsas.

San Francisco se precia de ir a la vanguardia en políticas verdes. Frente al Ayuntamiento hay estaciones de carga para los vehículos eléctricos; los residentes pueden optar a desgravaciones fiscales si instalan paneles solares; camiones municipales recogen el aceite usado en los restaurantes para destinarlo a la flota de vehículos municipales que funcionan con biodiésel. La ciudad cuenta con uno de los programas de reciclaje más potentes del país: recicla o composta más del 70 por ciento de sus desperdicios y envía menos del 30 por ciento al vertedero, exactamente al revés que la proporción nacional. En 2002 los dirigentes municipales adoptaron el concepto residuo cero como objetivo, prometiendo reducir ese 30 por ciento a nada antes de 2020.

Los dirigentes municipales ya mostraban tendencias verdes, pero tenían además razones muy prácticas por las que centrar su atención en las bolsas.[38] Las tiendas de comestibles de la ciudad distribuían 180 millones de bolsas al año, y todo este plástico que se adhería y que revoloteaba estaba causando estragos en la modernísima planta de reciclaje de San Francisco. La gente no debía meter las bolsas en sus cubos de reciclaje, pero siempre lo hacía. En la planta de reciclaje, las bolsas se separaban del resto de la basura, revoloteaban entre las máquinas y las paralizaban. La planta tenía que parar dos veces o más al día para que obreros armados con cúters pudieran cortar manualmente las bolsas de plástico que se habían enredado en las cintas transportadoras. Las bolsas de plástico le costaban a la planta unos 700.000 dólares al año.

Según Robert Haley, desde hace muchos años funcionario en el Departamento de Medio Ambiente de San Francisco, había también otros costes. Haley se encarga de conducir a la ciudad hacia su objetivo de residuo cero. Cuando sumó todos los problemas relacionados con las bolsas de plástico —en el vertedero, en el centro de reciclaje y como basura en calles y parques—, Haley calculó que el coste para San Francisco sería de 8,5 millones de dólares al año, en realidad una parte minúscula del presupuesto multimillonario de la ciudad, pero, en opinión de Haley, un gasto innecesario para una ciudad asolada por el déficit. Puede que las bolsas hicieran la vida más fácil a los compradores de San Francisco, pero el precio de esta comodidad, como afirmó Haley, era más alto de lo que la ciudad podía permitirse.

Prohibir las malditas bolsas era una solución obvia. La ciudad de Bombay lo había hecho en el año 2000 después de constatar que las bolsas de plástico que obstruían los desagües pluviales habían empeorado drásticamente las inundaciones monzónicas. La ciudad incluso creó una brigada policial especial destinada a descubrir y a multar a tiendas y fábricas que violaran la prohibición. Otras ciudades indias siguieron los pasos de Bombay e impusieron sus propias prohibiciones, como hicieron también Bangladesh, Taiwan, Kenia, Ruanda, Ciudad de México, partes de China y otras zonas en desarrollo.

Pero en lugar de imponer una prohibición, a Haley —y a Murray, que trabajaba con él— le pareció más interesante la idea de poner un precio a las bolsas como manera de desincentivar su uso. Seguían el ejemplo de Irlanda, país que en 2002 impuso una tasa de quince céntimos por bolsa, el denominado *plastax* o impuesto al plástico.[39] Al cabo de pocas semanas, el uso de las bolsas bajó un 94 por ciento y la cantidad de bolsas acumuladas como basura disminuyó de forma significativa. Llevar una bolsa de plástico en Irlanda pronto se volvió tan inaceptable socialmente como «llevar un abrigo de pieles o no recoger los excrementos de tu perro», observó un periodista.[40] El impuesto al plástico generó entre doce y catorce millones de euros en ingresos fiscales anuales que se destinaron a sufragar los costes del programa y a respaldar toda una serie de programas medioambientales.[41] Aunque al principio esta tasa no era popular, los irlandeses no tardaron en aceptarla y un estudio descubrió que incluso «sería perjudicial políticamente el eliminarla».[42]

Estas tasas sirven para sacar a la luz los costes sociales de determinados productos. Puede que estemos acostumbrados a no pagar nada por las bolsas del supermercado, pero eso no significa que no tengan ningún coste, sino que dicho coste se ha traspasado a otra parte: se ha añadido al precio de la comida, o aflora en los impuestos necesarios para encarar el impacto medioambiental de producir y eliminar las bolsas. Murray y Haley creen que las tasas revelan los costes medioambientales de los productos, lo que a la larga puede cambiar el comportamiento de los consumidores y promover un mejor diseño de los productos.

Cualquier tipo de bolsa de un solo uso, sea de papel o de plástico, tiene costes medioambientales. Cada bolsa consume recursos finitos a cambio de proporcionar una comodidad casi trivial.

—Pagas por todo lo demás en la tienda —observó Haley—. ¿Por qué no deberías pagar por las bolsas?

La tasa debería persuadir a la gente para que abandonara la costumbre de usar y tirar las bolsas y empezara a llevar sus propias bolsas reutilizables.

Así, con dicho objetivo en mente, en 2004 Haley y su equipo redactaron una propuesta en la que instaban a la ciudad a imponer una tasa a todas las bolsas que se distribuían en tiendas y supermercados, tanto las de papel como las de plástico. La fijaron en diecisiete centavos, el coste estimado de cada bolsa para la ciudad. El supervisor municipal Ross Mirkarimi, otro defensor del plan residuo cero, estuvo de acuerdo en subvencionar la iniciativa.

La tasa propuesta fue muy polémica, y a ella se opusieron los jubilados con ingresos fijos, los comerciantes que no querían molestar a sus clientes y, por supuesto, la industria del plástico, que la criticó duramente por ser «un impuesto que va a afectar a los que menos pueden permitirse pagarlo».[43] Usar un término tan explosivo como «impuesto» para describir un coste que podía evitarse fácilmente si los compradores llevaban sus propias bolsas iba a ser una de las estrategias más repetidas y efectivas de la industria en futuras refriegas.

Mientras Mirkarimi intentaba recabar el apoyo que precisaba, los comerciantes y los fabricantes de bolsas se unieron con la intención de soslayar las intenciones de los funcionarios municipales.[44] Se dirigieron a la capital del estado para pedir la aprobación de leyes estatales que atajaran el plan de cobrar las bolsas en San Francisco e «impidieran que este asunto se convirtiera en una locura», en palabras de un miembro de un grupo de presión del sector. El resultado fue una ley que exigía a los principales supermercados que se ofrecieran a reciclar las bolsas, pero otra disposición fundamental impedía que ciudades y condados cobraran por las bolsas de plástico. Habían aplastado una de las mejores opciones para resolver los problemas de las bolsas de plástico de un solo uso en California.

Murray, para la indignación de muchos ecologistas, ayudó a redactar dichas leyes. Tan pragmático como siempre, las consideró una medida de transición que situarían al estado un poco más cerca del abandono de las bolsas. En uno o dos años, supuso Murray, quedaría claro que el reciclaje en las tiendas no funcionaba y no reducía el consumo de bolsas, y él podría dirigirse de nuevo a los legisladores y decirles: «Veis, ya os lo habíamos advertido. Ahora cobremos las bolsas o prohibámoslas».

Pero Murray no previó el efecto explosivo de limitar las opciones de las ciudades.[45] A los ayuntamientos no les gusta que el Gobierno estatal les diga lo que tienen que hacer, sobre todo cuando se trata de una cuestión tradicionalmente municipal como la eliminación de desechos.

—Decirles que no podían aprobar el pago de una tasa por las bolsas los motivó de mala manera para hacer algo —afirmó Murray—. Esto encendió un fuego bajo la Junta de Supervisores de San Francisco que antes no existía.

Mirkarimi lo llamó «la bala rebotada que se convirtió en mi munición».

Con esta nueva munición, Mirkarimi redactó una propuesta de ley para prohibir las bolsas de plástico. La Junta de Supervisores, tan reacia hasta entonces, la aprobó casi de forma unánime, y el alcalde Gavin Newson la firmó en abril de 2007. La nueva ley prohibía a los principales supermercados y farmacias distribuir bolsas camiseta a menos que estuvieran hechas de plástico compostable. (San Francisco es una de las pocas ciudades que puede procesar estos plásticos, gracias a su amplio programa de compostaje.) Las tiendas podían seguir distribuyendo bolsas de papel, lo que permitía a los ciudadanos de San Francisco continuar usando bolsas desechables. A Haley no le gustaba demasiado esta solución, pero racionalizó que las bolsas de papel podían reciclarse o compostarse, y que si una acababa en el suelo o en la bahía, se biodegradaría rápidamente. «Un buen chaparrón y desaparecerá.»

Inspiradas en el ejemplo de San Francisco, distintas ciudades de todo el país comenzaron a redactar medidas propias, casi todas dirigidas únicamente a prohibir las bolsas de plástico. La mayoría de las medidas pedían directamente la prohibición de las bolsas.[46] Los legisladores de un condado rural de Virginia actuaron motivados por las quejas de que algunas bolsas quedaban atrapadas en los algodonales y estropeaban la maquinaria para recolectar y limpiar el algodón. A los concejales de la ciudad de Filadelfia les preocupaba que las bolsas atascaran el anticuado alcantarillado de la ciudad. Los habitantes de una pequeña ciudad de Alaska pasaron a la acción debido a las bolsas que colgaban de arbustos de sauce en la tundra. Comunidades costeras como los condados de Outer Banks en Carolina del Norte y el barrio residencial de Encinitas en San Diego mencionaron el tema de los desechos marinos.

Sorprendentemente, estas revueltas políticas se produjeron tan sólo a escala municipal. A diferencia de los ataques contra otros tipos de productos de plástico, esta batalla no se debió a una iniciativa nacional para «prohibir la bolsa». Las campañas contra el PVC, los ftalatos y el bisfenol A han estado lideradas por grupos ecologistas de reconocido prestigio —Greenpeace, Health Care Without Harm, Environmental Defense Fund [Fondo de Defensa Medioambiental] y otros— que se han valido de los medios y de internet para generar presión pública. Así, aunque los legisladores no respondan a las preocupaciones de los consumidores, puede que los vendedores sí lo hagan. De hecho, mientras los reguladores federales continúan debatiendo qué hacer acerca del bisfenol A, los hipermercados han dejado de vender los biberones que contienen dicha sustancia química. Estos esfuerzos coordinados ayudan a explicar cómo, parafraseando a la revista *Fortune,* Walmart se convirtió en la nueva Food and Drug Administration.[47] Pero las iniciativas contrarias a las bolsas surgieron realmente de las bases, y fueron propuestas por activistas o funcionarios locales que actuaban más o menos por cuenta propia, y no siempre por razones demasiado meditadas. Un miembro de un grupo de presión de la industria ridiculizó esta situación bautizándola como fenómeno *Sixty Minutes,* el programa televisivo de temas de actualidad: «Ves algo en el periódico y luego por la tele y se te ocurre una idea para una ley».[48] La popularidad de las prohibiciones sin duda aumentó debido a lo que un escritor denominó su «sencillez moral».[49] A diferencia de tener que pagar por las bolsas, las prohibiciones no le exigían demasiado esfuerzo a nadie, salvo a la industria de los plásticos.

Tratándose de un sector que ha recibido numerosos golpes a lo largo de su historia, los fabricantes de plásticos fueron extraordinariamente lentos en responder al creciente fenómeno antibolsa. Los fabricantes de bolsas ubicados en California habían reconocido desde el año 2000 que se avecinaba una tormenta. Podían ver que el tema de los desechos marinos tenía unas piernas muy largas, y que tarde o temprano esas piernas empezarían a patear con furia a su industria. Lo cierto es que mucha gente compartía la preocupación de los ecologistas sobre el vórtice plástico y querían dilucidar qué papel desempeñaban las bolsas y otros productos de plástico en la creación del problema. Hicieron un seguimiento de las prohibiciones del uso de bolsas y de las tasas que se estaban imponiendo en otros países y observaron alarmados la emergencia de grupos como Southern California's Campaign Against the Plastic Plague [Campaña del Sur de California contra la Plaga de las Bolsas], que pretendía erradicar no sólo las bolsas de plástico sino todos los envoltorios de plástico de un solo uso. «No se trata de un grupo de chiflados cuyas ideas puedan pasarse por alto», advirtieron los fabricantes de bolsas de California en su boletín informativo.[50]

Pero el American Chemistry Council, portavoz en Washington DC de la industria petroquímica, parecía ajeno a la creciente preocupación de la ciudadanía por los desechos marinos. (Bien, no del todo ajeno. En 2004, un portavoz del grupo se apropió de la dirección de internet plasticdebris.org, que la Comisión Costera de California esperaba usar en una campaña sobre los desechos marinos.)[51] El American Chemistry Council podía consolarse con las encuestas del sector, las cuales mostraban que la mayoría de los fabricantes consideraban que los temas que indignaban a California resultaban irrelevantes fuera de este estado.[52]

—Nuestra industria ha reaccionado con excesiva lentitud ante el problema de los desechos marinos —afirmó Robert Bateman, un fabricante de bolsas de Oroville, California, cuando lo visité pocos meses después de que San Francisco promulgara su prohibición.[53]

La empresa de Bateman fabrica bolsas más gruesas que las que se distribuyen en las tiendas de comestibles, por lo que no se vio personalmente afectado por la presión para erradicar las bolsas camiseta. Pero el creciente fervor antiplásticos le resultaba frustrante, porque consideraba el polietileno un material mucho más respetuoso con el medio ambiente que el papel. Bateman llevaba prediciendo una reacción violenta contra las bolsas desde que, a principios de los años noventa, empezó a escuchar noticias sobre los desechos plásticos que llegaban hasta las playas. Había trabajado con Charles Moore en la creación de estándares medioambientales para reducir los gránulos de plástico y llevaba mucho tiempo presionando a los grandes gremios profesionales para que empezaran a preocuparse por la cuestión de los desechos marinos, no sólo por razones comerciales, sino también éticas.

—Mi familia se dedicó al negocio del asbestos —explicó—. Aprendimos por las malas que no enfrentarte a los problemas no es la mejor solución.

Puede que la fragmentación de la industria sea responsable en parte de su incapacidad para escuchar las alarmas de Bateman. El sector del plástico es un mundo menos unitario que un grupo de planetas en sus propias órbitas. Las enormes multinacionales petroquímicas que fabrican resinas plásticas operan en un ámbito separado de las empresas, nacionales en su mayoría, que fabrican productos de plástico. Tradicionalmente, cada grupo ha contado con su propia asociación gremial, sus congresos, sus cuestiones comerciales y sus planes políticos. Los fabricantes de resinas están representados por el American Chemistry Council, un gremio profesional inmensamente rico con ingresos anuales de más de 120 millones de dólares, 125 empleados, cuatro delegaciones y una lista de cuestiones que va mucho más allá de los plásticos.[54] Los fabricantes de productos y de equipos dependen de la Society for Plastics Industry, una organización más pequeña con un presupuesto operativo diez veces menor que el del American Chemistry Council y menos de cuarenta empleados.[55] Tiempo atrás, la Society for Plastics Industry era la principal defensora de los plásticos, pero en años recientes el grupo se ha centrado principalmente en cuestiones gremiales y ha dejado que el American Chemistry Council actúe de portavoz del sector del plástico sobre cuestiones importantes. Hasta hace poco, la animosidad existente entre estos dos grupos les había impedido cooperar.

Asimismo, el mundo de los fabricantes está fracturado por las fronteras provinciales, y existe muy poco sentimiento de comunidad compartida entre, pongamos, una empresa que fabrica piezas de automóvil mediante el moldeo por inyección y otra que extrude bolsas de plástico. Por tanto, otros sectores de la industria no se sintieron tan amenazados como los fabricantes de bolsas. «No obteníamos ningún apoyo de otros sectores de la industria plástica porque no estaban corneando a su buey», dijo Seanor, el ejecutivo de Mobil que contribuyó a introducir la bolsa camiseta en Estados Unidos.[56] Las bolsas camiseta pueden ser un producto plástico sumamente visible, pero constituyen una fracción minúscula del negocio de los plásticos, alrededor de 1,2 de los 374 mil millones de dólares a que asciende el mercado de plásticos estadounidense.[57] ¿Por qué iba a congregarse el resto de la industria detrás de una bandera tan endeble?

Los principales fabricantes nacionales de bolsas camiseta —todos ellos ubicados fuera de California— no decidieron sentarse y prestar atención hasta que San Francisco empezó a redactar su propuesta de prohibir las bolsas. «Dijimos: "Esto no será bueno para nosotros"», recordó Seanor. Seanor y el cofundador de Vanguard, Larry Johnson, intentaron pedir ayuda a la Society for Plastics Industry, pero les fue denegada. Tras darse cuenta de que tendrían que encargarse personalmente del problema, convocaron una reunión de los cinco mayores fabricantes de bolsas camiseta del país en el salón del Club de Almirantes de American Airlines del aeropuerto internacional de Dallas/Forth Worth.[58] Asistieron ejecutivos de Interplast en Nueva Jersey, API en Nueva Orleans, Sunoco en Filadelfia, Superbag en Houston, Vanguard en Dallas y un puñado de abogados. Cada empresa accedió a aportar dinero para contratar a un grupo de presión y para desarrollar una campaña a favor de las bolsas. Los fondos del primer año ascendieron en total a 500.000 dólares, aunque en años posteriores algunas de estas empresas aportaron cantidades mayores.[59]

Durante los dos años siguientes, Johnson y otros ejecutivos de empresas bolseras viajaron por todo el estado de California haciendo cuanto estaba en su mano para detener la creciente oleada de voces contrarias a los plásticos. Este esfuerzo constituyó un trabajo a tiempo completo para Johnson, hasta que sucumbió a un cáncer pancreático en 2007.[60] El grupo creyó que había comprado algo de tiempo para la industria bolsera al conseguir que se aprobara la ley estatal que exigía a las tiendas de comestibles reciclar las bolsas. Pero el intento fracasó cuando San Francisco respondió con su prohibición, lo que desencadenó una oleada de medidas similares en otros lugares. La industria había tardado años en ganarle la batalla al papel en el mercado de los envoltorios, y ahora el dominio obtenido con tanto esfuerzo corría el peligro de desaparecer.

Es más, las bolsas no eran el único producto de plástico que estaba recibiendo un alud de críticas. Sólo en 2008 se introdujeron unas cuatrocientas leyes relacionadas con los plásticos a nivel local, estatal y federal, como la propuesta de prohibir los envoltorios de poliestireno de la comida rápida, los juguetes llenos de ftalatos y los biberones que contuvieran bisfenol A. Incluso se presentó una propuesta para catalogar los gránulos de preproducción como sustancias peligrosas.[61] Los plásticos nunca habían recibido ataques desde tantos frentes distintos. «Hemos llegado a un punto de inflexión», advirtió el presidente de la Society for Plastics Industry William Carteaux a miles de miembros de la industria reunidos en el gran congreso anual del grupo en 2009.[62] «Las leyes y las regulaciones amenazan con cambiar radicalmente nuestro modelo de negocio [...]. No podemos continuar defendiéndonos en esta fase reactiva en la que los ánimos están tan alterados. Tenemos que pasar a la ofensiva y reaccionar más deprisa.» En todos los sectores de la industria, sus miembros se estaban dando cuenta de que había llegado la hora de ponerse serios.

Paradójicamente, al centrar las prohibiciones sólo en las bolsas de plástico, los activistas antibolsa entregaron involuntariamente a la industria de los plásticos una de sus armas más potentes. Porque el resultado inevitable de prohibir las bolsas de plástico era que los comerciantes volverían a distribuir bolsas de papel. Tras la prohibición, el consumo de bolsas de papel se cuadriplicó en San Francisco hasta alcanzar los ochenta y cinco millones al año.[63] Como ya sabían algunos ecologistas —y otros no tardarían en enterarse—, esto no le hacía ningún favor a la Madre Naturaleza.

—Las bolsas de papel son terribles. ¡Terribles! —exclamó Stephen Joseph, abogado del área de la Bahía que representaba a los fabricantes de bolsas de California en su lucha contra las ciudades que estaban prohibiendo las bolsas de plástico.

Joseph no parece la persona más indicada para defender los plásticos. Es un liberal independiente que «odia a los republicanos», un ecologista que detesta la basura y que no tiene ningún vínculo anterior con la industria del plástico. Le gusta llevar siempre la contraria y se ha formado en derecho procesal. Pero Joseph dijo que su auténtica vocación es «liderar campañas». «Me encanta combatir por una causa», explicó. Puede que sea un pistolero a sueldo, pero, insistió, sólo para aquellas causas que pudiera refrendar sinceramente.

Joseph, que ahora ronda la cincuentena, es un hombre de presencia imponente, con el cabello salpicado de canas, la frente alta, la nariz larga y un incontenible carácter combativo. Ha obtenido éxito anteriormente como defensor de diversas causas, como su famoso desafío del uso de grasas trans en la industria alimentaria.[64] Su padrastro murió de un infarto, y a Joseph le horrorizó descubrir que su dieta podría ser lo que le mató, por lo que se dispuso a buscar pelea. Su idea más brillante fue el pleito celebrado en 2003 para impedir que Kraft Foods vendiera galletas Oreo a los niños basándose en que estaban llenas de grasas trans que obstruyen las arterias. El pleito generó titulares hostiles; Jay Leno y Dave Letterman se mofaron de la demanda, y *The Wall Street Journal* bautizó a Joseph como «monstruo de las galletas». Con todo, quien ríe el último ríe mejor. Dos semanas después de que Joseph pusiera el pleito, Kraft anunció que iba a eliminar las grasas ofensivas. Más tarde Joseph organizó una campaña exitosa para eliminar las grasas trans de todos los restaurantes de Tiburón, su ciudad natal. Desde entonces otras ciudades del país han adoptado esta iniciativa.

El éxito de Joseph llamó la atención de algunos fabricantes de bolsas californianos. Un hombre que podía ganarse las simpatías del público con una campaña contra las galletas Oreo sabría cómo defender una causa impopular.[65] Pero cuando intentaron contratarlo, Joseph rechazó la oferta. Entonces descubrió un artículo en *The Times* de Londres en el que echaban por tierra una de las acusaciones más citadas contra las bolsas de plástico: que matan a cien mil animales marinos al año.[66] Tal y como descubrió *The Times,* esa cifra era una distorsión de un estudio canadiense que había implicado a las redes de pesca abandonadas, y no a las bolsas, en las muertes de las focas de Alaska.

—Empecé a escarbar, pensando que si eso era una mentira, ¿qué otra afirmación lo sería también? —dijo Stephens.

Cuanto más avanzaban sus investigaciones, más se fue convenciendo de que en el caso del plástico contra el papel, el plástico estaba cargando con una culpa injustificada. Ahora combate con el celo de un converso. Con su típico estilo directo, bautizó su campaña con el nombre de Save the Plastic Bag Coalition [Coalición para Salvar la Bolsa de Plástico]. Con una reticencia inusual en él, rechazó identificar a los miembros de la coalición.

Joseph puede citar textualmente los numerosos estudios que han demostrado que el impacto medioambiental del plástico es menor que el del papel. Los análisis del ciclo vital —estudios que analizan el impacto medioambiental de un producto desde su creación hasta su eliminación— han revelado sistemáticamente que, en comparación con las de papel, las bolsas de plástico requieren una cantidad significativamente menor de energía y de tiempo para ser producidas, precisan menos energía para ser transportadas y emiten la mitad de gases invernadero durante su producción.[67] El autor Tom Robbins llamó a la bolsa de papel «el único objeto producido por el hombre civilizado que no parece fuera de lugar en la naturaleza»; pero esto sólo es cierto si pasamos por alto la tala de árboles, el tratamiento químico de la pulpa, el blanqueado intensivo y la cantidad de agua que requiere una producción industrial necesaria para proporcionar ese tacto natural, semejante al de una piel de patata, de una bolsa de papel marrón.[68] En realidad, no es más natural que su equivalente de polietileno arrugado (aunque suele tener más contenido reciclado). Si nuestras principales preocupaciones medioambientales son la conservación de energía y el cambio climático, el plástico es sin lugar a dudas una opción más verde que el papel.

Sin embargo, los análisis del ciclo vital sólo cuentan parte de la historia. Son útiles para medir el impacto relacionado con la energía, pero no resultan tan fiables a la hora de calibrar cuestiones más difíciles de cuantificar, como la basura y los desechos marinos, la toxicidad de los materiales y el impacto en la naturaleza.

Es más, las comparaciones basadas en datos objetivos no revelan lo que provocan en nosotros estos dos materiales: nuestra sensación irracional de bienestar al tocar las bolsas de papel y nuestra incomodidad ante la resistencia sobrenatural del plástico. La presencia del plástico donde no le corresponde estar —esa materia fuera de lugar— indigna a la gente. Esto quedó muy claro cuando acompañé a Joseph a una sesión pública en 2008 para debatir la prohibición de bolsas de plástico propuesta por Manhattan Beach, un barrio residencial pequeño y próspero de Los Ángeles emplazado sobre una colina con vistas espectaculares del océano. La ciudad está dividida a partes iguales entre demócratas y republicanos, pero todos los habitantes aprecian las playas: hay más surfistas por familia que en ningún otro lugar de California.

Joseph y yo llegamos temprano. Aunque no íbamos vestidos con ropa de playa —ambos llevábamos traje y acarreábamos maletas—, Joseph sugirió que diéramos un paseo para disfrutar del paisaje. «¿Ve alguna bolsa?», me preguntó varias veces mientras paseábamos. Y tenía razón: casi toda la basura que vimos consistía en colillas, latas de refresco y papeles.

—Precioso, ¿verdad?... ¿Dónde están las bolsas? —preguntó Joseph mientras contemplaba la arena blanca cuidadosamente rastrillada.

O bien pasó por alto ese hecho o ignoraba que los camiones municipales rastrillan las playas cada día para recoger los desechos.

Como otros defensores de las bolsas de plástico, Joseph sostenía que el problema de los desechos plásticos no guardaba relación con determinados productos, sino con el comportamiento de los consumidores: es el hombre, y no las bolsas, el que produce basura. Por ello, insistió, no tenía sentido atacar al producto por el mal uso que se hacía de él. Señaló dos cajas de pizza arrugadas que alguien había tirado en la acera.

—¿Ahora también vamos a prohibir la pizza?

Sin embargo, los argumentos de Joseph no se sostuvieron en la reunión municipal de aquella noche, donde no cabía ni un alfiler. A nadie le importaba si las bolsas de plástico eran menos perniciosas para las especies marinas que las redes abandonadas, o si su fabricación producía menos gases invernadero que la de las bolsas de papel, o que los funcionarios municipales no hubieran analizado a fondo el impacto medioambiental de cambiar a bolsas de papel. Tal y como declaró un activista, «no estamos hablando del calentamiento global, sino de la bahía de Santa Mónica». Los defensores de la medida tenían dos prioridades: proteger el bellísimo litoral de la zona y conseguir que en la ciudad dejaran de usarse las bolsas desechables de cualquier tipo. Las autoridades municipales explicaron que empezaban por las bolsas de plástico, pero esperaban eliminar también las bolsas de papel en el futuro. «Esto no va de la transición de plástico a papel, sino de la transición de plástico y papel a bolsas reutilizables», apuntó alguien. «Cambiar el comportamiento humano lleva su tiempo.»

Todos los miembros del consejo municipal eran partidarios de la prohibición. Nada más registrarse el último voto, Joseph se volvió hacia mí y exclamó:

—¡Los llevaré a juicio!

El hecho de que las bolsas de papel se convirtieran en la opción por defecto en los comercios de la ciudad proporcionó a Joseph razones sólidas para preparar ese juicio y para ganarlo después. El abogado argumentó —y los tribunales de primera y de segunda instancia le dieron la razón— que la prohibición violaba una ley estatal que exige a las ciudades preparar un estudio de las posibles consecuencias medioambientales adversas de las leyes propuestas. Un comentarista sugirió que el hecho de que una regulación de cariz ecologista pudiera usarse para rechazar una ley concebida para proteger el medio ambiente era el equivalente legal de «el karma es una putada».[69] (En 2011, el Tribunal Supremo de California revocó estas sentencias y limitó la posibilidad de usar la ley para bloquear las prohibiciones de las bolsas.)

Pero hasta la aparición de esta sentencia del alto tribunal, estos pleitos, o amenazas de pleitos, ralentizaron en toda California las iniciativas locales para prohibir las bolsas de plástico y obligaron a por lo menos doce ciudades —entre las que figuraban Oakland, Los Ángeles y San José— a retirar propuestas de prohibición e incluso a retirar leyes ya promulgadas.[70] La suma necesaria para preparar un informe completo sobre el impacto medioambiental —con un coste de entre 50.000 y 250.000 dólares— es una barrera demasiado alta para los municipios de California, tan escasos de recursos. Pero finalmente unas cuantas ciudades decidieron colaborar y pagaron un informe que podrían compartir todas ellas. Cuando acabaron de redactarlo, a principios de 2010, el informe confirmó lo que Joseph había estado diciendo desde el principio: las bolsas de papel tienen un impacto medioambiental mucho más acusado que las de plástico.[71]

Este descubrimiento sorprendió a algunos de los que defendían prohibir las bolsas de plástico, por ejemplo a Carol Misseldine, directora de Green Cities California, el grupo que encargó el informe.[72] Dicho informe no atenuó su aversión a las bolsas de plástico, pero le hizo ver que el debate político estaba mal enfocado: no se trata de si es peor el plástico o el papel, explicó Misseldine, sino de la costumbre de llevar comestibles y otros productos a casa en bolsas diseñadas para usarse una sola vez.

—Los productos de un solo uso tienen un impacto medioambiental extraordinario durante su fabricación, su procesado y su eliminación —explicó—. Tenemos que volver a adoptar un enfoque basado en los productos duraderos.

Roger Bernstein, del American Chemistry Council, lo entendió desde el principio. Bernstein reconoce que los combates entre partidarios del plástico y del papel son secundarios; la amenaza real para la industria es la lucha contra los productos de un solo uso, la iniciativa para sustituir artículos desechables por artículos reutilizables. Las campañas a favor de las prohibiciones y las tasas están motivadas por «una clara expresión de la ética de residuo cero, y el objetivo consiste en no proporcionar ninguna opción sobre las bolsas reutilizables», dijo con desdén. «¡Todo tiene que usarse de nuevo!» Bernstein es el vicepresidente de asuntos estatales y legislativos en el American Chemistry Council, grupo que ha adoptado el papel de principal defensor de la bolsa de plástico. Me reuní con él y con otros representantes del American Chemistry Council en su sede central de Arlington, Virginia, poco antes de que el grupo se trasladara a un nuevo edificio sostenible dotado de tecnología punta y certificado por el LEED (acrónimo de Leadership in Energy & Environmental Design) ubicado más cerca de Capitol Hill.[73]

Bernstein es un hombre menudo de rostro afilado que rondaba los sesenta, con una espesa mata de pelo gris y ojos marrones agrandados por las gafas. Ha luchado en el anonimato a favor de la industria durante más de treinta años. Tras trabajar como periodista fue contratado por la Society for Plastics Industry y luego ingresó en el American Plastics Council [Consejo Estadounidense de los Plásticos], un grupo formado por los principales fabricantes de resinas a finales de los años ochenta. Después empezó a trabajar para el American Chemistry Council cuando este organismo se fusionó con el American Plastics Council en el año 2000. El American Chemistry Council se había mantenido al margen de la batalla de las bolsas, pero se unió a la lucha a principios de 2008 cuando los fabricantes de bolsas se vieron superados por el aluvión de medidas antibolsa.[74] Resultaba evidente que el American Chemistry Council esperaba impedir que el furor contra las bolsas se extendiera hasta convertirse en iniciativas más generales contra los plásticos.

Bernstein divide las políticas sobre el plástico en «cuestiones relacionadas con el miedo» y «cuestiones relacionadas con la culpabilidad». Las cuestiones relacionadas con el miedo, explicó, son aquellas vinculadas a «la autoprotección medioambiental» o a temas de seguridad como el debate sobre los riesgos potenciales para la salud del bisfenol A. «Es preciso abordar dichas cuestiones con toda la información disponible sobre la seguridad [de las sustancias químicas].» Lo ideal sería que la información procediera de terceros considerados más creíbles que la propia industria. Para tal fin, la industria ha financiado diversos estudios de investigación sobre sustancias sospechosas. Dichos estudios tienen una asombrosa tendencia a demostrar que las sustancias en cuestión son seguras mucho más a menudo que los realizados por investigadores independientes. Bernstein lo llamó proporcionar información; los críticos lo denominan sembrar dudas.

Las bolsas de plástico no infunden temor, pero, tal y como Bernstein reconoció, influyen en el sentimiento de culpabilidad de la gente sobre el consumo y sobre el despilfarro que suponen los productos desechables. La respuesta a esta reacción consiste en proporcionar a los consumidores la posibilidad de no sentirse culpables con respecto a los productos plásticos de un solo uso. Esto significa hacer campañas publicitarias para recordar a la gente las ventajas de los plásticos y difundir programas patrocinados por la industria que promuevan el reciclaje, lo que Bernstein denominó «una forma de borrar la culpabilidad». El reciclaje garantiza a la gente que el plástico no es sólo un parásito infernal, sino que tiene una vida útil.

—Nada más reciclar tu producto —explicó Bernstein—, se sienten mejor. Y entonces no quieren prohibirlo.

Bernstein aprendió los métodos empleados para aliviar la culpabilidad de los consumidores a finales de los años ochenta, durante una anterior protesta pública contra los envoltorios de plástico. El temor a la disminución de espacio en los vertederos desencadenó una oleada de peticiones para prohibir los envases de porexpán y otros ejemplos visibles de basura plástica.

Como respuesta, siete de los principales fabricantes de resinas, entre los que se encontraban DuPont, Dow, Exxon y Mobil, lanzaron una iniciativa especial —una «fuerza de ataque» a corto plazo, como la describió Bernstein— para aumentar el reciclaje de los plásticos, que apenas existía en aquella época. El grupo destinó unos cuarenta millones de dólares a desarrollar tecnologías aplicadas al reciclaje de los plásticos y a proporcionar ayuda y equipo técnicos a aquellas comunidades que quisieran emprender programas de reciclaje. Supuso un gran impulso para el reciclaje, pero el compromiso era muy superficial: el apoyo se evaporó nada más apagarse el furor político.

La inversión más cuantiosa y prolongada fue una campaña de 250 millones de dólares y una década de duración a base de anuncios impresos y televisivos que destacaban la mejora que aportaban los plásticos a la salud y la seguridad de la gente y ponían mucho énfasis en productos como los cascos para ciclista y los envoltorios imposibles de manipular. La campaña «Los plásticos lo hacen posible» consiguió aumentar los índices de aceptación de este material, según mostraron las encuestas.[75] La gente continuaba pensando que los plásticos planteaban importantes problemas de eliminación, pero ya no exigía prohibiciones.

Ello se debió también al grueso palo que blandía la industria, junto a las zanahorias a favor del plástico. La fuerte presión que ejerció el sector consiguió derrotar o aplastar cientos de proyectos de ley restrictivos.[76]

—Básicamente, no hubo prohibiciones en todo ese tiempo —recordó con orgullo Bernstein.

Entre el reciclaje, las campañas publicitarias y las presiones más implacables, Bernstein aseguró que no se retiró ningún producto del mercado.

El American Chemistry Council está usando de nuevo el mismo guión. Ha lanzado una importante campaña divulgativa dirigida ante todo a la generación del milenio a través de una página de Facebook, Mylecule (que en agosto de 2010 tenía únicamente siete usuarios al mes), un canal en YouTube, una cuenta en Twitter, varios blogs y el patrocinio de exposiciones de arte y desfiles de modas donde se proclama que «el plástico es la última moda».[77]

Entretanto, Bernstein dirige el combate político. Está escogiendo sus batallas cuidadosamente, centrándose en ciudades y estados prominentes para obtener el máximo beneficio posible. Por ejemplo, el grupo gastó 5,7 millones de dólares en California durante las sesiones legislativas de 2007 y 2008, periodo en que tuvieron lugar algunos de los debates más intensos sobre las bolsas, y casi un millón de dólares durante los meses de 2010 en que la asamblea legislativa estuvo considerando una propuesta de prohibición en todo el estado.[78] Al resaltar los problemas medioambientales de las bolsas de papel, el American Chemistry Council consiguió reconducir las iniciativas dirigidas a prohibir las bolsas de plástico hacia programas de reciclaje voluntarios u obligatorios en las tiendas de Nueva York, Filadelfia, Chicago, Annapolis y el estado de Rhode Island, entre otros lugares.

Pero las disputas más recientes han obligado al American Chemistry Council a abordar directamente el tema de la reutilización para apelar a los sentimientos encontrados de la gente sobre los productos de un solo uso. En Seattle, por ejemplo, el grupo llevó a cabo una intensa campaña contra una ley de 2008 aprobada por el consejo municipal que exigía a los comerciantes cobrar veinte centavos por bolsa, ya fuera de plástico o de papel. Se trataba del mismo enfoque que intentó adoptar en un principio el Ayuntamiento de San Francisco. De haberse aprobado, la ley habría supuesto la mayor victoria hasta la fecha para los defensores de la reutilización. Podríamos pensar que una ecotopía como Seattle, donde las empresas de servicio público usan cabras en lugar de pesticidas para mantener a raya los hierbajos, no sería el lugar más adecuado para un enfrentamiento sobre los plásticos. Sin embargo, Bernstein y sus colegas se dieron cuenta de que tenían la posibilidad de ganar cuando echaron un vistazo a una encuesta realizada por el Ayuntamiento.[79] La encuesta indicaba que la mayoría de los habitantes de Seattle estaban dispuestos a aceptar la prohibición de las bolsas de plástico. Por otra parte, no estaban dispuestos a pagar una tasa por ellas en las tiendas de comestibles. Podían vivir sin bolsas de plástico, pero no sin la comodidad de disponer de una bolsa gratis de un solo uso para llevar la compra. Esta ambivalencia —que no sólo exhibían los habitantes de Seattle— proporcionó al American Chemistry Council una oportunidad a la que aferrarse.

El grupo destinó más de 180.000 dólares a una exitosa campaña de recogida de firmas para eliminar la tasa mediante una votación popular, y después gastó 1,4 millones de dólares más en las elecciones, la mayor cantidad gastada en la ciudad en cualquier elección en al menos quince años.[80] Tras contratar a la misma empresa de publicidad que ideó los famosos anuncios que derrotaron la iniciativa de reforma sanitaria en época de Clinton, el grupo desarrolló una campaña publicitaria que tildaba la tasa (que los consumidores podían evitar no comprando las bolsas) de impuesto obligatorio retrógrado, como en el siguiente anuncio radiofónico:

HOMBRE: ¿Has oído que podrían poner un impuesto a las bolsas de la compra, a las bolsas de papel y de plástico?

MUJER: ¿Otro impuesto tal y como va la economía? Pero si casi todo el mundo ya reutiliza o recicla estas bolsas...

La campaña sostenía que la tasa le costaría a cada consumidor trescientos dólares al año, suponiendo que cada consumidor comprara mil quinientas bolsas al año, o veintiocho bolsas a la semana. Comprara o no alguien todas esas bolsas, se trataba de un argumento poderoso en plena recesión, y sería difícil rebatirlo. No resulta fácil idear un eslogan que exprese la lógica de hacer visibles los costes medioambientales ocultos. Es más, los defensores de las tasas —grupos como Sierra Club y People for Puget Sound [Gente de Puget Sound]— recaudaron una cantidad muchísimo menor que los fondos con que contaba el American Chemistry Council, en una proporción de catorce a uno.[81] Cuando tuvo lugar la votación, a nadie le sorprendió que los votantes rechazaran la tasa.

El American Chemistry Council siguió una estrategia similar al año siguiente en California, cuando los legisladores estatales propusieron restringir el número de bolsas de un solo uso de cualquier tipo. La medida estaba concebida para alentar a los californianos a optar por las bolsas reutilizables mediante la prohibición de las bolsas de plástico. Asimismo, a los comerciantes se les exigiría cobrar al menos cinco centavos por las bolsas de papel. Dada la influencia política de California, el American Chemistry Council, y miembros importantes del grupo como ExxonMobil y Hilex Poly, hicieron cuanto estuvo en su mano para rechazar la medida.[82] Destinaron más de dos millones de dólares en total a iniciativas que incluían acribillar con donativos a legisladores clave del Gobierno estatal y bombardear Sacramento (donde vivían los legisladores) con anuncios en los periódicos y en la radio que tachaban la tasa de impuesto retrógrado por el que los californianos tendrían que pagar más de mil millones de dólares al año. (El American Chemistry Council incluso atacó las bolsas reutilizables mediante la financiación y divulgación de estudios que mostraban que las bolsas podían ser un caldo de cultivo de bacterias procedentes de los alimentos.)[83] «En lugar de perder el tiempo diciéndonos qué bolsas deberíamos usar, los legisladores deberían centrarse en nuestros problemas reales, como el enorme déficit presupuestario, los desahucios y los millones de trabajadores sin empleo», argumentó el American Chemistry Council en un sitio web que instaba a los votantes a «Detener a la Policía de las Bolsas». Puede que los argumentos no vinieran al caso, pero incluso los defensores de la prohibición admiraron la astucia con que el American Chemistry Council sacó partido de las circunstancias políticas del estado. Consiguieron que la preocupación por las bolsas pareciera una tontería, como si fuera «uno de esos asuntos propios de un gobierno autoritario y paternalista», dijo Murray. En un año en el que California tenía una deuda de 19 mil millones de dólares y la asamblea legislativa llevaba meses de retraso para aprobar el presupuesto, ningún legislador quería ser visto como alguien que prohibía las bolsas pero no era capaz de gestionar las finanzas estatales. Al final, el senado del estado rechazó el proyecto de ley por veintiún votos a catorce.

Con todo, la variedad sin precedentes de la coalición que respaldó la prohibición propuesta —grupos ecologistas, grupos a favor del reciclaje, sindicatos, comerciantes y vendedores al por menor del estado e incluso el gobernador Schwarzenegger— indica que la bolsa tiene los días contados en California. De hecho, Murray y otros estrategas se limitaron a cambiar de enfoque. En palabras de Murray, volvieron a convertir este asunto en «una cuestión que concierne a los habitantes del estado». Durante los meses siguientes, diversas ciudades, como San José, Los Ángeles y Santa Mónica, empezaron a activar los planes para restringir el uso de las bolsas camiseta. Y, a diferencia de la anterior generación de medidas antibolsa, éstas también pretenden restringir el uso de las bolsas de papel.[84]

California lleva tiempo liderando la implantación de las tendencias que después seguirá el resto del país. Es difícil saber si esto sucederá con las bolsas de plástico, y si temas como los desechos marinos y las basuras, que tienen tan amplio eco en la política californiana, producirán el mismo efecto en otras partes del país. Puede que el American Chemistry Council haya conseguido aplastar algunas de las propuestas de prohibición,[85] pero recientemente, en 2011, unas treinta comunidades en Estados Unidos —la mayor parte de ellas, en California— han aprobado medidas para restringir la prohibición de las bolsas de plástico. Y el intenso cabildeo del American Chemistry Council no logró impedir que el consejo municipal del distrito de Columbia aprobara una tasa de cinco centavos por cada bolsa de plástico. El capital recaudado se destinará a financiar la limpieza de un río del distrito, el Anacostia, que está lleno de basura.[86] La medida de 2009 fue promocionada con eslóganes como «Pasa de la bolsa, salva el río». Los residentes refunfuñaron al principio, pero han acabado aceptándola. En el primer año, el uso de bolsas descendió alrededor de un 50 por ciento y la ciudad recaudó dos millones de dólares en impuestos para limpiar el río. La experiencia en el distrito de Columbia revela que la gente está dispuesta a renunciar a la comodidad cuando se les explica claramente su auténtico coste.

Además de librar combates políticos, el American Chemistry

Council continúa promocionando la manera más segura de eliminar la culpabilidad: el reciclaje. El grupo ha encabezado toda una serie de iniciativas concebidas para estimular el reciclaje de las bolsas de plástico, desde comprar cientos de cubos de reciclaje para colocarlos en las playas de California hasta respaldar programas de reciclaje en las tiendas. En el Día de la Tierra de 2009, el American Chemistry Council anunció un compromiso más importante: la puesta en marcha de una iniciativa para fabricar bolsas de plástico con la misma proporción de material reciclado que el que contienen desde hace tiempo las bolsas de papel.[87] Hasta ahora, esta clase de reciclaje de una bolsa a otra no se había llevado a cabo de forma generalizada porque las bolsas nuevas son muy baratas de fabricar. El pequeño porcentaje de bolsas que se reciclan suele destinarse a la producción de madera plástica, usada generalmente en pavimentos exteriores y en vallas. Pero el American Chemistry Council prometió que mediante este nuevo programa los fabricantes de bolsas destinarían millones de dólares a actualizar sus maquinarias; antes de 2015, el 40 por ciento del plástico que contienen las bolsas camiseta procederá de bolsas recicladas. Este programa podría reciclar más de 230 millones de kilos de plástico, según cálculos del American Chemistry Council.

—Es demasiado poco y llega demasiado tarde —fue la reacción de Mark Murray.[88]

Porque aunque la iniciativa supusiera un éxito absoluto, sólo reciclaría treinta y seis mil millones de bolsas, apenas la tercera parte de todas las bolsas que los estadounidenses consumen actualmente cada año. Murray y otros críticos sostienen desde hace tiempo que, sencillamente, las bolsas camiseta no se prestan a las exigencias prácticas y económicas del reciclaje. Pesan tan poco que es difícil obtener la suficiente masa crítica para que reciclarlas salga a cuenta. Es difícil recogerlas mediante programas de recolección en la calle porque las bolsas vuelan con demasiada facilidad, y los programas de recolección en las tiendas promovidos por el American Chemistry Council apenas han elevado el reciclaje de bolsas por encima de porcentajes de una sola cifra.[89]

Obviamente, es mejor reciclar las bolsas que tirarlas. Pero los aspectos prácticos del reciclaje de bolsas no vienen al caso. El American Chemistry Council necesita programas de reciclaje para aliviar la mala conciencia de la población con respecto al uso de bolsas de plástico. Si pueden persuadirnos de que los plásticos tienen una vida útil que va más allá de un uso en el supermercado, entonces quizá no nos molestaremos en pensar en el desperdicio de recursos que la bolsa simboliza, tanto literal como figuradamente. Por tanto, el nuevo mensaje que los portavoces del American Chemistry Council repiten ahora hasta la saciedad cada vez que tienen que defender las bolsas de plástico (o cualquier producto de plástico de un solo uso) es que «el plástico es un recurso valioso. Demasiado valioso para desperdiciarlo».

No es ninguna coincidencia que esta frase sea similar a las que los defensores de la iniciativa de residuo cero usan para explicar por qué atacan las bolsas de plástico. En opinión de Robert Haley, de San Francisco, la bolsa es el ejemplo más evidente del desperdicio: una desviación de valiosos recursos no renovables para fabricar un producto efímero de valor marginal.

—El plástico debería ser un material valioso —dijo Haley—. Debería usarse en productos de larga duración y, al final de su vida útil, deberíamos reciclarlo. Emplear recursos como el petróleo o el gas natural, que tardaron millones de años en producirse, en un producto desechable que dura minutos o segundos para luego deshacernos de él, no me parece la forma más adecuada de usar dichos recursos.

El absurdo de la controversia sobre las bolsas de plástico se hace patente si consideramos que la gente acarreó objetos durante milenios sin recurrir a las bolsas de plástico ni a las de papel. (Demos gracias de que hayamos dejado atrás la época en que la bolsa más usada era el escroto de un toro.) Afortunadamente, no tenemos que remontarnos tan lejos para encontrar la bolsa del futuro. Una bolsa de la compra reutilizable puede hacerse con cualquier material: algodón, yute, poliéster, nailon, malla de polipropileno, botellas de refresco recicladas o incluso de grueso y resistente polietileno. Sea cual fuere el material, será mucho mejor que las bolsas gratuitas actuales, siempre que se reutilice con frecuencia.[90]

No todos los productos de un solo uso se pueden reemplazar tan fácilmente. Pero el hecho de que la bolsa de plástico pueda sustituirse sin problemas por una alternativa sostenible es una de las razones por las que activistas como Murray han dedicado tantos esfuerzos a la batalla de las bolsas. Esta opción en tiendas y supermercados supone un primer paso importante para conseguir que la gente piense en las consecuencias medioambientales de sus actos, explicó Murray.

—El que la gente traiga sus bolsas a la tienda constituye una declaración de principios ecológicos —afirmó—. Es una puerta abierta a iniciativas medioambientales que creo que se ampliarán a otras acciones que pudieran estar dispuestos a emprender.

Como puede atestiguar cualquiera que haya intentado dejar de fumar, seguir una dieta o no saltarse una tanda de ejercicios, no es fácil cambiar nuestros patrones de comportamiento para hacer cosas que sabemos que, en teoría, nos convienen. Por lo tanto ¿cómo se puede animar a la gente a cambiar su modo de vida y a cultivar hábitos que sean más saludables para el medio ambiente? El psicólogo de la Universidad Estatal de Arizona Robert Cialdini ha investigado durante muchos años las maneras más eficaces de alentar a la gente a adoptar una conducta más responsable desde una perspectiva ecológica.[91] Sorprendentemente, el mejor método no consiste en pedirle a la gente que dirija la vista hacia su interior, sino en pedirle que mire al exterior, hacia sus iguales.

—Sencillamente, hay que informarles de cuáles son las normas sociales —explicó Cialdini.

No es que no sepamos que tirar basura está mal, o que hay que apagar las luces al salir de una habitación. Pero la gente se olvida, se vuelve descuidada y hay que recordárselo, añadió Cialdini. Tras llevar a cabo un estudio, el psicólogo descubrió que la mejor manera de animar a los clientes de un hotel a reutilizar las toallas era dejar una tarjeta en la habitación diciéndoles que eso era lo que hacían otros clientes. Esta afirmación tenía más impacto que las tarjetas que indicaban a los huéspedes que deberían reutilizar sus toallas porque sería beneficioso para el medio ambiente, o porque ahorraría energía, o porque permitiría al hotel ahorrar dinero y por consiguiente cobrar menos por las habitaciones. Otro ejemplo: Cialdini contribuyó a redactar un comunicado de interés público destinado a alentar a los residentes de Arizona a reciclar. El comunicado decía, en esencia, que a los habitantes de Arizona les parece bien que la gente recicle y censuran a aquellos que no lo hacen. Afirmaba que el reciclaje era la norma social. La mayoría de comunicados públicos sólo animan a actuar a entre un uno y un dos por ciento de oyentes, según Cialdini.

—Aquellos comunicados de interés público produjeron un aumento del ciento veinticinco por ciento en toneladas recicladas, algo insólito hasta entonces.

Lo más frustrante de seguir la batalla de las bolsas durante los últimos tres años ha sido ver cómo los políticos recurren a respuestas fáciles y emplean iniciativas poco eficaces para conseguir que la gente cambie su manera de pensar. Las tasas y las campañas públicas de concienciación ayudan a cultivar el valor social compartido de la reutilización. Por el contrario, puede que las prohibiciones refuercen el desagrado instintivo de la gente hacia los plásticos sin animarla a cuestionar su dependencia de las bolsas desechables de cualquier clase. Al menos esto es lo que parece suceder en mi ciudad natal de San Francisco.

Un asesor independiente que visitó las principales cincuenta y cuatro tiendas de alimentación en 2008 descubrió que todas distribuían bolsas de papel, y en muchos casos utilizaban dos bolsas superpuestas hicieran falta o no.[92] Es cierto que las bolsas de papel pueden ser más fáciles de reciclar o de compostar, pero los ciudadanos de San Francisco continúan consumiendo decenas de millones de bolsas de la compra diseñadas para hacer un solo viaje a casa desde la tienda.[93] Y pese a la prohibición la ciudad aún está inundada de bolsas de plástico, ya que dicha prohibición sólo se refería a los supermercados y a las tiendas de autoservicio.[94] Los comercios pequeños todavía distribuyen bolsas camiseta, al igual que los mercados de frutas y verduras, los restaurantes de comida para llevar, las tiendas de ropa, las ferreterías y un sinfín de establecimientos más. Y todas las mañanas, llueva o nieve, mis periódicos aún llegan en bolsas tubulares de plástico, a menudo dos superpuestas. Me he llevado a casa relativamente pocas bolsas de plástico en algo más de tres años, y sin embargo los dos portabolsas en mi armario de las escobas siempre están llenos a rebosar.

Pese a todos sus defectos, las prohibiciones han contribuido a fomentar una reflexión pública sobre nuestro hábito de usar artículos desechables. Y existen señales esperanzadoras de que la cultura de usar y tirar está cambiando. Los fabricantes de bolsas reutilizables han anunciado un enorme incremento de ventas;[95] las ventas de una empresa de Phoenix que fabrica bolsas de malla de polipropileno aumentaron un mil por ciento en 2008. Aquel mismo año ChicoBag, una empresa californiana, vendió el triple de unidades de su bolsa de poliéster de cinco dólares, y las ventas han seguido aumentando. Entretanto, algunos fabricantes de bolsas de plástico han vislumbrado una nueva oportunidad comercial y están comprando maquinaria nueva para producir bolsas de polietileno de calibre más grueso que sean realmente reutilizables.

Recientemente pasé un día haciendo una encuesta (reconozco que poco científica) en tres tiendas de comestibles de San Francisco. Si bien la mayoría de los compradores empujaban carros llenos de bolsas de papel, un pequeño número, quizá dos de cada diez, llevaban su compra en bolsas reutilizables: bolsas de lona algo maltrechas, bolsas de plástico rígido o las bolsas de malla de polipropileno que las principales tiendas de la ciudad venden ahora por un dólar. Casi todos los miembros de esta minoría concienciada afirmaron haberse pasado a las bolsas reutilizables en el último año. Me acerqué a una mujer joven que tenía cinco bolsas en su carrito. Dijo que había empezado a llevar sus propias bolsas un año antes «para no dañar el medio ambiente». Las bolsas reutilizables de su carrito parecían tan nuevas e impecables que le pregunté si tenía muchas en casa.

—No —respondió—. Tengo unas cinco, y siempre las llevo en el maletero. Intento conservarlas el máximo de tiempo posible.

7
Cerrar el ciclo

Con frecuencia, Nathaniel Wyeth se refería a sí mismo como «el otro Wyeth» por deferencia a su famosa familia de artistas: su padre, N.C. Wyeth, y sus hermanos Andrew y Henriette.[1] Desde su primera infancia Nathaniel tuvo muy claro que no formaría parte de aquella dinastía artística. En lugar de tinta y pinturas le fascinaban las herramientas y los aparatos, de modo que cuando cumplió diez años su padre le cambió el nombre de pila de Newell (así se llamaba) a Nathaniel, por un tío que era ingeniero. Efectivamente, Wyeth acabó estudiando ingeniería mecánica y en 1936 entró a trabajar en DuPont, donde permaneció casi cuarenta años inventando todo tipo de objetos de plástico y de otros materiales. Solía molestarle que la química no tuviera el mismo reconocimiento creativo que el arte. A un pintor le bastaba con imaginarse un cuadro y plasmarlo en un lienzo, señaló Wyeth, mientras que un ingeniero de polímeros tenía que crear moléculas totalmente nuevas, aportarles sustancia y hacerlas funcionar.[2] Como dijo una vez en una entrevista, «me muevo en el mismo campo que los artistas, el de la creatividad, pero el suyo tiene más glamur».[3]

La idea que lo situaría en los anales del plástico se le ocurrió cierto día de 1967 tras hacerse esta pregunta: ¿por qué envasan los refrescos únicamente en botellas de cristal? Sus colegas le explicaron que las botellas de plástico estallaban debido a la presión carbónica. Wyeth se mostró escéptico. Compró una botella de plástico de detergente, vació el jabón, la llenó con *ginger ale* y la metió en el refrigerador. Cuando abrió la nevera a la mañana siguiente, la botella se había hinchado tanto que casi no pudo sacarla de entre los estantes. Wyeth estaba seguro de que habría alguna forma de resolver lo que denominó «el problema de la botella de refresco». Sólo le llevó diez mil intentos dar con la solución.[4]

Wyeth sabía que algunos polímeros adquirían resistencia a la tracción cuando se estiraban a lo largo;[5] un polímero usado para fabricar una botella de refresco necesitaba reforzarse cuando se estiraba tanto a lo largo como a lo ancho. Este desafío requería un polímero especial y un nuevo sistema para fabricar botellas. Wyeth descubrió ambos. Usó tereftalato de polietileno —un tipo de poliéster— y primero lo moldeó en forma de pequeña probeta, que luego hinchó hasta convertirla en una botella de tamaño normal;[6] gracias a este método las moléculas se reconfiguraron y proporcionaron una mayor fuerza estructural. He aquí una botella de plástico con la suficiente resistencia para soportar toda esa efervescencia presurizada, pero también con la fuerza suficiente para que la Food and Drug Administration le diera el visto bueno.[7] La botella era tan transparente como el cristal pero no se rompía, y pesaba muchísimo menos. Sus delgadas paredes no permitían la entrada del oxígeno que podía estropear el contenido, y a la vez no dejaban escapar el explosivo dióxido de carbono. La botella de PET fue otro de esos productos pedestres de plástico que satisficieron humildemente toda una serie de hercúleas exigencias.

Wyeth patentó su invento en 1973. Coca-Cola y Pepsi se apropiaron rápidamente de la botella de PET, y —como sucede en tantas historias sobre el plástico— pronto hubo tropecientas mil. Alrededor de un tercio de los 224 mil millones de envases de bebidas vendidos en Estados Unidos se fabrican ahora con PET, el polímero conocido también como plástico n.º 1, según la designación del código de resinas introducido por la industria en 1988.[8]

El éxito clamoroso de la botella de PET trajo consigo toda una serie de cambios que Wyeth, fallecido en 1990, sin duda no habría podido prever. Los fabricantes de refrescos pudieron envasar sus bebidas más fácilmente en botellas gigantescas comparadas con las pequeñas botellas de cristal de 192 mililitros que llevaron la Coca-Cola a las neveras estadounidenses hace casi un siglo. Las botellas individuales aumentaron de tamaño para poder contener tres o cuatro veces esa cantidad; las botellas de tamaño familiar se hincharon para contener hasta 2,8 litros. Cuanto más grande la botella, mayor el consumo. En el año 2000, el estadounidense medio tragaba alrededor de 196 litros de refrescos al año, el doble de la cantidad que bebía antes de la aparición del PET.[9] Y un mayor consumo ha contribuido a hacernos más gordos, dicen los expertos en nutrición que controlan la preocupante correlación entre el aumento del consumo de refrescos y los crecientes índices de obesidad y diabetes del tipo 2.

La maravilla ideada por Wyeth también permitió la costumbre cada vez más frecuente de consumir en plena calle.[10] Mucho tiempo atrás, casi todos los refrescos y cervezas se consumían en bares y restaurantes. Ya no. Pensemos en cuánto espacio destinan la tienda de autoservicio típica o el comercio de comestibles del barrio a las botellas pequeñas de refresco, zumo, té y agua. (Sin andarse con rodeos, la industria de las bebidas llama a estas tiendas «canales de consumo inmediato».)[11] Las botellas pequeñas de bebida representan ahora la mayor parte de la industria de las bebidas. El sector del mercado de bebidas para beber por la calle que ha crecido más rápidamente es el agua embotellada, un producto polémico que posiblemente deba su existencia a la botella de PET. ¿Acaso el agua de diseño se habría convertido en el accesorio indispensable del siglo XXI si tuviera que acarrearse en envases de cristal pesados y quebradizos?[12]

Mientras se enfrentaba al problema de las botellas de refresco, Wyeth probablemente no se paró a pensar en lo que le sucedería a la botella una vez estuviera vacía. La vida útil de los productos no era una cuestión que preocupara sobremanera a los ingenieros de polímeros de su generación. Wyeth había crecido en una época en la que las embotelladoras recogían automáticamente los cascos de cristal para lavarlos y volverlos a llenar. Para cuando perfeccionó la botella de PET, la industria de las bebidas estaba a punto de abandonar aquel sistema de devolución de botellas. Se trataba de un cambio surgido a raíz de la segunda guerra mundial, cuando Anheuser-Busch y Coca-Cola enviaban cerveza y refrescos a los soldados que combatían en el extranjero en miles de millones de latas y botellas que las empresas sabían que nunca recuperarían.[13] Pero los soldados sí volvieron, fascinados por la comodidad de las botellas no retornables, y crearon una demanda que contribuyó a mantener en uso la lata de cerveza. El cambio a envases no retornables también se benefició de la creación del sistema de autopistas interestatales, el cual permitió a la industria de las bebidas enviar mercancías a distancias mucho mayores y eliminó así la necesidad de construir plantas embotelladoras locales. La introducción de botellas de PET ligeras y no rellenables contribuyó a fomentar el cambio a lo que la industria denomina «*one ways*» [envases no retornables].

Las botellas de plástico intensificaron las consecuencias del cambio a *one-ways,* añadiendo una variedad de basura no degradable a la creciente cantidad de residuos tirados descuidadamente por calles, playas y parques, y a los volúmenes cada vez mayores de productos y envoltorios que echábamos a la basura cada semana. La botella de refresco abandonada era un antiestético corolario de la nueva ética de la comodidad, la clase de nota amarga que podría llevarnos a cuestionar una relación que por lo demás parecía muy excitante.

La plaga creciente de las botellas de plástico contribuyó a dar forma a la sensibilidad del naciente movimiento a favor del reciclaje. Es más, las botellas proporcionaron la base material para que el movimiento creciera. Ahora contamos con toda una infraestructura de empresas públicas y privadas dedicadas a aliviar la carga medioambiental de nuestro flujo de residuos en expansión mediante la transformación de los envases no retornables en nuevos productos y materias primas. Si el reciclaje tiene un objeto icónico, éste es sin duda la botella de PET.

Esto se debió en parte a la agilidad de la molécula de PET; es un polímero que puede adaptarse fácilmente a toda una serie de usos posteriores. Tan pronto como Coca-Cola y Pepsi comenzaron a embotellar sus refrescos en PET, las primeras botellas de PET fueron transformadas en correas para palés y en cerdas de pincel.[14] Pero Wellman Industries, antiguo fabricante de tejidos, descubrió un segundo uso aún más importante para las botellas: convertirlas en fibra de poliéster. Durante años Wellman había estado usando residuos industriales fuera de especificación para fabricar poliéster, una estrategia basada en que la empresa les dijera a sus proveedores: «Nos encanta el error que habéis cometido. ¿Podéis cometerlo de nuevo?».[15] La llegada de la botella de PET fue como maná llovido del cielo. De pronto la empresa disponía de una fuente de millones de kilos de materia prima barata para convertirla en ropa, relleno para sacos de dormir y muebles. En la década de 1990, se asoció a una antigua fábrica de lana de Nueva Inglaterra y al fabricante de ropa de montaña Patagonia para empezar a convertir esas botellas de PET usadas en forros polares sintéticos, lo que la llevó a lanzar una categoría totalmente nueva de moda ecológica que continúa teniendo éxito en la actualidad. Muchos de los equipos que participaron en la Copa del Mundo de fútbol de 2010 —al menos los que estaban patrocinados por Nike— llevaban uniformes hechos a base de botellas de PET recicladas.

La botella de PET, más que ningún otro producto de plástico, ha conseguido cumplir las tres condiciones necesarias para cerrar con éxito el ciclo del reciclaje. Está disponible en todas partes, gracias a los miles de millones que se producen cada año, es fácil de reprocesar y cuenta con numerosos mercados secundarios. Los fabricantes de todo el mundo piden a gritos botellas para convertirlas en camisetas, moquetas y más botellas nuevas. Las botellas vacías de PET son valoradas por todos los participantes en la red de reciclaje mundial, desde los indigentes que rebuscan entre la basura hasta las empresas multimillonarias.

Aun así, la mayoría no se reciclan.

A escala nacional, reciclamos sólo una cuarta parte de todas las botellas de PET, como la botella de Coca-Cola Light de 600 mililitros vacía que reposa sobre mi escritorio mientras tecleo, un símbolo de mi vicio diario.[16] Así que de los aproximadamente setenta y dos mil millones de botellas que se producen todos los años, unos cincuenta y cinco mil millones acaban en el vertedero, o tiradas por alguna parte. Es casi el poliéster suficiente para tejer tres jerséis para cada habitante de Estados Unidos.[17] Semejante cantidad de energía podría calentar e iluminar 1,2 millones de hogares durante un año.[18] En cualquier caso, cincuenta y cinco mil millones de botellas desechadas es un auténtico desperdicio.

En otra de las muchas paradojas del plástico, el mayor éxito del reciclaje, la botella de PET, es también el emblema de sus mayores desafíos.[19] Reciclamos menos plástico que cualquier otro material: apenas un siete por ciento en total, comparado con un 23 por ciento de cristal, un 34 por ciento de metales y un 55 por ciento de papel.[20] En resumen, estamos enterrando la misma clase de moléculas portadoras de energía que nos cuesta una fortuna extraer del suelo, arrancar de las minas y obtener mediante la voladura de cimas de las montañas. ¿Qué sentido tiene todo esto? Como señaló el crítico de las bolsas Robert Haley, cuando incluimos estas preciadas moléculas en productos diseñados para los usos más fugaces, inevitablemente perdemos de vista su valor. Olvidamos que objetos como las botellas de refresco usadas son recursos que merece la pena conservar, en lugar de tirarlos a la basura para que acaben en el vertedero. ¿Cómo podemos cambiar esta manera de pensar para que la gente no vea el plástico como un material de un solo uso?

El desperdicio no era un problema excesivamente importante antes del siglo XX. Los cubos de basura que se dejan en la acera y el triángulo con las tres flechas puede que sean invenciones modernas, pero la gente ha estado reciclando y reutilizando diversos materiales a lo largo de la historia.[21] Los ingleses preindustriales estaban tan ocupados recuperando prendas de ropa, metales, piedras y otros materiales y dándoles nuevos usos que un historiador ha bautizado aquel periodo como «la edad de oro del reciclaje». Hasta mediados del siglo XIX, el papel se hacía enteramente a base de lo que hoy llamaríamos «contenido posconsumidor», es decir, trapos usados. Durante la guerra civil estadounidense, las telas y los trapos escaseaban tanto que los fabricantes de papel importaron momias egipcias para poder usar sus vendajes de lino: fue sin duda uno de los ciclos de reciclaje más largos de los que tenemos constancia.

Durante buena parte de la historia de Estados Unidos, los estadounidenses produjeron una cantidad relativamente baja de basura.[22] Los envoltorios, que ahora son los componentes más abundantes del flujo de residuos, apenas existían. La mayoría de los alimentos y mercancías se vendían a granel y poca gente tenía los recursos suficientes para despilfarrar, tal y como señaló la historiadora Susan Strasser en su historia social de la basura, *Waste and Want*. La reutilización era una costumbre diaria. Las mujeres usaban restos de comida para hacer sopa, y alimentaban también con restos a los cerdos y las gallinas que criaban la mayoría de las familias. La ropa vieja se remendaba, se hacía jirones para convertirla en trapos o se convertía en prendas nuevas. Los objetos rotos se reparaban, se desmontaban para aprovechar algunas piezas o se vendían a vendedores ambulantes, que a su vez los desmontaban y volvían a vender a los comerciantes el cristal, los metales, los trapos, el cuero y otros materiales. Los hijos de los pobres hurgaban por los alrededores de sus casas en busca de objetos desechados que pudieran venderse, como siguen haciendo hoy en los países en desarrollo. Los objetos a los que no se podía dar ningún uso se quemaban; los pobres, especialmente, «cocinaban sus alimentos y calentaban sus habitaciones con basura», escribió Strasser.[23] El reciclaje continuo de objetos usados no sólo permitía a las familias seguir adelante, sino que proporcionaba fuentes muy importantes de materias primas para la industrialización temprana.

Esta clase de sistemas informales de reciclaje empezaron a desaparecer a principios del siglo XX. Por una parte, la gente empezaba a comprar más productos y envases de un solo uso. Por otra, los reformistas de la Era Progresista en Estados Unidos, que pretendían erradicar la miseria generadora de epidemias en las abarrotadas ciudades de principios de siglo, introdujeron los sistemas de recogida de basuras y los vertederos municipales. A partir de entonces, los productos y los materiales que pasaban a formar parte de las vidas de los estadounidenses tenían un único destino: el cubo de la basura. Los desechos ya no eran una fuente de valor o de oportunidades potenciales: eran un problema. Y dicho problema se resolvía o bien excavando agujeros en el suelo y enterrándolo o construyendo incineradoras y quemándolo. El valor de la basura se medía únicamente por las tarifas de transporte y vertido que cobraban los vertederos.

A finales de la década de 1960 comenzó a producirse un cambio, impulsado por el movimiento ecologista emergente.[24] A los activistas les preocupaban las sustancias químicas lixiviadas desde los vertederos no regulados, les angustiaban las cantidades cada vez mayores de basura tirada por las calles y se mostraban convencidos de que estábamos agotando los recursos naturales a un ritmo alarmante e insostenible. Al amparo de la antigua ética de la reutilización surgieron miles de programas voluntarios de reciclaje en los meses cercanos al primer Día de la Tierra, celebrado en 1970. Pero en realidad el movimiento no empezó a tomar impulso hasta finales de los años ochenta, después de que la barcaza para la recogida de basura de Nueva York *Mobro 4000* pasara varias semanas de 1987 navegando por la Costa Este en busca de un lugar donde verter su cargamento. El país se dejó llevar por la convicción de que se enfrentaba a una escasez alarmante de vertederos. Finalmente resultó que las dificultades del *Mobro* se debían más a los problemas económicos de su propietario que a la falta de espacio en los vertederos. No importa.[25] Tras el épico deambular de la barcaza, el reciclaje moderno despegó. A mitad de los años noventa, la mayoría de los estados habían adoptado leyes integrales sobre el reciclaje y anunciaron sus objetivos para reducir la cantidad de desechos que se destinaban al vertedero. Las comunidades empezaron a incorporar la recogida selectiva de residuos puerta a puerta y los centros donde depositar residuos en sus programas municipales de gestión de residuos sólidos. Las empresas de transporte de residuos construyeron cientos de instalaciones —conocidas como MRF, o *murfs*— para la recuperación y clasificación de los artículos reciclables que se recogieran. Surgió un gran número de nuevos negocios dedicados a la recuperación de los materiales usados.

Entretanto, en 1988 la Society for Plastics Industry introdujo un sistema de codificación para ayudar a los fabricantes y a todos los que reciclaban a identificar las distintas clases de envoltorios de plástico. De ahí los minúsculos números que encontramos hoy en la parte inferior de las botellas, los tarros y otros recipientes. Estos códigos no estaban concebidos como una promesa de que el artículo sería reciclado, pero la mayoría de los consumidores lo ha entendido así porque los números suelen estar rodeados de un triángulo formado por tres flechas: el símbolo universal del reciclaje. Dada la escasa cantidad de plástico que realmente se recicla, este error generalizado saca de quicio a los expertos en reciclaje.

El código de la resina abarca los seis plásticos principales usados en el embalaje: el n.º 1 se refiere al PET; el n.º 2 al polietileno de alta densidad (HDPE), el plástico usado para fabricar tetrabriks de leche y de zumo y bolsas camiseta; el n.º 3 es el cloruro de polivinilo (PVC), con el que se hacen las botellas de zumo, los blísteres para artículos electrónicos y algunas clases de film transparente; el n.º 4 es el polietileno de baja densidad, usado en bolsas para comida congelada, botellas de plástico blando y, a veces, film transparente y tapas flexibles para ciertos recipientes; el n.º 5 es el polipropileno, el plástico con el que se fabrican los recipientes de yogur, los envases de margarina, las tapas de botella y los recipientes para el microondas. El n.º 6 se refiere al poliestireno, ya sea en la versión de espuma que se usa en los envases para huevos y recipientes de comida para llevar o en otra versión dura y transparente, que se usa cada vez más en los envases tipo concha para frutas y verduras, bienes de consumo y comida para llevar. La última categoría, el n.º 7, estaba pensada como sustituto de cualquier otro plástico. En años recientes, su asociación con el policarbonato que contiene bisfenol A, hallado en las botellas rígidas de agua, ha provocado el recelo de los consumidores y ha perjudicado a los fabricantes de otros plásticos que utilizan el mismo código. Ningún fabricante quiere un n.º 7 en su producto en la actualidad.

El código constituye una guía tan pobre de la gran diversidad de polímeros usados en los embalajes actuales —a los que se suele encasillar como n.º 7— que actualmente se están haciendo esfuerzos para revisar y ampliar el número de categorías.[26] Pero en las décadas de 1980 y 1990, el código proporcionaba una valiosa lingua franca para la infraestructura del reciclaje que iba adquiriendo forma rápidamente. Este sistema es ahora tan poco fiable como el código de reciclaje, por el hecho de basarse en el compromiso nada firme de los gobiernos municipales y en las esperanzas vagamente verdes de los consumidores de que al depositar los residuos en cubos de reciclaje en lugar de tirarlos a la basura reducirán la cantidad de desechos que producen.[27]

En la actualidad, la mayoría de los estadounidenses tienen acceso a los distintos métodos de reciclaje (aunque no necesariamente a través de un programa de recogida de residuos puerta a puerta).[28] Es la actividad ecológica más popular en la que participamos. Pero ¿acaso sirve de algo? Aunque cada semana metía diligentemente mis botellas vacías de Coca-Cola en el cubo azul, en realidad no tenía ni idea de lo que hacían con ellas después. Como supe más tarde, mi botella iba a embarcarse en un viaje épico, y si la seguía me llevaría a partes de mi ciudad natal en las que no había estado nunca, así como a distintos países del mundo y a una economía antiquísima y posmoderna a un tiempo.

Eran las ocho y veinte de un jueves por la mañana cuando oí el chirrido hidráulico del camión de reciclaje que se acercaba desde el otro extremo de la calle. Salí corriendo para encontrarme con el conductor, Bill Bongi, quien había accedido a dejarme seguirlo en su ruta.

San Francisco, la ciudad en la que vivo, probablemente cuenta con el programa municipal de reciclaje más completo del país.

En su ofensiva para desviar todos los residuos posibles del vertedero municipal, en San Francisco el reciclaje es obligatorio. A los residentes también se les exige que composten sus residuos orgánicos, pero los funcionarios municipales admiten que no cuentan con todos los recursos necesarios para hacer cumplir esta ley. Sin embargo, debido a este objetivo más amplio, se anima a los residentes a meter prácticamente todos los tipos de plástico —desde el número 1 hasta el 7— en sus cubos de reciclaje. Esto incluye no sólo las botellas de bebidas y de leche que la mayoría de los programas de reciclaje recogen, sino también envases de yogur, juguetes viejos, macetas, cepillos de dientes, fundas de CD, vasos desechables y diversos plásticos no relacionados con el embalaje que no suelen aceptarse en otros programas comunitarios. Hay sólo unos pocos tipos de plástico que no puedo meter en mi cubo: bolsas, envoltorios y film transparente, porque se enredan en la maquinaria de la planta de reciclaje; porexpán, porque hay pocos mercados secundarios donde venderlo; y los plásticos biodegradables y compostables, porque están concebidos para el compostaje más que para el reciclaje.

Bongi, que ahora tiene unos cincuenta años, ha trabajado para Recology, la empresa que transporta la basura en San Francisco, desde que acabó sus estudios secundarios. Como varios otros empleados de la empresa, Bongi viene de una familia de basureros y ha seguido a su padre y a su abuelo en el negocio. Cuando le pregunté si sus hijos lo seguirían a él, respondió enérgicamente: «No, no, no. Están en la universidad». Me puse a andar por la acera mientras él conducía despacio calle arriba, deteniéndose entre cada dos casas para bajar del camión de un salto y coger los cubos. (Bongi echa de menos la época en que en los camiones viajaban cuadrillas de basureros; ahora la única posibilidad de entablar conversación surge si un vecino sale de su casa para saludarlo o para preguntarle algo.) Había cubos azules para los productos de reciclaje; verdes para ramas y césped cortado, restos de comida y envoltorios de papel para alimentos, como las cajas de pizza que se transportan hasta las plantas municipales de compostaje industrial; y cubos negros, para cualquier cosa que no se eche en los otros dos. Este sistema de tres cubos es una parte fundamental de la ambiciosa política municipal de residuo cero. El hecho de tener que separar la basura en distintos cubos obliga a los residentes a considerar qué residuos podrían reutilizarse después. Cuantos más desperdicios metan en los cubos azules y verdes los residentes de la ciudad, menos pagarán por la recogida de basuras, un enfoque basado en la idea de «pagar por lo que se tira» que según los expertos ayuda a aumentar los niveles de reciclaje.

Sin embargo, como sucede con cualquier programa de recogida selectiva puerta a puerta, existen limitaciones a la cantidad de desechos que pueden recuperarse. Se suele reciclar menos en los bloques de pisos, donde vive la mayoría de los habitantes de San Francisco y donde la responsabilidad por los desechos es más difusa que en una casa unifamiliar. Para los caseros es difícil comprobar, y mucho menos asegurar, que todos su inquilinos estén metiendo los residuos reciclables en el cubo azul. Y los programas de recogida puerta a puerta están concebidos para recoger artículos consumidos en un lugar determinado, lo que significa que no recogen el número cada vez mayor de botellas que se consumen por la calle. Eche una ojeada a los cubos de basura de las gasolineras, me dijo alguien que reciclaba sus plásticos: siempre están llenos de botellas vacías.

Aquella mañana me aseguré de meter mis botellas de Coca-Cola Light consumidas en una semana en mi cubo azul. Era extraño, pero había pocas botellas de plástico en los otros cubos que Bongi vació. En lugar de botellas, contenían principalmente periódicos, cartones y frascos de cristal. Esto se debe a la ley de envases retornables de California: en este estado, las botellas y las latas de bebidas pueden canjearse por dinero, así que la gente las coge de los cubos que están en la acera, explicó Bongi:

—Los sin techo roban todas las botellas y todas las latas.

Acabarán reciclándose de todos modos, pero será a través del programa de canje del estado, y no del sistema de reciclaje de la ciudad.

La ausencia de botellas y de latas no debería haberme sorprendido. Meses atrás, pasé una mañana con un sin techo llamado Sean, uno de los actores secundarios de la economía no oficial del reciclaje en San Francisco. Sean recorre cada día cuarenta calles de mi barrio rebuscando en los cubos azules botellas y latas que pueda vender a uno de los dieciocho centros de canje de la ciudad. Dichos centros pagan los recipientes de bebidas por kilo a precios fijados por el estado, que fluctúan según los mercados mundiales de desechos. En el día que pasé con Sean, 450 gramos de botellas de PET se pagaban a noventa y seis centavos, bastante menos que el aluminio y un poco menos que el cristal, pero más que cualquier otro tipo de plástico.

Sean tiene casi setenta años. Es un hombre simpático de barba blanca, ojos de un azul transparente, escasos dientes, debilidad por la cerveza y un enfoque kármico sobre su vida como sin techo. Es bastante culto y parecía lúcido, salvo cuando describió a los extraterrestres que le estaban reconstruyendo el cuerpo para fortalecerlo y prepararlo mejor para la vida de indigente. Con todo, le creí cuando me dijo que vivir en la calle durante los últimos veintitrés años había sido decisión suya. En su opinión, era una preparación para lo que le sucediera cuando también lo reciclaran a él.

—¿Alguna vez ha querido tener un hogar propio? —le pregunté.

—No —respondió—, porque según la enseñanza budista, cuanto mayor es la renuncia, cuando vuelves [en la próxima vida] vuelves a lo grande.

Sean solía encontrar todo lo que necesitaba, ya fuera un carrito de la compra, un bocadillo a medio comer o un nuevo par de pantalones.

—Lo encuentro todo en la calle. ¿Ve? Ahí hay un montón de zapatos —dijo, señalando una bolsa apoyada junto al cubo de basura de alguien—. Uso la ropa sólo un día. Cuando ya no la voy a usar más, la pongo en sitios donde la gente pueda reciclarla si quiere.

Años atrás, explicó Sean, no le costaba nada encontrar los envases suficientes para ganar entre quince y veinte dólares al día. Pero ahora, al igual que otros indigentes que intentan vivir de lo que sacan de los cubos de reciclaje, Sean encontraba los cubos saqueados por las flotas clandestinas de coches y camiones que rondaban por los barrios de madrugada, antes de que llegaran los recolectores oficiales como Bongi. En el centro de canje, Sean observó con envidia a una pareja de ancianos chinos que vaciaban docenas de bolsas de basura llenas con las botellas y las latas que habían recogido. Lo más probable es que este botín no procediera de los cubos azules de particulares, me dijo el director del centro, sino de los restaurantes y bares chinos con los que la pareja habría llegado a algún acuerdo. Aquel día los ancianos sacaron más de sesenta dólares. Sean sólo consiguió 5,41 dólares, una cantidad apenas suficiente para pagar el billete de autobús y una cerveza.

Los incentivos económicos creados por las leyes de los envases retornables son un arma de doble filo. Por una parte, contribuyen a la recogida, garantizando que entren más botellas en el flujo de reciclaje. California recupera casi tres cuartas partes de las botellas de PET vendidas en el estado,[29] casi seis veces el promedio de los estados que no tienen una ley similar.[30] Por otro lado, las botellas y las latas extraídas de los cubos colocados sobre la acera privan a las ciudades de ingresos muy necesarios para sus programas de recolección de desechos y reciclaje. San Francisco calcula que está perdiendo cinco millones de dólares al año por culpa de los furtivos profesionales, algunos de los cuales emplean hasta diez camiones.[31] (Este dinero va a parar a las arcas estatales y no a las municipales.) A veces, mientras hace su ruta, Bongi se topa con personas que revuelven el contenido de los cubos. Aunque lo que hacen es ilegal, no le parece que pueda hacer mucho para detenerlos.

Cuando acaba su ruta, Bongi cruza la ciudad para llegar a Recycle Central, el MRF de la ciudad y primera parada de mis botellas vacías. Los MRF son aquellos lugares donde las botellas reciclables recogidas por una ciudad o por un condado se clasifican y se empaquetan para su venta. El MRF de San Francisco, inaugurado en 2004, es una estructura gigantesca de 61.000 metros cuadrados y treinta y ocho millones de dólares construida en el muelle. (Al igual que muchas otras instalaciones destinadas al procesado de residuos, está ubicado en uno de los barrios más pobres de la ciudad, predominantemente afroamericano.)[32] El día que lo acompañé, Bongi aparcó en el enorme almacén junto a varios camiones más, pulsó un botón para inclinar la carga del camión hacia atrás y luego permaneció sentado mirando tranquilamente hacia el horizonte mientras el camión vaciaba su contenido sobre la fosa de descarga. Bongi y los otros conductores dejan una montaña de objetos reciclables sobre la fosa de descarga cada día: un promedio diario de setecientas toneladas. Cuando los camiones se van, entran retumbando los bulldozers y empiezan a abrirse paso en las paredes de la montaña empujando montones de desechos hacia varias cintas transportadoras que se elevan hasta un zigurat de cintas, tolvas y aspiradoras enormes donde se realiza la clasificación de los materiales.

Dada la reputación de San Francisco como centro de reciclaje, esperaba ver un sistema de altísima tecnología. Y, de hecho, existe cierto grado de automatización sorprendente. Varios imanes extraen las latas de sopa, y un artilugio denominado separador por corriente de Foucault repele las latas de aluminio y de cobre, haciéndolas saltar de las hileras y caer en distintos cubos. Pendientes empinadas de discos zumbantes transportan el papel y otros artículos ligeros hacia arriba mientras los objetos más pesados caen sobre otras hileras en movimiento situadas más abajo.

Pero cuando se trata de clasificar plásticos, el sistema es extraordinariamente rudimentario. Los plásticos suponen un desafío para los MRF.[33] Hay muchos polímeros diferentes, y cada uno de ellos posee propiedades químicas y físicas características, distintas temperaturas de fusión y mercados secundarios diferenciados.

—La gente dice que todo el plástico es igual, pero una botella de leche es tan distinta de una de refresco como una lata de aluminio de un trozo de papel —comentó Steve Alexander, director ejecutivo de la Association of Postconsumer Plastic Recyclers [Asociación de Recicladores de Plástico Posconsumidor].

La mayoría de los plásticos no pueden reciclarse juntos, pero muchos tienen un aspecto tan similar que son difíciles de clasificar. El PET, por ejemplo, se confunde fácilmente con el PVC: ambos son transparentes y se usan en envases del mismo tipo. Pero unas pocas botellas de PVC en una bala de media tonelada de botellas de PET, o viceversa, pueden contaminar todo el lote hasta el punto de impedir su reutilización. Además, algunos productos hechos con el mismo polímero no deberían reciclarse juntos; una botella de PET a la que se ha dado forma mediante soplado tiene una temperatura de fusión distinta que la de una bandeja para galletas de PET moldeada mediante extrusión. Si intentamos combinarlas acabaremos con una masa inutilizable. Existen máquinas —escáneres ópticos, espectrómetros especiales y láseres— que pueden separar los distintos polímeros, pero resultan enormemente caras y sólo las tienen los MRF regionales más grandes. Esto significa que la clasificación de los plásticos tiene que hacerse a mano, lo que crea empleos pero aumenta los costes.

Y cuando hay que reciclar setecientas toneladas de este material al día, no es posible hacer una clasificación rigurosa. Las cintas transportadoras se mueven demasiado deprisa para que los hombres y las mujeres que seleccionan los residuos puedan examinar de cerca cada objeto, y mucho menos comprobar su código de resina. Por tanto, se limitan a buscar las botellas. Sacan las botellas de PET, como las de Coca-Cola que metí en mi cubo aquella mañana, y las de polietileno de alta densidad, como envases de leche, zumo, detergente y aceite para motor. También clasifican las botellas de HDPE según su color, ya que un envase sin colores tiene más posibilidades de ser reutilizado —y por ello un valor más elevado— que otro que sea amarillo dorado, verde hierba o negro. (El color de los plásticos no puede eliminarse al reprocesarlos, y cualquier pigmento oscuro aportará al plástico reciclado una tonalidad grisácea, en el mejor de los casos.)

¿Y qué sucede con el resto de productos de plástico que los habitantes de San Francisco, alentados por el Ayuntamiento, meten en sus cubos de reciclaje? ¿Los envases de yogur, las cestas de fresas y moras, los grasientos envases tipo concha de la comida para llevar, las bandejas de pollo de la charcutería, los envases medio vacíos de hummus y los tarros con restos de mantequilla de cacahuete que vi pasar a toda velocidad en las cintas transportadoras de Recycle Central? Los clasificadores ni siquiera intentan separar esta colección variopinta. El problema no se debe a los restos de comida pringosa, dado que los reprocesadores pueden limpiar incluso los tarros más grasientos. Lo malo es que el valor de estos plásticos en los mercados de residuos no es lo suficientemente alto para que merezca la pena que los clasificadores, que cobran diecisiete dólares la hora, les dediquen su tiempo.[34] El problema que plantean estos plásticos nos recuerda al dilema del huevo y la gallina:[35] la mayoría de los programas municipales de reciclaje no los recogen porque no hay mercados finales que puedan absorberlos, pero los mercados finales no se pueden desarrollar sin que se les garantice un suministro constante. La respuesta de Recology a este dilema consiste en empaquetar juntos los números 3 a 7 en balas y venderlos como plásticos mixtos, dejando que otras empresas los clasifiquen y los reutilicen.

Me dirigí al fondo del almacén y observé cómo emergían enormes bloques comprimidos de distintos materiales desde el extremo posterior del zigurat clasificador. Apiladas contra una pared, vi varias balas de botellas de PET. No muy lejos había unas cuantas balas más pequeñas de plásticos mixtos de vivos colores y un contenedor medio lleno con balas de botellas coloreadas, del número 2.

Hasta aquel momento, la escena que había presenciado era bastante habitual en cualquier MRF. Pero lo que sucede a continuación puede variar enormemente, según dónde vivas y de qué plástico se trate. Si viviera en el Medio Oeste o en la Costa Este, por ejemplo, mi MRF más cercano probablemente vendería las balas que contenían mis botellas de Coca-Cola vacías a una recuperadora nacional de PET, que las trituraría, las lavaría y luego las pasaría por tanques de flotación/hundimiento para separar los trocitos de botellas de los trocitos de tapones y etiquetas (el PET se hunde en el agua, mientras que los plásticos usados para fabricar las etiquetas y los tapones flotan). El plástico de los tapones —generalmente polipropileno o polietileno de alta densidad— se extraería y se vendería a los fabricantes para convertirlo en nuevos tapones o en otros productos. Las escamas de PET serían sometidas a una nueva sesión de limpieza y a un nuevo procesado, y finalmente acabarían vendiéndose, en forma de escama o de gránulo, a fábricas que los convertirían en nuevos productos de PET, como fibra de poliéster, correas usadas para sujetar los paquetes en los palés, otros envases, o incluso nuevas botellas de refresco. Un posible fin de trayecto para mis botellas sería Mohawk Industries, la empresa textil de la ciudad de Georgia que usa decenas de millones de kilos de PET reciclado para hacer moquetas.

Pero en la Costa Oeste sólo hay un destino para mis botellas de Coca-Cola usadas, y, en realidad, para casi todos los plásticos que meto en mi cubo de reciclaje: China.

¿China?

Sí, China. Durante años, a San Francisco y a otras ciudades de la Costa Oeste les ha salido más barato enviar sus plásticos usados a China en un viaje en barco de dos semanas que transportarlos en camión por todo el país para acabar depositándolos en las empresas recuperadoras nacionales.[36] También ciudades portuarias de la Costa Este, Europa y Latinoamérica envían sus desechos plásticos a China. Un carguero puede transportar mucho más tonelaje que un camión, y el combustible es más barato. Además, dado que Estados Unidos importa más productos de China de los que exporta, los barcos llegan aquí llenos hasta los topes de cargamento, pero regresan con las bodegas casi vacías. A lo largo de la historia, las navieras asiáticas han estado más que dispuestas a ofrecer tarifas reducidas a fin de poder recuperar parte del coste del viaje de vuelta. Lo sorprendente es que, según algunos análisis, enviar nuestros residuos plásticos por barco a China resulta beneficioso desde una perspectiva ecológica.[37] El uso de residuos plásticos reduce la cantidad de resina virgen que China tiene que producir, lo que significa que sus fábricas, alimentadas con carbón, emitirán menos gases de efecto invernadero.

Hoy en día China recibe alrededor del 70 por ciento de los plásticos usados en todo el mundo.*[38] (India, otra potencia emergente en el sector de los plásticos, también recibe una cantidad considerable.) La mayor parte de esta cantidad se compone de botellas usadas de PET, las cuales son procesadas por los chinos casi en su totalidad para fabricar fibra de poliéster. Se precisa mucha tela para vestir a mil millones de personas.[39] Las empresas de reciclaje chinas son capaces de ofrecer más dinero que las occidentales porque disfrutan de la misma ventaja que los fabricantes chinos de productos plásticos: mano de obra barata.

Eso descubrí al visitar una planta de reciclaje en Dongguan, una de las florecientes ciudades de la provincia de Guangdong. El jovial propietario de la planta, Toland Lam, también preside el comité de reciclaje de la principal asociación del sector del plástico en China. Otros recicladores con los que me puse en contacto se mostraron temerosos de ser entrevistados, pero a Lam no le importó hablar conmigo. Parecía ansioso por demostrar que no todos los desechos exportados desde Occidente acaban siendo clasificados y desmontados por niños y mujeres pobres en instalaciones ilegales y tóxicas, como la que apareció en una emisión del programa *Sixty Minutes* en 2008. El programa hacía el seguimiento de una remesa de monitores de ordenador enviados por barco desde una empresa de reciclaje en Denver hasta el pueblo de

* Aunque esta cantidad puede disminuir como consecuencia de las nuevas regulaciones introducidas por Pekín en 2011 y que aspiran a impedir la importación de residuos sólidos. *(N de la A.)*

Guiyu, donde la exposición diaria de sus habitantes a los metales peligrosos que contienen los residuos electrónicos había causado saturnismo a la mayoría de los niños de la zona.[40] (En un congreso sobre reciclaje, dos directores de programas empresariales de reciclaje me confesaron que revelaciones como aquélla los habían llevado a seguir la pista de sus desechos reciclables. «No quiero acabar saliendo en *Sixty Minutes*», afirmó uno de ellos.)

Lam fue uno de los primeros empresarios en la industria china del reciclaje. En la década de los ochenta, cuando trabajaba como ingeniero petrolífero para la empresa Arco Oil and Gas en Los Ángeles, algunos amigos de Hong Kong le pidieron que los pusiera en contacto con empresas estadounidenses que quisieran deshacerse de sus residuos plásticos. Lam vislumbró la oportunidad de volver a China para iniciar una nueva actividad laboral potencialmente lucrativa. En aquella época, explicó,

—Nadie sabía cómo hacerlo. [Los residuos] eran gratis. Durante los primeros años mucha gente hizo dinero. Ahora el mercado se está poniendo cada vez más competitivo.

En la actualidad Lam es propietario de varias plantas, entre las que se cuentan las grandes instalaciones de Dongguan donde se reciclan los residuos plásticos posindustriales de empresas estadounidenses: materias primas fuera de especificación, envases, envoltorios de plástico adherente y desechos de las fábricas. Los almacenes —más bien enormes cobertizos sin paredes— son monumentos al exceso. Recorrí cañones de residuos, sintiéndome como uno de los humanos de aquel programa televisivo de los años sesenta llamado *Tierra de gigantes*. Pasé por delante de una altísima pila de fundas de DVC, probablemente procedentes de alguna gran superficie, y también vi una bala de al menos tres metros y medio de alto de hojas de envoltorios de Cheetos que por alguna razón no se habían cortado para hacer bolsas. Había témpanos de plástico adherente comprimido y montones de recortes procedentes de pañales desechables. En todos estos casos, explicó Lam, a los fabricantes estadounidenses les salía más barato empaquetar los residuos y enviárselos a él que reprocesar el material ellos mismos.

La explicación me quedó clara cuando entramos en uno de los cobertizos donde se llevaba a cabo la clasificación. Varias mujeres vestidas con batas sacaban montones de hojas de plástico de bolsas enormes que eran tan altas como ellas. Algunas recortaban cuidadosamente las etiquetas de papel de las hojas, un paso necesario antes de que el film de plástico pudiera lavarse y transformarse en nuevos gránulos o en escamas.

—En China, este trabajo sale barato. Tienen muchas manos —dijo Lam—. Estamos hablando de unos doscientos dólares por contratar a una persona. ¿Se puede contratar a alguien por doscientos dólares en Estados Unidos?

—¿Quiere decir doscientos al mes? —pregunté.

—Sí, eso es lo que pagamos. En Estados Unidos, serían doscientos al día... No merece la pena tanto trabajo para separar los materiales. Pero en China podemos hacerlo.

Todos los obreros eran trabajadores emigrantes que dormían en dormitorios compartidos y comían en una cantina rodeada de jardines frondosos y bien cuidados. La planta está limpia y bien ventilada; con todo, los cobertizos apestaban a plástico caliente y se oía continuamente el rugido incesante de la maquinaria de tecnología punta que Lam usa para lavar y triturar los residuos hasta convertirlos en gránulos o en escamas utilizables. La mayoría de los trabajadores llevaban casco y algunos mascarillas, pero no vi a nadie con tapones en los oídos ni utilizando cualquier otra clase de equipo de seguridad. Cuando le pregunté cómo sabía qué clase de resinas plásticas estaba reciclando —un desafío que los reprocesadores occidentales resuelven mediante ojos electrónicos— Lam respondió que normalmente lo sabía gracias a sus años de experiencia. Pero si era preciso, podía recurrir a la prueba del encendedor: quemar una muestra para determinar el tipo de polímero según el color y la intensidad de la llama.

En otro edificio, observé cómo un hombre que estaba de pie sobre una gran máquina echaba paladas de plástico en su interior. Los trozos de plástico se derretían rápidamente y luego aparecían por el otro extremo en forma de largos espaguetis grises; a continuación pasaban por una cubeta de agua para enfriarse y después eran cortados en forma de pequeños gránulos que Lam enviaría más tarde por barco a los fabricantes estadounidenses.[41]

Desde una perspectiva global, podríamos decir que empresarios como Lam ayudan a convertir el flujo mundial de desechos de una sola dirección en un circuito productivo.[42]

—El mundo de los negocios ha encontrado esta solución —señaló Edward Kosior, un experto australiano en tecnología del reciclaje.

El chatarrero del barrio que se encargaba de los desechos hace un siglo opera hoy en día en un escenario mucho mayor. Aunque el compromiso de San Francisco con residuo cero es la razón que me anima a meter bolígrafos rotos, vasos de picnic usados y baldes agrietados en mi cubo de reciclaje, las ansias de China por obtener estos artículos de desecho es en gran medida lo que ha garantizado su reciclaje.[43] Si yo viviera en Chicago, me dijo un vendedor empleado por uno de los transportistas locales de residuos, las cosas serían muy distintas. Entonces esos artículos irían a parar directamente al vertedero. Enviar balas de plásticos mixtos de Chicago a China no resulta económico, explicó. Y en la actualidad, «en el Medio Oeste, no hay mercados para los plásticos».

¿Por qué no se han creado estos mercados? El voraz apetito de China por el plástico usado estadounidense es al menos parte de la respuesta. Todos esos contenedores que se dirigen a Asia nos indican que Estados Unidos se está perdiendo una fase importante de la economía de los plásticos: la recuperación de la resina usada. Si bien la cantidad de botellas de PET usadas que se recogen para su reciclaje ha aumentado sin cesar durante la última década, lo mismo ha sucedido con la cantidad comprada por China. Esto se traduce en una reducción cada vez más acusada de la cantidad de PET usado de que pueden disponer las recuperadoras estadounidenses. En 2009, los programas de reciclaje estadounidenses recogieron 650 millones de kilos de botellas de PET, todo un récord.[44] Pero la mayoría se vendieron en el extranjero, principalmente en China. Las recuperadoras estadounidenses compraron sólo el 44 por ciento, o 289 millones de kilos, lo que no era mucho más que lo que habían comprado diez años atrás. La escasez crónica de este material ha «asfixiado la innovación y la inversión» en el reciclaje en Estados Unidos, dijo Alexander, el director de la asociación de recicladores de plástico. Ha impedido el desarrollo y la utilización de tecnología que podría volver más eficientes y rentables la clasificación y el reciclaje.

Pero aunque el factor chino esté debilitando los programas de reciclaje estadounidenses, no es la única razón del escaso éxito de estos programas.[45] Las tasas de reciclaje no han dejado de bajar desde principios de los años noventa, incluso para botellas de PET.[46] Los expertos afirman que este declive guarda relación con las deficiencias de los programas de reciclaje municipales. Los programas de recogida puerta a puerta y los centros donde depositar residuos dependen de la voluntad de la gente para meter sus botellas usadas en el cubo apropiado. Como dijo un analista, «conseguimos que la gente recicle basándose en argumentos emocionales, y esos argumentos suponen un [nivel de recuperación] de alrededor del veinticinco por ciento».[47] Al parecer, mucha gente cree que reciclar supone un esfuerzo que no merece la pena.

Para intentar conseguir que más gente participe, muchos municipios han adoptado la recogida de flujo único, consistente en meter todos los residuos en el mismo cubo.[48] La gente está más dispuesta a sacar sus cubos a la acera cuando no tienen que separar papel, cristal, plástico y latas. Pero en este batiburrillo de materiales, el cristal roto se mezcla con el papel y el plástico, los restos de comida grasienta manchan el papel, y todo se convierte en un flujo más caro y más difícil de clasificar por el MRF. La ley según la cual «si entra basura, saldrá basura» se impone: diversos estudios muestran que cuanto más mezclados estén los materiales que van a parar al MRF, menor será la cantidad y la calidad de los materiales clasificados. Las balas de PET recogidas en programas de flujo único suelen estar contaminadas con papel, cristales rotos y latas aplastadas, lo que disminuye su valor en los mercados de reventa. (Una experta en reciclaje me dijo que había abierto una bala de plásticos mixtos enviados a China y había encontrado una aspiradora en su interior.)[49] Este equilibrio entre cantidad y calidad ha comprometido el éxito del reciclaje municipal.

También ha ralentizado el desarrollo de los sistemas de reciclaje de ciclo cerrado, en los que las botellas de plástico usadas pueden convertirse en nuevas botellas de plástico. Los sistemas de ciclo cerrado representan el reciclaje más beneficioso desde una perspectiva ecológica.[50] Convertir una botella vieja en otra nueva compensa la necesidad de resina virgen, lo cual constituye en última instancia la mejor manera de reducir los recursos necesarios para fabricar los objetos que necesitamos. Pero la Food and Drug Administration cuenta con regulaciones estrictas sobre la calidad de los plásticos reciclados que pueden usarse en productos aptos para el consumo alimentario, y las botellas procedentes de los programas de recogida selectiva puerta a puerta no suelen dar la talla, razón por la que tantas se usan para fabricar fibra de poliéster o correas para palés. Los críticos denominan este proceso infraciclado, porque transforma las botellas en productos para los que no se precisan plásticos vírgenes. El infraciclado es el destino habitual de otros tipos de plástico que entran en el ciclo del reciclaje, como las bolsas de la compra que se usan para hacer madera plástica y las botellas de leche que se convierten en tarima sintética para exteriores. Dichos productos pueden tener su valor —la madera plástica ofrece muchas ventajas—, pero su producción no limita en modo alguno la producción creciente de resina virgen, que es, en definitiva, la razón por la que estamos inundados de residuos plásticos.

Mary Wood está segura de saber cómo mejorar la recogida y la reutilización de las botellas de plástico. Es una gran defensora de las leyes de los envases retornables, como las que ahora existen en California y en nueve estados más.[51] Me encontré con Wood en la feria de muestras de un congreso sobre reciclaje de plásticos celebrado en Austin, Texas, a principios de 2010. De hecho, era imposible no verla, o al menos no ver su puesto. Con una gran pancarta en la que se leía CONTAMINACIÓN POR PLÁSTICO TEXAS, el puesto destacaba en la sala de expositores comerciales de productos plásticos.[52] Sin duda era el único que recalcaba las consecuencias de no reciclar: en una pared había fotografías de arroyos llenos a rebosar de botellas de plástico vacías y la imagen de un cráneo de pelícano con una botella de plástico atascada en el pico. Wood y su compañera de puesto Patsy Gillham encabezaban una iniciativa a favor de una ley que añadiría un depósito retornable de diez centavos a todas las botellas y latas de bebidas vendidas en Texas, un estado con uno de los índices de reciclaje más bajos de la nación.

Llevaban sólo unos meses de campaña, explicó Gillham, una mujer vivaracha de unos sesenta años, de pelo muy rizado y sonrisa desdentada. Gillham se involucró a través de un amigo de Houston que había trabajado durante muchos años como controlador fluvial no oficial de los afluentes pantanosos que atraviesan Houston. Convencido de que una ley de envases retornables sería la única forma de impedir que se amontonara basura en las orillas, pidió a Gillham que lo ayudara a dirigir la cruzada.

—Sabía que yo tenía un corazoncito verde —explicó Mary. Ella, a su vez, reclutó a su amiga Patsy. Ambas no tardaron en dejar sus respectivos trabajos para dedicarse a tiempo completo a su campaña.

Patsy Wood, también de poco más de sesenta años, es una recién llegada al activismo político. Aunque apoya desde hace mucho tiempo al Sierra Club, dedicado activamente a la conservación de las praderas locales y a programas de rescate animal, nunca había participado directamente en una campaña, pero una ley de envases retornables parecía una solución tan evidente al problema de los residuos plásticos que le pareció que tendría que involucrarse.

Aunque los detalles específicos de las leyes que regulan el pago de depósitos a cambio de envases vacíos varían de un estado a otro, los aspectos prácticos son casi iguales: una tienda que vende una botella de Coca-Cola, por ejemplo, paga un depósito por esa botella al distribuidor de Coca-Cola.[53] Al comprar esa Coca-Cola en un estado que cuente con una ley de envases retornables, tendré que pagar a la tienda un depósito (generalmente cinco o diez centavos). Después de bebérmela, si llevo a la tienda la botella vacía me devolverán el depósito. El distribuidor, a su vez, le devuelve a la tienda su depósito, además de los gastos de manipulación, que suelen oscilar entre uno y tres centavos, para cubrir el coste de encargarse de la botella vacía. En algunos estados las tiendas recogen los envases, mientras que en otros se depositan en centros de devolución o en máquinas expendedoras inversas.

Estas leyes funcionan porque tienen sentido, dijo Wood.

—Las leyes sobre envases retornables han demostrado que si hay un incentivo económico, la gente recicla —explicó, y comenzó a desgranar estadísticas: en los estados con leyes de envases se devuelve al menos el doble de botellas que en los estados que no cuentan con dichas leyes.[54] Michigan, donde se pagan diez centavos por envase retornado —la cantidad más alta del país— recupera más del 90 por ciento de botellas de PET.[55] También se tira mucha menos basura en la calle que en otros estados. Si le das valor a esa botella que alguien ha tirado, otra persona la recogerá y la devolverá, argumentó Wood. De no hacerse así, será muy poco probable que entre en el ciclo de reciclaje.

No tuve que ir muy lejos para comprobar que Wood no se equivocaba. Sentada en la cafetería del hotel en el que se celebraba el congreso, observé cómo uno de los participantes entregaba su botella vacía de zumo a la camarera, sin duda dando por sentado que la mujer la metería en un cubo de reciclaje. La camarera la cogió con una sonrisa, esperó hasta que el hombre saliera de la cafetería y tiró la botella a la basura. Pese a que había un centro en el que depositar los residuos a una manzana del hotel, la cafetería no guardaba las botellas vacías. En Houston, cerca de la ciudad natal de Wood, la recogida selectiva puerta a puerta funciona al azar dependiendo del barrio, y el programa recibe tan pocos fondos que incluso hay una lista de espera para los cubos de reciclaje. (Al conocer la existencia de la lista de espera, un activista de San Francisco organizó un acto para recaudar fondos y así poder enviar a la ciudad doscientos cubos.) En el barrio residencial en el que vive Wood no hay ningún programa de reciclaje puerta a puerta, por lo que ella y su marido tienen que conducir más de treinta kilómetros para llevar sus envases vacíos al centro de reciclaje municipal de Houston.

—No hay mucha gente dispuesta a hacer algo así —comentó.

Con la intención de obtener apoyo para la ley, Wood y Gillham están intentando presentarla no sólo como una ventaja medioambiental sino también económica, que generará empleo y dinero para el estado. Las dos mujeres estuvieron trabajando todo el día en la sala de exposiciones, con la esperanza de obtener el apoyo de la industria.

Habían acudido al lugar adecuado. Uno de los temas recurrentes del congreso eran las quejas de las recuperadoras sobre la dificultad de obtener un suministro regular de botellas de PET. Las empresas recuperadoras dependen enormemente de los estados que cuentan con leyes de envases retornables. Son dichos estados los que suministran la mayoría de las botellas de plástico que se reciclan en este país, especialmente aquellas compradas por procesadores que reciclan botellas usadas para producir botellas nuevas. Pero el suministro nacional no resulta suficiente, como me explicaron los representantes de las recuperadoras presentes en el congreso. Se venden tantas botellas a China que las recuperadoras estadounidenses suelen comprar botellas usadas de México, Latinoamérica y Europa para mantener sus plantas en funcionamiento. El mercado de botellas limpias «se muestra tan receptivo», dijo Gillham, «que sólo tenemos que recogerlas y estarán dispuestos a comprarlas».

Con todo, las dos mujeres saben que tendrán que librar una dura batalla política. A excepción de Hawai, que promulgó una ley de envases en 2002, ningún estado ha conseguido aprobar esta ley desde 1986, y existe una iniciativa en curso para revocar las leyes que están actualmente en vigor.[56] La oposición más encarnizada proviene de la industria de las bebidas, que se vería obligada a cubrir el coste de recoger los envases de tiendas y centros de canje y deshacerse de ellos. Este sector se queja de haber salido peor parado que otros productores, y de que el coste del depósito podría afectar a las ventas (aunque no existen pruebas de que las ventas de bebidas sean más bajas en los estados que disponen de leyes de envases retornables). Los comercios de alimentación también se han enfrentado a estas leyes, argumentando que no quieren tener que responsabilizarse de la molestia de recoger y almacenar los envases. Curiosamente, el sector del plástico se ha mantenido al margen del debate sobre la ley de envases retornables: no se ha enfrentado de forma abierta a los proyectos de ley, pero tampoco los ha apoyado.

Y a diferencia de las industrias del papel, el acero y el aluminio, la industria de los plásticos sólo ha apoyado el reciclaje cuando se encuentra sometida a presiones políticas, como sucede en la lucha actual por las bolsas de plástico. Howard Rappaport, asesor con muchos años de experiencia en la industria de los plásticos, explicó por qué.[57] Sólo los productores de resina, las principales empresas petroleras y químicas, cuentan con los recursos económicos suficientes para invertir en el reciclaje, dijo Rappaport. Pero su prioridad absoluta es «fabricar y vender plástico virgen». Mientras los precios del petróleo y del gas se mantengan razonablemente estables, empresas como Dow, DuPont o ExxonMobil no tendrán ningún incentivo económico para meterse en el negocio del reciclaje. Y tampoco quieren alienar a las empresas de bebidas que compran sus plásticos vírgenes para fabricar botellas. Entretanto, las empresas que fabrican productos de plástico —y que cabría esperar que tuvieran algún interés en usar materiales reciclados— constituyen un grupo demasiado fragmentado para presentar una campaña conjunta a favor de más reciclaje, afirmó

Rappaport. «El tipo que fabrica bolsas de basura no tiene ninguna relación con el que fabrica botellas. Y tampoco tiene nada en común con el que hace juguetes. Es un sector tan diversificado que nadie puede obtener ni la masa crítica ni el dinero suficientes [para desarrollar la infraestructura del reciclaje].»

Las industrias del aluminio, el acero y el papel están integradas verticalmente, lo que ha hecho más fácil y más atractivo desde el punto de vista económico que incorporen el reciclaje. No constituye ninguna sorpresa: estos materiales se reciclan a un ritmo entre tres y ocho veces mayor que el de los plásticos. La creciente colección de redes que integra la industria de los plásticos, dijo Rappaport, «no estaba construida para incorporar el reciclaje».

Tanto si se recicla como si se tira a la basura, una botella vacía de Coca-Cola sólo es la punta de un gigantesco iceberg de desechos. En círculos relacionados con la gestión de residuos afirman que por cada kilo de residuos que se deposita en la acera, antes se han producido otros setenta al fabricar los materiales que componen dichos residuos.[58]

Si realmente queremos reducir la cantidad de residuos, advierte la Environmental Protection Agency, para empezar tendremos que impedir que se generen. Suena muy obvio, pero estamos tan ansiosos por evitar una saturación de los vertederos que nos hemos centrado principalmente en soluciones de fin de ciclo —gestionar los objetos ya identificados como basura— más que en reducir su producción en origen. Desde hace mucho tiempo, el mantra de la gestión de residuos sólidos ha sido reducir, reutilizar y reciclar. Pero lo cierto es que la mayoría de los esfuerzos se han centrado en el reciclaje. Y, en consecuencia, no hemos cambiado el flujo de sentido único que lleva a los materiales desde la fábrica hasta el cubo de la basura.

—Al movimiento a favor del reciclaje, los árboles no le han dejado ver el bosque —se quejó Bill Sheehan, activista con larga experiencia en los movimientos en defensa del reciclaje y de la política de residuo cero—.[59] La cantidad de materiales que fluyen por la economía no ha dejado de aumentar.

Se han recogido pruebas contundentes en los informes que la

Environmental Protection Agency compila cada año para documentar los hábitos del país con respecto a la basura. En 1970, el estadounidense medio generaba 1,475 kilos de basura cada día y enviaba 1,350 kilos al vertedero. En 2008, el ciudadano medio produjo 2 kilos de basura al día y envió 1 kilo al vertedero.[60] Estamos reciclando más, pero en absoluto lo suficiente para compensar nuestro consumo creciente. Cuarenta años después de que se pusieran en marcha los primeros programas de reciclaje, los estadounidenses están produciendo más envoltorios de plástico que nunca y desechando casi la misma cantidad.[61] Este hecho ha llevado a algunos críticos a quejarse de que el reciclaje es un acto fútil, poco más que «un ritual de expiación por el pecado del exceso», como escribió el periodista de *The New York Times* John Tierney en una famosa diatriba contra el reciclaje publicada en 1996.[62]

Pero Sheehan argumenta que podemos lograr que el reciclaje funcione. Sólo es cuestión de trasladar la carga de los consumidores a los productores. Sheehan forma parte de un movimiento que exige la implantación de un conjunto de políticas englobadas en el epígrafe genérico de responsabilidad ampliada del productor, o RAP. El concepto básico del principio RAP es sencillo: responsabilizar al productor de la vida de un producto no sólo mientras se utilice, sino también después de haberse utilizado. Como explicó sucintamente un experto en estas cuestiones, «si tú lo fabricas, tú te encargas luego».[63]

Según Sheehan, se trata de una afirmación muy lógica si observamos cómo ha cambiado el flujo de residuos a lo largo de los últimos cien años.[64] Cuando se establecieron los servicios municipales de recogida de basuras, casi todos los residuos recogidos consistían en restos de alimentos y en cenizas (procedentes de cocinas y chimeneas). Sólo una minúscula fracción eran artículos manufacturados, como el papel, los trapos y las botellas. En la actualidad, más de tres cuartas partes de la basura municipal consiste en productos manufacturados como las botellas de PET. Obligar a los contribuyentes a cubrir los costes de eliminar las decenas de millones de kilos de artículos manufacturados es una tarea ímproba para la que no se dispone de fondos, dijo Sheehan.

—Está permitiendo a los productores o, mejor dicho, animando a los productores a fabricar productos desechables.

Sheehan y otros defensores del principio de RAP afirman que

ha llegado la hora de que la industria privada empiece a pagar por la recogida, la eliminación y el reciclaje de todos estos productos. Responsabilizar económicamente a los productores de la gestión de residuos al final de la vida útil de un producto los incentiva para que desperdicien menos desde un principio, explicó Sheehan. Si tienen que pagar para reciclar sus productos, estarán más dispuestos a diseñarlos de modo que resulte más fácil reciclarlos, y elegirán materiales, como el PET, que sean compatibles con los flujos de reciclaje existentes. Estas iniciativas crean un bucle de retroalimentación positiva que no se puede obtener mediante el reciclaje municipal.

Algunas de estas iniciativas suponen un regreso al futuro. ¿Qué sucedió con los programas de botellas reutilizables que desaparecieron con la llegada de las botellas de PET? Eran una versión temprana del principio de responsabilidad ampliada del productor. Las leyes de envases retornables son otra versión de la responsabilidad de los productores, dado que exigen a la industria que se haga cargo de las botellas devueltas. Pero el principio de responsabilidad de los productores se convirtió en movimiento en 1991 cuando Alemania introdujo la primera ley sobre esta cuestión, con el teutónico título de Ordenanza sobre cómo Evitar los Residuos del Envasado.[65] Esta ley obligaba a los fabricantes y a los propietarios de marcas comerciales a financiar la recuperación y el reciclaje de los envases relacionados con sus productos. En aquellos momentos los vertederos alemanes se encontraban casi al límite de su capacidad —los envases eran los principales culpables— y el país empezaba a tener que exportar su basura a los países vecinos. El Gobierno fijó objetivos ambiciosos al exigir que entre el 64 y el 72 por ciento de materiales de envasado se recuperen para el reciclaje, pero dejó en manos de la industria la decisión de cómo cumplir dichos objetivos.

El resultado fue el Duales System Deutschland y su programa de Puntos Verdes, que se ha convertido en un modelo para gestionar los residuos de embalaje en todo el mundo. Las empresas pagan cánones de licencia a un organismo sin ánimo de lucro por el derecho de poner un logotipo —el famoso Punto Verde— en sus embalajes; es la forma de advertir a los consumidores de que pueden meter dichos embalajes en los cubos de reciclaje. Los cánones de licencia ayudan a cubrir los costes de la empresa comercial que a continuación recoge, separa, recicla y procesa los residuos que llevan el logotipo. Más del 75 por ciento de todos los embalajes en Alemania llevan ahora un punto verde, sin que falten, por supuesto, las botellas de PET. Y el programa se ha extendido por toda Europa; decenas de millones de envases vendidos en las tiendas europeas llevan ahora el logotipo del Punto Verde, que, a diferencia de nuestro sistema de códigos de resinas, es una garantía real de que serán reciclados.

La ley ha cumplido con creces la mayoría de sus objetivos.[66] Ha llevado los índices de recuperación de residuos de embalaje a más de un 76 por ciento y ha elevado el reciclaje de los plásticos a un 60 por ciento; en algunos años las cifras han sido incluso más altas. También ha estimulado el desarrollo de nuevas tecnologías relacionadas con la clasificación y el reciclaje para ayudar al país a cumplir estas ordenanzas. La ley alemana se convirtió en el modelo de una medida similar aprobada por el Parlamento Europeo en 1994. Si bien dicha ley fijaba objetivos de reciclaje, dejaba en manos de cada país la forma elegida para cumplirlos. Distintos países han elegido distintas rutas —una mezcla de iniciativas públicas y privadas—, pero los resultados son muy similares. Se transportan menos envases y envoltorios a los vertederos, pese a que el consumo ha continuado creciendo. En términos generales, Europa envía ahora menos de la mitad de sus residuos plásticos posconsumidor a los vertederos y recicla el 29 por ciento de sus envoltorios y envases de plástico.[67] De entrada estas cifras no parecen especialmente admirables, pero se trata de un promedio que incluye las tasas de reciclaje de países que aún tienen un pésimo historial como Grecia, que recupera un escaso 10 por ciento de sus residuos, a diferencia de otros como Alemania o Dinamarca, que se acercan al ciento por ciento de recuperación de envases y envoltorios desechados. Suecia recicla el 80 por ciento de sus botellas de PET, gracias al equivalente de una ley nacional de envases retornables.

Merece la pena destacar que una gran parte del plástico usado que se recupera en Europa se quema para generar calor o electricidad, una tecnología denominada «energía a partir de residuos».[68] Hay alrededor de cuatrocientas plantas de producción de energía a partir de residuos repartidas por todo el continente y la Unión Europea considera su actividad como reciclaje, razón por la que muchos países europeos poseen tasas de reciclaje tan envidiablemente elevadas. Debido a la creciente falta de espacio en los vertederos, las preocupaciones medioambientales con respecto a estas plantas han obtenido escasa relevancia política. En Estados Unidos, donde todavía queda espacio y por tanto el debate sigue abierto, sólo hay ochenta y siete plantas de producción de energía a partir de residuos, la mayoría en la densamente poblada Costa Este, y no se ha construido ninguna más desde la década de 1990. Sin embargo, dado que los ataques contra los envases y los envoltorios de plástico son cada vez más frecuentes, los directivos del sector de los plásticos han comenzado a recomendar dicha tecnología como una forma de gestionar los residuos de este material.

Además de estimular el reciclaje, las leyes sobre la responsabilidad ampliada del productor han alentado a fabricantes y a propietarios de marcas comerciales a realizar cambios significativos en sus envoltorios. Han comenzado a usar menos material y a eliminar los envoltorios innecesarios: ya no venden tubos de dentífrico en cajas de cartón y fabrican menos envoltorios hechos de materiales que casi nunca se reciclan, como el PVC, y más productos reutilizables y concentrados. También se comienza a generalizar el uso de botellas reutilizables —tanto de cristal como de PET—, que, según han demostrado diversos estudios, son las que tienen el menor impacto medioambiental.[69] La ley del Punto Verde redujo el consumo de envoltorios en Alemania un siete por ciento en sus cuatro primeros años, periodo durante el cual se ha calculado que el consumo de envoltorios en Estados Unidos aumentó un 13 por ciento.[70]

El concepto de responsabilidad ampliada del productor se está extendiendo. Más de treinta países han aprobado leyes de envases retornables, y muchos han seguido el ejemplo europeo y han aprobado leyes que responsabilizan a los productores del uso de materiales peligrosos, como el mercurio, y de algunos productos como vehículos y artículos electrónicos.[71] Estados Unidos continúa negándose a exigir responsabilidades a los productores, pero esta postura está comenzando a cambiar. Al menos veinticuatro estados han promulgado leyes sobre la responsabilidad del productor con respecto a los residuos electrónicos, y lugares tan diversos como Florida, Minnesota, Indiana y Maine están desarrollando leyes que exijan a los productores tomar medidas y aceptar su responsabilidad en la eliminación de productos como medicamentos no usados, termómetros de mercurio, termostatos y lámparas. En California, Vermont, Oregón y Rhode Island están adoptando el concepto de responsabilidad ampliada del productor como principio rector de las políticas de desechos.[72] La organización que dirige Sheehan, el Product Policy Institute [Instituto de Política del Producto], ha establecido varios consejos de gestión de productos —grupos de legisladores, activistas y empresarios que promueven políticas y leyes sobre la responsabilidad ampliada del productor— en California, Oregón, Washington, Vermont, Nueva York y Texas (además de la provincia de la Columbia Británica).

—No sólo ha tenido eco en las asambleas legislativas estatales —explicó Sheehan—. La industria también se está tomando esta cuestión muy en serio.

Incluso sin contar con el impulso explícito de la legislación a favor de la responsabilidad ampliada del productor, existe un número creciente de empresas que está buscando maneras de reducir las huellas que dejan sus envoltorios. Lo que es bueno para el planeta, han comprendido muchas de estas empresas, también es bueno para el saldo final. Uno de los foros para encauzar estas iniciativas es la Sustainable Packaging Coalition [Coalición pro Envases y Envoltorios Sostenibles], organización creada por el arquitecto William McDonough con el objetivo de poner en práctica algunas de las ideas presentadas en su manifiesto de 2002 a favor del cambio industrial titulado *Cradle to Cradle* [De la cuna a la cuna]. En este libro, McDonough y su coautor Michael Braungart argumentaban que los desechos constituyen una señal de insostenibilidad intrínseca. La naturaleza, señalaban, «actúa de acuerdo con un sistema de nutrientes y un metabolismo en los que no existe el desperdicio».[73] McDonough y Braungart citaban un cerezo como ejemplo. El cerezo produce flores y fruta, y aunque muchas cerezas caen al suelo, allí continúan siendo útiles. Proporcionan alimento a pájaros, insectos y microorganismos y enriquecen la tierra. En los sistemas naturales, «desperdicio equivale a comida. Este sistema biológico cíclico "de la cuna a la cuna" ha alimentado a un planeta de abundancia exuberante durante millones de años». Los productos de fabricación humana, argumentaron, deberían funcionar del mismo modo, para que todos los objetos que fabricamos y los derivados que se generan puedan ser devueltos al metabolismo de la industria o al de la naturaleza.

Este principio es el espíritu que ha impulsado a la Sustainable Packaging Coalition. El grupo abarca a más de cien de los principales fabricantes de materiales, empresas de embalajes, empresas de productos de consumo, comerciantes y transportadores de residuos del mundo, como Dow, Coca-Cola, Pepsi, Apple, Dell, Starbucks, Procter and Gamble y, por supuesto, Walmart, que ha sacudido la cadena de suministro mundial con sus medidas para reducir drásticamente los envoltorios. El grupo se reúne cada tres meses para compartir ideas, estrategias y los retos de diseñar envoltorios y embalajes basados en el concepto «de cuna a cuna».

Asistí a una de estas reuniones, y después de observar las presentaciones oficiales y las conversaciones en los pasillos, me di cuenta de lo complicado que puede ser su objetivo.[74] Para empezar, consideremos las muchas funciones de los envoltorios: mantener fresca la comida, proteger el contenido de posibles daños, impedir el robo y, por supuesto, atraer a los compradores, entre otras cosas. Cualquiera de estos factores puede verse afectado si empezamos a cambiar la forma en que se envuelve un producto. «Puedo eliminar todos los envoltorios de los alimentos y al cabo de un mes veré duplicarse los residuos porque la comida se estropeará», dijo Helen Roberts, directiva de la cadena británica de grandes almacenes Marks and Spencer en una de las sesiones. O, como observó un representante de Procter and Gamble en otra sesión, puede que los consumidores no comprendan o no compartan tus objetivos. La empresa reconoce que las botellas pequeñas de productos concentrados son preferibles desde una perspectiva ecológica, pero cuesta venderlas porque los compradores todavía tienen la sensación «primaria» de que «cuanto más grande, mejor». En otra sesión, un empleado de Earthbound Farms, el principal proveedor estadounidense de verduras ecológicas, describió los esfuerzos que hace su empresa para usar envoltorios que sean tan ecológicos como sus productos. La empresa hacía cuanto estaba en su mano para garantizar que los envases tipo concha usados para proteger los productos delicados que se transportaban por todo el país estuvieran hechos de PET, un plástico reciclable. Sin embargo, el representante de Earthbound Farms pareció consternado cuando una asistente a la reunión —que obviamente no era una profesional del sector de los envoltorios— se levantó al fondo de la sala claramente enfadada:

—Quiero que sepa —anunció— que he tomado la decisión personal de no comprar sus lechugas porque vienen envasadas en plástico.

Incluso los imperativos medioambientales de la sostenibilidad pueden ser difíciles de conciliar. Tomemos el ejemplo de los cartones de zumo y de sopa que empezaron a aparecer en las estanterías de las tiendas en los años noventa.[75] Desde una perspectiva energética, estos envases son muy eficientes. Usan menos material y son más ligeros que las latas, o incluso que las botellas de plástico. Ocupan menos espacio en las cajas y en los palés y duran más tiempo en las estanterías. Estas muestras de eficiencia responden perfectamente a algunos de los criterios de lo que debería ser un embalaje sostenible según la Sustainable Packaging Coalition. Pero los cartones de zumo son sándwiches tan complicados de plástico, metal y papel que no pueden reciclarse, lo que choca con otro de los criterios de sostenibilidad. En el mundo actual no hay opciones perfectas; lo único que podemos hacer es ser conscientes tanto de las ventajas como de los inconvenientes de cualquier opción. Tal y como observó Anne Bedarf, empleada de la Sustainable Packaging Coalition, «el material o el embalaje sostenible no existe». Sólo existe un viaje continuo hacia una sostenibilidad mejorada.

La botella vacía de Coca-Cola Light de 600 mililitros que reposa sobre mi escritorio es, en muchos sentidos, un reflejo de dicho viaje y de sus desafíos. Coca-Cola lleva décadas preocupándose por el impacto medioambiental de sus envases, dijo Scott Vitters, el gurú del envasado sostenible de la empresa.[76] Vitters, que trabaja para Coca-Cola desde 1997, es un experto en recursos muy dado a emplear la jerga casi impenetrable de la sostenibilidad: «Nuestro objetivo consiste en maximizar la contribución de los envases a la sostenibilidad social, medioambiental y económica mediante la prevención y la eliminación de residuos en toda la cadena de valor del producto». Traducción: los envases desechados le cuestan a la empresa dinero y buena voluntad. Así que Coca-Cola busca maneras de reducir la cantidad de materiales usados en sus envases y luego intenta garantizar que estos envases tengan más usos. Con este objetivo en mente, explicó Vitters, la empresa participa desde hace años en la campaña de las tres erres: reducir, reutilizar y reciclar. De hecho, se ha comprometido públicamente a cumplir con el principio de residuo cero.

Comparada con la botella de PET introducida por Nathaniel Wyeth, las botellas que Coca-Cola y otros fabricantes de bebidas usan en la actualidad son considerablemente más ligeras y alargadas. Las botellas de tamaño familiar han perdido la base plana de polietileno de alta densidad que caracterizaba a los envases originales y que era una pesadilla para los recicladores. Las paredes de la botella son menos gruesas, lo que permite fabricarlas con un tercio menos de plástico. Las etiquetas son ahora más pequeñas y se pegan con un adhesivo más fácil de sacar, con lo que se mejora la reciclabilidad. E incluso los tapones se han achatado, lo que disminuye la cantidad de plástico necesaria en un cinco por ciento; esto supone un ahorro de 18 millones de kilos de plástico al año. «Todo va sumando rápidamente», dijo Vitters. La botella de 600 mililitros de Coca-Cola Light que tengo ante mí es la botella de refresco hecha con PET más ligera del mercado.[77] Otros envases, como las botellas de agua Dasani, también son ahora más ligeros, lo cual reduce la cantidad de plástico empleada en 45 millones de kilos al año.[78]

La botella de Dasani es uno de los logros de los que Vitters está más orgulloso. Los diseñadores de Coca-Cola planeaban lanzar Dasani en una botella de color azul marino hasta que Vitters señaló que el tinte oscuro impediría el reciclaje de la botella, ya que las recuperadoras de PET precisan materiales incoloros. Se decantaron entonces por un tono mucho más claro. Los tapones también están pensados para que puedan reciclarse más fácilmente.

—Cada aspecto de aquel envase estaba diseñado para el final de su vida útil —afirmó Vitters.

Coca-Cola de Japón consiguió una hazaña similar con una botella superligera para la línea de agua embotellada recientemente introducida I LOHAS (para estilos de vida saludables y sostenibles): un envase tan ligero que al aplastarlo puede convertirse en un montoncito de plástico de doce gramos, casi la mitad del peso de cualquier otra botella de agua fabricada con PET.[79] Obviamente, no está del todo claro cómo encaja el contenido de esa botella ligera como una pluma con un auténtico estilo de vida saludable y sostenible, dada la energía necesaria para embotellar y vender una sustancia que la mayoría de los consumidores pueden obtener abriendo el grifo de sus casas pagando muchísimo menos. (Por no mencionar la salud y la sostenibilidad medioambiental que proporciona el principal producto de Coca-Cola.) Éstas son las paradojas del envasado sostenible.

Coca-Cola fue la primera empresa en utilizar botellas con contenido reciclado en 1991, pero ha continuado haciéndolo con mayor constancia en otros países, principalmente en aquellos que tienen leyes estrictas sobre la responsabilidad ampliada del productor. A escala mundial, la empresa ha intentado garantizar que la resina usada en sus botellas contenga al menos un 10 por ciento de contenido reciclado, pero en muchos lugares dicho contenido se eleva a un 25 o incluso a un 50 por ciento. Pese a las promesas hechas por la empresa a principios de los años noventa, el contenido reciclado de las botellas vendidas en Estados Unidos continúa siendo, como mucho, de entre un cinco y un 10 por ciento. (Estos porcentajes se refieren a la resina usada para fabricar las botellas, no a la cantidad de contenido reciclado de cada botella.) Según Vitters, una de las razones de que las botellas estadounidenses incluyan cantidades más bajas de contenido reciclado radica en la dificultad de recoger botellas usadas en este país (un problema que podría solucionarse con más leyes de envases retornables).[80]

La empresa adoptó recientemente el compromiso de recuperar o recoger el ciento por ciento de todas las botellas y latas que vende en Estados Unidos. Esto significa continuar encontrando nuevos usos para las botellas usadas, como las camisetas y las sillas que ahora fabrica con antiguos envases de Coca-Cola. Es más, significa ampliar su inversión en infraestructuras de reciclaje, para lo cual desembolsó cuarenta y cinco millones de dólares en 2007 para construir la planta de reciclaje de botella a botella más grande del mundo en Spartanburg, Carolina del Sur. (La empresa ya gestiona plantas similares de reciclaje de ciclo cerrado en Austria, México, Suiza y Filipinas.) La fábrica de Carolina del Sur tiene la capacidad de reciclar casi cincuenta millones de kilos de PET al año (el equivalente a dos mil millones de botellas de Coca-Cola de 600 mililitros).[81] Coca-Cola esperaba que la planta le permitiera vender en Estados Unidos botellas con un 25 por ciento de material reciclado, como sucede en otros países del mundo. Pero la planta ha sufrido numerosos problemas a la hora de producir PET reciclado para productos de la industria alimentaria y ha tenido que estar inactiva la mayor parte de 2011. (Coca-Cola podría aumentar el contenido reciclado, pero no mucho más de un 50 por ciento;[82] los expertos sostienen que por encima de ese nivel la resina comienza a degradarse y a oscurecerse.)

Así pues, ¿realmente todo va mejor con Coca-Cola? Algunos escépticos cuestionan el compromiso de la empresa, ya que durante muchos años ha combatido ferozmente el tipo de medida basada en la responsabilidad del productor que ha demostrado aumentar el reciclaje y reducir los residuos plásticos: las leyes de envases retornables. Los abundantes recursos económicos de Coca-Cola y de otros grandes fabricantes de bebidas son la razón principal por la que tenemos tan pocas leyes de envases retornables. Vitters recalcó que la empresa no se oponía a estas leyes, sino a las que se centran únicamente en las botellas y las latas. «Necesitamos centrarnos en todos los envases, envoltorios y materiales impresos. Entonces sí que se podrá responsabilizar a la industria de los costes del reciclaje», afirmó, para luego mencionar con aprobación los sistemas europeos que especifican la responsabilidad del productor con respecto a embalajes, envases y envoltorios. El planteamiento de Vitters parece razonable. Sin embargo, si ésta es realmente la postura de la empresa, ¿por qué no ha colaborado de forma proactiva con los defensores del principio de responsabilidad ampliada del productor en la redacción de leyes en lugar de intentar aplastar todas las leyes de envases retornables propuestas?

A comienzos de 2010 la empresa desveló su última medida para fomentar la sostenibilidad: la PlantBottle, el envase ecológico de Coca-Cola. Es una botella de PET, pero la materia prima para fabricar una parte del plástico procede de plantas, y no de petróleo o de gas natural. Un componente del PET, el glicol de monoetileno, proviene de la caña de azúcar brasileña, mientras que otro, el ácido tereftálico, todavía se procesa a partir de combustibles fósiles. «Alrededor de un tercio de la botella es ahora de origen vegetal, pero estamos trabajando a conciencia para aumentar esa proporción a un ciento por ciento», explicó Vitters. Sin embargo, aunque la PlantBottle esté hecha con nuevos tipos de materia prima, encaja perfectamente en el flujo de reciclaje de PET existente. En opinión de Vitters, esta botella es la máxima expresión del pensamiento «de la cuna a la cuna», la encarnación del compromiso de la empresa con la filosofía de residuo cero. En palabras de Vitters, «la PlantBottle es un compendio de todo esto».

¿Pueden los plásticos de origen vegetal, como la nueva botella de Coca-Cola, contribuir realmente a garantizar un futuro basado en el concepto «de la cuna a la cuna», un futuro en el que las botellas vacías, como flores de cerezo esparcidas, sean un nutriente valioso de la producción en lugar de un residuo devaluado? Es un enfoque reconfortante, y en nuestra relación larga y turbulenta con los plásticos, podría perdonársenos que busquemos consuelo donde podamos encontrarlo. Obviamente, los bioplásticos son el futuro de la industria en general. Pero como bien sabe cualquiera que haya asistido a una sesión de mediación familiar, prever un futuro mejor es una cosa, pero poner en práctica las nuevas ideas es otra muy distinta.

nal de mes. Al parecer, McNamara no fue el único en sufrir el bo-

8
¿Qué significa ser verde?

La leyenda asegura que cierta noche de 1951 un empresario neoyorquino llamado Frank McNamara cenaba en un restaurante con algunos amigos.[1] Cuando les trajeron la cuenta, McNamara descubrió apesadumbrado que se había dejado el billetero en casa. Esta experiencia aleccionadora lo llevó a inventar la tarjeta Diners Club, que permitía a sus miembros cargar las comidas en los restaurantes adheridos a la iniciativa y pagar las facturas a final de mes. Al parecer, McNamara no fue el único en sufrir el bochorno de haberse olvidado el dinero en casa: al cabo de un año, veinte mil personas habían solicitado la tarjeta del Diners Club. La tarjeta en sí no tenía nada de extraordinario: un simple rectángulo de cartón del tamaño de un billetero. Pero «la idea en que se basaba —que un tercero facilitara el proceso de "comprar ahora y pagar después"— era revolucionaria», como observó el autor de una historia de las tarjetas de crédito. El concepto del dinero quedaba atenuado, y la línea entre efectivo y crédito se había desdibujado. La nueva identidad del dinero residía en una tarjeta simbólica que te permitía pagar aunque no pudieras exhibir la moneda de curso legal. El dinero había adquirido un nuevo tipo de plasticidad.

El dinero acabaría ligándose realmente al plástico unos años más tarde, en 1958, cuando American Express introdujo la primera tarjeta de crédito de plástico. Otro objeto más dentro de la marea de artículos transformadores fabricados en plástico que los estadounidenses comenzaron a adoptar a mitad del siglo XX. AmEx promovía la tarjeta de plástico como una mejora en relación con las endebles tarjetas de papel que se utilizaban entonces, prometiendo que «resistiría mejor el uso cotidiano».[2] La frase llevaba implícita la idea de que esta tarjeta no era una solución para las cenas ocasionales, sino una herramienta para la vida diaria. Ya no estaríamos sujetos al horario de los bancos ni a la aprobación de los gestores de créditos. Podríamos comprar lo que quisiéramos —a cualquier hora y cualquier día— y pagar más tarde. A diferencia de los emisores de las tarjetas anteriores, American Express, MasterCard y otras empresas empezaron a proporcionar líneas de crédito rotativas hacia los años sesenta, las cuales permitían a los clientes trasladar el saldo de un mes a otro. El crédito no era un concepto nuevo, claro está, pero su disponibilidad instantánea suponía un cambio radical. Ahora que nos veíamos totalmente liberados de las restricciones del dinero tangible, nuestros hábitos de compra ya no estarían limitados al «dinero en mano». Éramos libres de consumir, pudiéramos permitírnoslo o no.

No sorprende que al cabo de una década las tarjetas de crédito fueran tan habituales que la propia palabra «plástico» se convirtió en el sinónimo de dinero, batiendo por muy poco a otros términos que evocaban la textura del efectivo palpable, como el tintineo metálico de «calderilla» o el tacto rugoso de «talego». Cualquier lector sabría a qué se refería el novelista Dan Jenkins cuando escribió: «Tenía un monedero lleno de plástico» en su novela de 1975 *Dead Solid Perfect,* el primer uso de esta palabra de que se tiene constancia.[3]

Hoy en día, aquellas tarjetas de plástico constituyen la moneda principal del comercio. O, tal y como el sitio web del fabricante de una tarjeta manifestaba pomposamente: «Una tarjeta de plástico es un dispositivo físico que vincula a las personas con la civilización».[4] Tres cuartas partes de los adultos estadounidenses tienen al menos una tarjeta de crédito; la mayoría tiene tres o más. Pero la tarjeta de crédito no es el único objeto de plástico que está reemplazando al dinero en efectivo en el billetero medio. Cuatro de cada cinco estadounidenses tienen tarjetas de débito, y uno de cada seis cuenta con una tarjeta prepago para comprar gasolina, hacer llamadas telefónicas o usar para compras generales.[5] Las tarjetas de plástico también se están convirtiendo con una frecuencia cada vez mayor en sustitutos de los regalos, especialmente para destinatarios a los que no se conoce bien: el portero, un colega, un pariente lejano...[6] Puede que los profesores de etiqueta se quejen de que la impersonalidad de las tarjetas regalo ha «despojado de encanto» el acto de regalar, pero éstas ofrecen una forma tan cómoda y tan carente de estrés de apreciación que en la actualidad se producen diez mil millones anualmente.[7] ¿Quién hubiera dicho que fuéramos tan altruistas?

Durante el curso de su evolución, estos pequeños rectángulos de vinilo se han convertido en vehículo tanto de objetivos comerciales como de inquietudes culturales. Los emisores de las tarjetas han apelado a la conciencia de clase de sus clientes con tarjetas de lujo codificadas por colores, desde la primera tarjeta oro de American Express hasta la popular tarjeta Austin Powers titanio de Visa, promocionada con el eslogan «¡Es de titanio, *baby!*».[8] En la película de 2009 *Up in the Air,* el objeto de deseo del protagonista interpretado por George Clooney era la inalcanzable tarjeta negra como el carbono para quienes hubieran sobrepasado los quince millones de kilómetros en sus desplazamientos. Los bancos han recurrido a las conexiones emocionales con las tarjetas Affinity. Las popularizó Visa por primera vez en 1989, cuando se asoció a la Liga Nacional de Fútbol Americano para comercializar una tarjeta. Hoy me sería posible encontrar una tarjeta Affinity relacionada con cualquier causa con la que simpatizara, desde la Asociación Nacional del Rifle hasta Personas a Favor del Trato Ético a los Animales. O, como mínimo, podré elegir para el frontal de la tarjeta la imagen de algo que signifique mucho para mí, ya sean los cachorritos, mi antigua universidad, mi grupo musical favorito o mi familia.

No sólo las condiciones de la tarjeta o las imágenes que la adornan nos revelan el espíritu de la época. También se refleja en el material de la propia tarjeta, esa lámina de plástico de cinco gramos. En tiempos de creciente preocupación por los efectos del plástico en el medio ambiente, las tarjetas están sufriendo una transformación radical: estas promotoras del consumo se están volviendo verdes.

Sostengo en la mano mi nueva tarjeta Discover. Es como cualquier tarjeta de crédito vulgar y corriente, pero está fabricada con una clase de cloruro de polivinilo que, según dicen, se biodegradará sin causar daños cuando la tire a la basura. La cara posterior de la tarjeta es de un color marrón terroso y lleva impresa la palabra «biodegradable». Cuando pedí la tarjeta por teléfono me dijeron que podía elegir el frontal entre diversas opciones: gris sin ningún dibujo, una bandera estadounidense, un oso polar, un oso panda, un paisaje montañoso o una playa. Ninguna parecía guardar especial relación con los problemas de la contaminación del plástico, pero pensando en el vórtice del Pacífico escogí la playa, sin saber que la imagen de mi tarjeta iba a tener los colores supersaturados y el aspecto irreal de un folleto del Club Med.

—Bueno, es una tarjeta Discover —comentó mi marido cuando se la enseñé—. Quieren que te gastes el dinero descubriendo el mundo.

Discover introdujo estas nuevas tarjetas «ecológicas» a finales del año 2008, justo antes de Navidad. «Esperamos que atraigan a quienes estén interesados en llevar una vida más verde», dijo entonces una directora de comunicación. La empresa no ha querido revelar cuántos clientes defensores de lo verde han optado por esta tarjeta; se ha limitado a manifestar que «nos animan los resultados obtenidos hasta ahora, los cuales han sobrepasado nuestras expectativas».[9]

Recordemos que el PVC es el plástico más odiado por los ecologistas, conocido en los círculos próximos a Greenpeace como «el plástico venenoso». Casi todas las tarjetas de crédito, así como las de débito y las tarjetas regalo, están hechas de PVC y llevan fabricándose con este material desde los primeros tiempos de American Express. Los fabricantes de tarjetas se decantan por el PVC porque resulta fácil de procesar, ofrece la combinación idónea de rigidez y flexibilidad y tiene la resistencia necesaria para la duración estándar de una tarjeta de crédito, entre tres y cinco años.[10]

No cabe duda de que en la lista de problemas normalmente asociados a las tarjetas de crédito, las cuestiones medioambientales se encuentran muy por debajo de las deudas. Y tampoco son los productos más señalados por los activistas cuando éstos advierten de los peligros del PVC. Sin embargo, en Plasticville incluso pequeños objetos como las tarjetas de crédito contribuyen al aumento del uso de plásticos. Según un cálculo aproximado, hay más de 1,5 mil millones de tarjetas de crédito en uso en Estados Unidos.[11] Si se apilaran se elevarían más de cien kilómetros en dirección al espacio, calculó *The New York Times;* la torre de tarjetas sería casi tan alta como trece montes Everest superpuestos. Pero las leyes naturales de la erosión y la degradación que van reduciendo las montañas apenas harían mella en esta cumbre polimérica. Incluso una sola tarjeta de PVC puede persistir durante décadas, por no decir siglos, y cada año desechamos más de setenta y cinco millones.[12] Y me refiero sólo a las tarjetas de crédito. Esta cifra no incluye el número mayor aún de tarjetas regalo, tarjetas prepago, tarjetas para abrir puertas en los hoteles y otras variedades de plástico usadas para realizar nuestras transacciones vitales en la actualidad.

La imagen de todas estas tarjetas de plástico acumulándose en los vertederos fue lo que motivó al hombre responsable del plástico usado en la tarjeta supuestamente ecológica Discover.[13] El empresario de Nevada Paul Kappus, que llevaba veinte años vendiendo PVC a los fabricantes de tarjetas de crédito, había pensado a menudo que tendría que ser posible conseguir que las tarjetas usadas se descompusieran. Kappus mantuvo muchas conversaciones a lo largo de los años con científicos y con químicos, en busca de alguna sustancia química que pudiera volver mortal al PVC.

—Probé todo tipo de cosas, como las enzimas que se alimentan de orina de gato en el suelo. Ni se imagina lo que llegué a intentar. Todo fracasó estrepitosamente.

Hasta que, según cuenta, un día se topó con una tecnología poco conocida que sí funcionó.

Kappus fue poco específico acerca de los detalles aduciendo que su fórmula, el BioPVC, es un secreto comercial. Sólo está dispuesto a afirmar que guarda relación con un aditivo especial que se mezcla con el PVC y actúa de cebo para los microorganismos omnipresentes en el medio natural, y también en los vertederos. Este aditivo no afecta a la durabilidad de la tarjeta mientras ésta se utilice; podrá meterse en lectores de tarjetas y guardarse en el billetero miles de veces. Pero si se deposita en un vertedero, en un montón de compost o en algún «entorno igualmente fértil», según Kappus atraerá a hordas de criaturas microscópicas que pueden hacerla pedazos. «Realmente se la comen, lo crea o no», me dijo. Incluso las tarjetas que se hayan tirado al suelo —afirmó Kappus— serán consumidas sin dejar ni rastro del precursor tóxico del polímero, el cloruro de vinilo. Kappus aseguró que la tarjeta se descompondría totalmente en unos diez años, un breve parpadeo en comparación con una tarjeta normal de PVC.

Todo esto sonaba de maravilla, hasta que empecé a hablar con expertos en biodegradabilidad.

—¡Majaderías! —fue la reacción de Tim Greiner, un asesor de sostenibilidad de Massachusetts.[14]

Como otros expertos, Greiner dudaba que el PVC pudiera desintegrarse sin causar daños. Pero, aunque el aditivo funcionara, Greiner cuestionó la necesidad de usarlo. La biodegradabilidad podría ser una buena solución para la basura que acaba tirada en el suelo, pero las tarjetas de crédito no suelen tirarse por la calle. Así pues, preguntó Greiner,

—¿Qué problema resuelve esta tarjeta?

Efectivamente, ¿qué problema resuelve?

Me resultó útil tener en mente esta pregunta cuando empecé a adentrarme en la maraña de plásticos «verdes». Lo que descubrí fue una selección amplia y en ocasiones apabullante de productos hechos o recubiertos con resinas que, según los fabricantes, son más seguras para el medio ambiente y para nuestra salud: bolsas de patatas fritas, botellas de agua, móviles, balines para pistolas de aire comprimido, pañales, moquetas, cuberterías, bolígrafos, calcetines, neceseres para cosméticos, macetas, césped artificial, chancletas y bolsas de basura «con conciencia». Algunos, como la tarjeta Discover, están hechos de plásticos convencionales con un toquecito verde. Otros están hechos de polímeros alternativos «de base biológica»; por ejemplo, la tarjeta regalo de Apple iTunes que recibió mi hija hace poco por su cumpleaños está hecha con un plástico a base de maíz.

Hablar de «plástico verde» podría parecer un oxímoron, pero se trata de uno de los sectores de la industria que crece más rápidamente. La producción de polímeros de base biológica ha estado aumentando a un ritmo de entre un ocho y un 10 por ciento al año, y se espera que crezca mucho más deprisa en los próximos años.[15] Los bioplásticos están despertando tanto entusiasmo que resulta tentador describir su ascenso como un despegue. Pero cuando empleé dicho término al hablar con Ramani Narayan, uno de los principales expertos en biopolímeros del país, éste me recordó que los plásticos de base biológica son todavía una pequeña gota en el mar de resina, menos del uno por ciento de la producción mundial de plásticos.[16] El sector está aún en pañales, y tiene por delante una empinada curva de aprendizaje tecnológico. No obstante, un estudio reciente estimó que los bioplásticos podrían acabar sustituyendo hasta un 90 por ciento de los plásticos que se utilizan en la actualidad.[17] Según Narayan, «éste es el futuro de los plásticos».

El porqué no constituye ningún misterio. Un siglo después de iniciarse el idilio de la humanidad con el plástico, estamos empezando a reconocer que se trata de una relación malsana. No cabe duda de que los plásticos nos han resultado útiles, pero esta utilidad tiene muchos costes añadidos que nunca consideramos cuando nos enamoramos de ellos. Los plásticos precisan combustibles fósiles finitos; persisten en el medio ambiente; están llenos de sustancias químicas dañinas; se acumulan en los vertederos; no se reciclan de forma adecuada. En resumen, ejemplifican un enfoque carente de visión de futuro sobre el impacto a largo plazo de los materiales manufacturados y representan un desperdicio insostenible de recursos. Los ecologistas llevan años diciéndolo, y ahora incluso la industria del plástico está llegando a la misma conclusión. Tal y como reveló un ejecutivo de Dow a la revista *Business Week*, «toda nuestra industria admite que los plásticos tienen que ser más sostenibles».[18]

En cualquier caso, no vamos a poder divorciarnos. Los plásticos constituyen una de las bases materiales de la vida moderna, y en muchos contextos eso es algo bueno. Necesitamos nuestros paneles solares, cascos de bicicleta, marcapasos, chalecos antibala, coches y aviones de consumo eficiente y, sí, incluso buena parte de nuestros envoltorios y envases de plástico. Como ya hicieran a finales del siglo XIX, los plásticos desempeñan un papel fundamental en un mundo de recursos naturales menguantes. Y ello será aún más cierto en las próximas décadas a medida que nos vayamos enfrentando al cambio climático. Con una frecuencia cada vez mayor, las decisiones que tomemos sobre cómo construir nuestros edificios, transportarnos y envolver nuestras cosas estarán determinadas por las emisiones de carbono. Así pues, los plásticos ligeros y eficientes desde un punto de vista energético pueden ofrecer oportunidades extraordinarias.

Pero si queremos vivir en armonía con los plásticos tendremos que cambiar las condiciones de la relación. Necesitamos crear plásticos más seguros para la gente y para el planeta, y necesitamos emplearlos de forma más responsable. Esto conllevará cambios para todos los integrantes de Plasticville, ya sean productores de objetos de plástico, tarjetas de crédito, o los consumidores que las usan.

¿En qué consiste un plástico verde? Aunque se trata de una cuestión controvertida, casi todo el mundo coincidiría en que un posible punto de partida es el uso de materias primas renovables, un uso que, paradójicamente, devuelve a la industria a las raíces más antiguas del plástico como material procedente de las plantas. ¿Recuerdan el celuloide? No era el único polímero de origen vegetal. A lo largo de las primeras décadas del siglo XX existió un interés generalizado en fabricar otros tipos de plástico a partir de cultivos agrícolas, como el maíz, las legumbres o la soja. Lo cierto es que los intereses agrícolas compitieron encarnizadamente con la naciente industria petroquímica para hacerse con el mercado de los polímeros.[19]

Henry Ford ansiaba encontrar usos industriales para los cultivos excedentes, y por ello invirtió en semillas de soja.[20] Ford solía afirmar que sería posible cultivar la mayoría de las piezas de un automóvil. Para tal fin, plantó miles de hectáreas de semillas de soja y destinó una de sus fábricas en River Rouge a la producción de un plástico a base de soja. El típico Ford de 1936 llevaba entre cuatro y siete kilos de plástico de soja en el volante, el pomo de la palanca de cambio, el armazón de la ventanilla y otras piezas. Cuentan que, en 1940, Ford invitó a los periodistas a ver un coche «cultivado en una granja». El septuagenario, muy dado al exhibicionismo, levantó trabajosamente un hacha y la descargó contra la parte trasera del coche. En lugar de abollarse, los paneles volvieron a adoptar su forma anterior. O, como escribió un periodista de la revista *Time,* «los guardabarros de un material que parece sacado de una aventura de Buck Rogers [...] evitan las colisiones [...] como lentísimas pelotas de goma».

Pero Ford no tuvo la oportunidad de fabricar más de un coche de plástico antes de que estallara la segunda guerra mundial, y entonces ni siquiera él pudo resistirse a las ventajas que ofrecía la petroquímica. El petróleo era barato y abundante y, a diferencia de la soja y otros cultivos, no dependía de las estaciones.[21] Es más, los plásticos hechos con combustibles fósiles eran mas impermeables y versátiles que los que estaban hechos a base de soja. Sólo algunos polímeros de origen vegetal sobrevivieron a la contienda con la petroquímica, entre ellos el celofán, el celuloide y los tejidos rayón y viscosa.[22]

Ahora que la época de los combustibles fósiles baratos va llegando a su fin, los fabricantes de resina procedente del petróleo se han puesto a rastrear el mundo natural en busca de nuevas materias primas. Han comenzado a investigar las posibilidades que ofrecen los cultivos agrícolas, como el maíz, la caña de azúcar, la remolacha azucarera, el arroz y las patatas. Y están explorando fuentes de carbono que no se cultivaban tradicionalmente, como el pasto de la pradera *(Panicum virgatum)*, algunos árboles y las algas. «El carbono es carbono. No importa si se obtuvo en un yacimiento petrolífero hace cien millones de años o hace sólo seis meses en un campo de maíz de Iowa», tal y como afirmó un ejecutivo de la industria del bioplástico.[23] Pero, por lo visto, dicha afirmación no era del todo cierta.

En la actualidad, muchos fabricantes se limitan a usar nuevas materias primas, como las plantas, para fabricar polímeros convencionales de todo tipo. La enorme empresa petroquímica brasileña Braskem, por ejemplo, está construyendo una planta de 205 millones de kilos de capacidad dedicada a la fabricación de polietileno a base de caña de azúcar, el mismo material que Coca-Cola emplea en su PlantBottle.[24] (Para publicitar la operación, Braskem se asoció con un fabricante de juguetes para producir las piezas de una versión brasileña del Monopoly, que llamaron Monopoly Sostenible. Quizá fuera una forma de apelar al ecologista que cada capitalista lleva dentro, o viceversa.)[25] El etanol a base de caña de azúcar ya se utiliza como combustible en la mayoría de los automóviles de Brasil, y el país confía en que sus enormes plantaciones de caña le permitan convertirse en centro mundial de los plásticos a base de caña.[26] Dow Chemical ha querido tomar la delantera y se ha asociado con el productor de etanol local Crystalsev para construir su propia planta de plásticos a base de caña en Brasil.

Asimismo, diversos fabricantes de resina han dado con maneras de producir polipropileno y PET a base de azúcar, nailon a base de remolachas y poliuretano a base de soja. Este último ha proporcionado a Ford la oportunidad de hacer realidad el sueño de su fundador: la empresa ha instalado asientos y rellenos de poliuretano a base de soja en más de 1,5 millones de automóviles, y en el futuro piensa fabricar todas las piezas de plástico de sus coches con varios tipos de plásticos compostables de origen vegetal.[27] Entretanto, Solvay, uno de los mayores productores de vinilo del mundo, está investigando distintas fuentes vegetales para el etileno usado en la fabricación de PVC.

Estos bioplásticos pueden o no suponer una mejora con respecto a sus parientes a base de combustibles fósiles. No cabe duda de que dejan una huella de carbono mucho menor, debido a sus materias primas renovables. Algunos son, en principio, reciclables, y muchos son compostables. Sin embargo, no existe ninguna garantía de que sean manufacturados con menos sustancias químicas dañinas, o de que contengan menos aditivos preocupantes. Una tarjeta de crédito hecha con PVC de origen vegetal, por ejemplo, seguiría conteniendo cloruro de vinilo tóxico.

—El hecho de que el plástico tenga una base biológica no lo hace verde —señaló Mark Rossi, activista e investigador residente en Boston que ha dedicado gran parte de su carrera profesional a pensar en cómo podemos forjar una relación más saludable con los plásticos.[28]

Durante muchos años fue una actividad algo solitaria, pero últimamente Rossi ha descubierto que tiene bastante compañía.

—Volvía en avión de Chicago, de Detroit, o de algún sitio —recordó cuando quedamos para tomar café—. Me puse a hablar con la mujer que estaba sentada a mi lado, una madre de familia. Y estaba muy al día sobre todo esto, como lo de los biberones sin bisfenol A. Hace cinco años la gente ni siquiera era consciente de estos temas.

Rossi comenzó a interesarse en los polímeros a finales de los años ochenta, durante el revuelo que se armó en el país por la crisis de residuos sólidos. Esto sucedió en la época en que McDonald's era blanco de todas las críticas por vender sus hamburguesas en envases de porexpán, recordó Rossi, así que la empresa propuso poner «pequeños Mc-incineradores» en sus restaurantes para deshacerse de la basura. «Ésa fue su solución», explicó Rossi soltando una risita, aún asombrado, después de todos estos años, por lo absurdo de la propuesta. La controversia propició el tema de la tesis de su máster en ciencias medioambientales: una evaluación del ciclo vital de los envases y envoltorios de poliestireno. A continuación, Rossi se puso a trabajar en un influyente estudio publicado en 1992 que, para sorpresa de todos —y también la suya—, demostró que los envoltorios de plástico no eran tan malos para el medio ambiente como se suponía. El estudio descubrió que el impacto medioambiental de los envoltorios se debe en muchos casos a su peso. Los plásticos permiten fabricar envoltorios y envases más pequeños y ligeros, que requieren menos energía y menos recursos que el cristal, el papel u otros materiales. A continuación Rossi pasó a investigar los problemas de los aditivos químicos, y acabó trabajando con la coalición Health Care Without Harm en su campaña para sacar el PVC de los hospitales. Ahora es director de investigación de Clean Production Action [Acción para La Producción Limpia], un grupo que colabora con empresarios y con el Gobierno con el objetivo de promover el uso de sustancias químicas seguras y de materiales sostenibles en el ámbito industrial.

Toda esta experiencia le ha enseñado unas cuantas cosas a Rossi. Una de ellas es que «no todos los plásticos son iguales». Algunos son más verdes que otros, o tienen la capacidad de serlo. Esta afirmación se refiere tanto a los biopolímeros como a los plásticos a base de petróleo. Tal y como aprendió Rossi, las decisiones que se toman en cada fase del ciclo vital de un plástico determinan su impacto en la salud y en el medio ambiente, desde la elección de materias primas y cómo se procesan o se cultivan hasta la forma en que el polímero se fabrica y se procesa, sin olvidar cómo se usa el producto o las opciones disponibles al final de su vida útil.

Partiendo de este enfoque, Rossi ha ayudado a crear dos fichas distintas para evaluar los plásticos: una pensada para los plásticos en general, y otra específicamente para los polímeros de base biológica.[29] Estas fichas de evaluación, aún en desarrollo, están concebidas para ayudar a fabricantes, compradores para tiendas y organismos gubernamentales a evaluar las cualidades medioambientales de las resinas y productos plásticos que estén comprando. Una empresa de bebidas, por ejemplo, podría usar la ficha de evaluación al sopesar si debe embotellar su agua en un plástico a base de maíz o en un polietileno hecho con caña de azúcar. O un comprador para un hipermercado podría usarla para escoger entre un producto envasado en polipropileno y otro en PVC.

Ambas fichas de evaluación recogen hasta el más mínimo detalle de la producción de los plásticos, y plantean preguntas como: «¿Qué cultivos se usaron en un bioplástico y cómo se cultivaron?», «¿Qué tipo de catalizadores se emplearon para crear determinado polímero?», «¿Qué aditivos contiene?», «¿Qué sustancias químicas podrían liberarse durante el reciclaje?», «¿Se emplea en productos de un solo uso?», «¿Cuál es el contenido reciclado del plástico?». Las fichas de evaluación no son análisis de ciclos vitales, los cuales suelen centrarse en la energía consumida al fabricar un producto y no resultan demasiado eficaces a la hora de evaluar asuntos como el impacto químico de determinado plástico. Más bien, proporcionan una serie de preguntas relacionadas con lo que Rossi denomina «reflexiones sobre el ciclo vital».

En ocasiones el hecho de reflexionar sobre el ciclo vital de un producto proporciona respuestas sorprendentes. Por ejemplo, no es preciso que un plástico tenga una base biológica para parecer verde. Es posible fabricar un polipropileno que no contenga demasiadas sustancias químicas peligrosas, y un envase de polipropileno que también tenga una alta proporción de contenido reciclado podría obtener una puntuación más elevada que un plástico de base vegetal. Asimismo, un polímero de base vegetal puede descender en la clasificación si los cultivos usados para fabricarlo fueron modificados genéticamente o se rociaron con pesticidas, o si se usaron sustancias químicas nocivas en su producción. Y algunos plásticos, principalmente el PVC, son intrínsicamente problemáticos. Incluso un PVC de base biológica probablemente suspendería debido al cloro presente en la cadena polimérica, el cual genera una molesta onda expansiva durante toda la vida del plástico.

En la actualidad es difícil que cualquier plástico obtenga la máxima puntuación, reconoció Tim Greiner, quien colaboró con Rossi en la creación de las fichas de evaluación sobre los plásticos básicos. Greiner y Rossi pusieron el listón muy alto intencionadamente a fin de fomentar el diseño de plásticos y productos de plástico mejores. Apelan a la industria para que empiece a hacer el tipo de reflexión sobre el ciclo vital que no se hizo en décadas pasadas cuando estos deslumbrantes materiales nuevos irrumpieron en el panorama mundial. «Queríamos definir el norte auténtico, la dirección [en que necesita ir la industria] y proporcionarle a la gente el compás», explicó Greiner.

Algunos responderían que el norte auténtico se encuentra en un campo de maíz de Blair, Nebraska, emplazamiento de NatureWorks, el mayor productor mundial de un tipo de plástico totalmente nuevo de origen vegetal. NatureWorks fabrica un polímero a base de maíz denominado ácido poliláctico, o APL.[30] Este plástico comienza a ser conocido por su nombre comercial, Ingeo. Ahora se encuentra en miles de envoltorios y de bienes de consumo, por ejemplo los *corntainers** que usa Walmart para envasar frutas y verduras, las alfombrillas de los Toyota Prius, las cajas de los ordenadores fabricados por Fujitsu y NEC, las botellas usadas por los aderezos de ensalada Newman's Own, las botellas de varias marcas de agua embotellada, los vasos de refresco distribuidos por KFC y también las tarjetas regalo de diversas tiendas, como la tarjeta iTunes de Apple de mi hija. Las tarjetas regalo y de crédito constituyen un enorme mercado potencial, afirmó el portavoz de NatureWorks Steve Davies, y luego añadió que el mercado de las tarjetas está impulsado por los fabricantes de tarjetas, más que por NatureWorks. «Todo el mundo quiere alejarse del PVC», explicó. Visa y MasterCard han aprobado el uso de Ingeo en sus tarjetas de crédito, dijo Davies, y ahora «depende de los bancos el adoptarlo». (Efectuar el cambio puede ser problemático, tal y como aprendió el gigante del sector de los aperitivos Frito-Lay.[31] La empresa anunció con orgullo que empleaba APL en los envoltorios de sus patatas fritas SunChips, pero menos de un año después volvió a pasarse al plástico convencional porque los consumidores se habían quejado de que las nuevas bolsas hacían demasiado ruido. Los crujidos que producían las bolsas eran más ruidosos que «la cabina de mando de mi avión», refunfuñó un piloto de la fuerza aérea en un videoblog titulado «Tecnología de las patatas fritas que te destroza el oído». Tras llevar a cabo diversas pruebas de sonido, el piloto afirmó que las bolsas registraron 95 decibelios, una cifra similar a la de las excavadoras o las máquinas cortacésped. «Te sientes culpable de quejarte porque están haciendo algo bueno para el medio ambiente», admitió otro consumidor a *The Wall Street Journal*. «Pero no quieres que todos tus vecinos se enteren de que estás comiendo patatas fritas.»)

El componente básico del APL es el ácido láctico, un compuesto natural que NatureWorks extrae del azúcar que se encuentra en el almidón de maíz. No se precisa maíz para fabricar ácido láctico;

* Juego de palabras entre los términos *corn,* maíz, y *container,* recipiente. *(N. de la T.)*

servirá cualquier planta que contenga almidón, como las remolachas azucareras, el trigo, el arroz o las patatas. El otro gran productor de APL a escala mundial, Purac, ha instalado su planta principal en Tailandia y usa tapioca o caña de azúcar como materia prima. Pero NatureWorks pertenece en parte a Cargill, el mayor proveedor de maíz del mundo, y por ello la primera fábrica de la empresa se centró en el maíz. Literalmente. La planta está ubicada entre los campos de maíz pertenecientes a Cargill. No obstante, Davies insistió en que, cuando construye plantas en otras partes del mundo, la empresa no rechaza ni las materias primas potenciales ni los planes para usar cualquier cultivo que resulte más eficaz.

Cualquiera que sea su fuente, el ácido láctico es convertido en un monómero denominado lactida. Estas moléculas se unen después para formar el polímero APL. El APL es un plástico bastante versátil, capaz de desempeñar muchas de las funciones que desempeñan los petroplásticos y susceptible de ser procesado con el mismo tipo de maquinaria. Al igual que el PET, puede moldearse con formas transparentes y rígidas que resultan idóneas para los envases. Como el polipropileno, puede extrudirse para fabricar la tela no tejida usada en pañales y toallitas húmedas, y como el nailon y el poliéster, puede hilarse y así convertirse en fibras para moquetas y prendas de vestir. Entre sus defectos, sin embargo, está una temperatura de fusión lo suficientemente baja para que las botellas de APL se deformen si se dejan demasiado tiempo en el interior de coches calientes.[32] Y no puede contener anhídrido carbónico como el PET, lo que lo hace poco indicado para el enorme mercado de botellas de refresco.

El APL fue uno de los primeros biopolímeros en llegar al mercado, pero hay otros en camino y todos ellos usan diferentes tecnologías para alcanzar su objetivo. Una de las novedades más sorprendentes es el uso de microorganismos para producir clases totalmente nuevas de biopolímeros. DuPont emplea la bacteria *E. coli* para producir un tejido sintético de base biológica comercializado bajo la marca registrada Sorona, y Metabolix, una empresa biotecnológica de Cambridge, Massachusetts, ha utilizado otro tipo de bacteria para crear lo que, según afirma, es un nuevo biopolímero completamente sostenible, que ha bautizado como Mirel.[33]

Metabolix no está usando una bacteria cualquiera. Emplea un grupo poco usual de microbios que almacenan energía no en forma de grasa, sino como un polímero natural llamado polihidroxialcanoato, o PHA. Los microbios están por todas partes: en la tierra, el aire, el mar, e incluso en nuestros cuerpos, y, por consiguiente, también lo está el PHA. Oliver Peoples, fundador de Metabolix, tuvo conocimiento de la existencia de estos microbios a finales de la década de 1980, cuando era un químico recién doctorado que trabajaba en el MIT. Peoples vio en ellos un vehículo para producir un polímero de base biológica, un plástico que un día podría incluso cultivarse en plantas. Tardó más de una década, pero finalmente consiguió diseñar genéticamente estos microbios para que fueran «superproductores» de PHA. Asimismo, concibió métodos para fermentarlos en tanques de azúcar de maíz (dextrosa) a fin de producir enormes cantidades de este polímero. Los microbios se atiborran de azúcar y lo convierten en PHA con tanta eficiencia que este polímero blanco y esponjoso constituye el 80 por ciento de su peso. A continuación el PHA se extrae, se seca y se convierte en gránulos de Mirel. Recientemente, cuando visité en un día de verano las oficinas de Metabolix en Cambridge, Brian Igoe —director de comunicación de la empresa— me mostró los laboratorios en los que se cultivaba el Mirel. La sala olía ligeramente a levadura debido al caldo amarillento a base de microbios que fermentaba en tanques de acero inoxidable. Igoe comparó el proceso con la elaboración de cerveza. «Pero es la cerveza más *high tech* que usted habrá probado en su vida.»

El invernadero cerrado con llave situado al fondo del pasillo albergaba el gran sueño de Peoples. En aquel pequeño espacio construido en el tejado, brotaba una pradera en miniatura bajo hileras de luces fluorescentes. Había decenas de macetas llenas de plantas de *Panicum virgatum* o pasto de la pradera, modificadas genéticamente para que el PHA creciera en sus células.

—Si observa los tallos y las hojas de esta planta, verá que tienen una especie de acabado en blanco —dijo Igoe mostrándome una brizna para que la examinara.

Ese tono ligeramente blanco era el PHA. Constituía alrededor de un seis por ciento del tejido de la planta. Cerca de allí había varias macetas con plantas de tabaco, en las que también crecía el PHA. (El ADN del tabaco es tan fácil de manipular que esta planta es el equivalente botánico de la rata de laboratorio en la tecnología genética.) La empresa espera que un día plantas como éstas puedan ser una fuente de plástico útil. Tras cosechar y secar la planta, se le extraería el PHA y éste se convertiría en Mirel, mientras que la biomasa sobrante podría quemarse para obtener energía.[34]

Peoples no fue el primero en ver las posibilidades de aquellos productores de microplásticos. Científicos de la empresa británica Imperial Chemical Industries intentaron comercializar la tecnología en la década de 1980, pero no tuvieron éxito y le pasaron el testigo a Monsanto. A finales de los años noventa, Monsanto reveló que había conseguido crear un plástico a base de PHA, y un fabricante de tarjetas de crédito anunció que expediría una tarjeta de crédito vinculada al movimiento «tierra verde» hecha con el nuevo polímero.[35] Pero antes de que esto sucediera, Monsanto decidió suprimir su departamento de bioplásticos. Los plásticos de origen vegetal eran considerablemente más caros que los que procedían de combustibles fósiles, y los directivos de Monsanto no estaban convencidos de que existiera un mercado dispuesto a pagar el coste añadido de ser más ecológico.

Pero Peoples está seguro de que las cuentas pueden cuadrar, y de que hay un mercado que espera ansioso la llegada de los plásticos verdes. Por el momento, el gigante de los cereales Archer Daniels Midland ha confiado en la visión de futuro de Peoples. En 2004, ADM creó una empresa conjunta con Metabolix para empezar a producir Mirel a escala comercial. Tras repetidos retrasos, la planta que la empresa conjunta construyó en Clinton, Iowa, se puso finalmente en funcionamiento a principios de 2010.

Es cierto que los bioplásticos son más caros que los petroplásticos: el APL cuesta entre dos y tres veces más, aunque Davies afirmó que la diferencia de precio empieza a evaporarse cuando el precio del petróleo sobrepasa los ochenta dólares por barril. El Mirel es aún más caro, pero Peoples insiste en que no pretende competir con los plásticos convencionales, ni tampoco con el APL. Davies define Mirel como «producto de alta calidad», un polímero que puede convertirse en film transparente, espuma o material rígido, y que ofrece una gran ventaja en comparación con los plásticos a base de petróleo: se biodegrada fácilmente. Ésta es la virtud de la que depende Peoples para conquistar unos pocos mercados finales cuidadosamente escogidos, entre los que se encuentran los envases y envoltorios, los usos agrícolas y los productos de consumo, como las tarjetas regalo. De hecho, en 2008 Metabolix firmó un acuerdo con Target por el que se comprometía a proporcionar la suficiente cantidad de Mirel para fabricar millones de tarjetas regalo de cara a la temporada navideña de aquel año. Las tarjetas dieron a Target la oportunidad de reforzar sus credenciales verdes, a la vez que proporcionaban a Metabolix una plataforma visible para anunciar su nuevo plástico al mundo.

Mirel e Ingeo están aún muy lejos de ser nombres conocidos. Cuando la producción en su planta de Nebraska alcance sus niveles máximos, NatureWorks seguirá fabricando sólo 160 millones de kilos de su bioplástico al año; Metabolix puede producir alrededor de una tercera parte de esa cantidad. Incluso contando los distintos biopolímeros existentes o en desarrollo, el total resulta insignificante en un mundo inundado de plásticos a base de combustibles fósiles.

Con todo, los bioplásticos están generando grandes expectativas porque muchos consideran que suponen la respuesta a varios de los males relacionados con el plástico. Los ven como el compañero rehabilitado que puede transformar la turbulenta relación que mantenemos con él. Pero antes de que nos comprometamos con otra nueva familia de polímeros, merece la pena hacer la pregunta que planteó Tim Greiner: Exactamente, ¿qué problemas resuelven los bioplásticos?

Cuando se lo pregunté al químico de polímeros Ramani Narayan, profesor de la Universidad del Estado de Michigan, Narayan me dio una única respuesta: la amenaza venidera del cambio climático.[36] Dado que están hechos a base de «fuentes renovables de carbono» —lo que el ciudadano de a pie denominaría plantas—, los biopolímeros pueden reducir la cantidad de dióxido de carbono que enviamos a la atmósfera. El CO_2 que se libera al final de la vida del bioplástico puede ser reabsorbido por las plantas que crezcan en la siguiente estación. Los bioplásticos nos devuelven al interior del círculo protector del ciclo natural del carbono: la producción y la asimilación perfectamente equilibradas de CO_2 que ha sustentado la vida en la Tierra durante millones de años. Incluso una tarjeta regalo de un solo uso que se tire inmediatamente al vertedero permanecerá dentro de este ciclo natural si está hecha de un biopolímero, explicó Narayan. Los petroplásticos, por otra parte, existen fuera de este círculo, razón por la que sus emisiones de CO_2 constituyen una amenaza climática.

El beneficio descrito por Narayan está cuantificado en los complejos cálculos de las emisiones de carbono. Los plásticos a base de combustibles fósiles generan entre dos y nueve kilos de dióxido de carbono por cada kilo de polímero producido. Por otra parte, los plásticos de origen vegetal generan mucho menos CO_2, aunque añadamos todo el combustible empleado para fertilizar, cultivar y cosechar los cultivos. El APL emite sólo 1,3 kilogramos de dióxido de carbono por cada kilo de polímero producido.[37] La huella de carbono del Mirel es un poco más elevada porque este biopolímero precisa más energía para producirse, pero Narayan afirma que sigue siendo una opción mejor que los plásticos convencionales.

Narayan lleva décadas desarrollando plásticos de maíz, pero no cree que el maíz sea la única materia prima utilizable: cualquier materia prima de origen vegetal tendría el mismo efecto beneficioso, afirmó. Y es posible que los cultivos agrícolas —especialmente los cultivos transgénicos— no sean la mejor fuente de materias primas.[38] Algunas voces críticas señalan la indecencia de utilizar un cultivo alimentario para elaborar plástico en un mundo lleno de personas hambrientas, por no mencionar las grandes cantidades de terreno, agua y fertilizantes a base de petróleo que se necesitan para cultivarlo. Una fuente de materias primas más sostenible y económica es la basura, producida en enormes cantidades tanto por los humanos como por el resto del mundo natural. Después de todo, los plásticos convencionales provienen de los residuos producidos al procesar combustibles fósiles; fue precisamente el uso ingenioso de dichos residuos lo que dio un empujón económico a los plásticos.

Los productores de bioplásticos ya están investigando las posibilidades que ofrecen los árboles caídos en los bosques y los restos procedentes de la producción de papel y de pasta de papel —fuentes asombrosamente grandes de celulosa—, así como las briznas de césped segado y los restos de cultivos cosechados, como los rastrojos del maíz y el bagazo de la caña de azúcar. Según un cálculo, dichas fuentes constituyen 350 millones de toneladas métricas al año, una cantidad suficiente para complementar de modo sustancial las materias primas de los combustibles fósiles.[39] Pero también contamos con los residuos que producimos a diario: nuestra basura, e incluso nuestras aguas residuales. Científicos de todo el mundo rastrean los contenedores en busca de materiales de desecho que puedan usarse como materias primas del plástico. Están investigando las posibilidades que ofrecen las plumas de pollo, las mondas de naranja y de patata y el dióxido de carbono; incluso el metano emitido desde los vertederos, que ahora se recupera a veces como fuente de energía. Craig Criddle, químico de la Universidad de Stanford, está trabajando con microbios que se alimentan de metano, parientes de los que emplea Metabolix.[40] Criddle ha descubierto que, después de atiborrarse de metano, estos microbios pueden producir cantidades prodigiosas de un polímero similar al PHA, y que dicho polímero puede convertirse de nuevo en metano al biodegradarse. Aunque se encuentre aún en sus primeras fases, esta tecnología promete un ciclo de producción perfectamente cerrado. También resulta prometedor el trabajo del químico de la Universidad de Cornell Geoff Coates, quien ha desarrollado una forma de capturar el dióxido de carbono emitido por los depuradores en las centrales eléctricas y transformarlo en un tipo de plástico biodegradable a base de carbonato de polipropileno;[41] ahora se produce comercialmente en pequeños lotes. Ninguno de estos materiales podría reemplazar por sí solo a los combustibles fósiles usados en los plásticos, pero no hay motivo para creer que necesitemos un único sustituto. Parte de la magia del petróleo es que haya sido capaz de hacer tantas cosas y tan bien. Un enfoque más sostenible de la producción de plásticos (por no mencionar la producción de energía) sin duda exigirá desarrollar múltiples recursos en el contexto de lo que esté disponible y sea posible a escala local. Podremos medir el éxito de estas iniciativas según la eficiencia con que los productos bioplásticos, como las tarjetas de crédito fabricadas con biopolímeros, reducen la huella de carbono de cada individuo.

Pero éste no es el único problema relacionado con el plástico que pueden resolver los biopolímeros. También prometen un perfil químico más seguro que el PVC que suele emplearse en las tarjetas de crédito. Para ensamblar una cadena de margarita de APL o de Mirel no se precisan compuestos peligrosos. Tal y como observó Rossi, «no cabe duda de que preferiría vivir al lado de la fábrica de NatureWorks en Nebraska que de una refinería de petróleo». Y como productores de plásticos verdes, NatureWorks y Metabolix tienen un interés particular en proteger cómo emplean y procesan sus resinas los fabricantes que se encuentran en un eslabón más bajo de la cadena de suministro.

—Esto puede sonar interesado de nuestra parte, pero estamos obligados a mantener unos estándares muy altos —afirmó Davies—. Desde el principio, tenemos que seguir el modelo de responsabilidad ampliada del productor según el cual no podemos introducir productos en el mercado sin saber adónde van destinados o qué pasará con ellos.

Tanto NatureWorks como Metabolix se comprometen a impedir que las empresas que procesan las resinas en una fase posterior de la producción añadan sustancias químicas nocivas, así como a poner en práctica la ciencia en constante evolución conocida como química verde. (Los objetivos de la química verde incluyen elaborar sustancias químicas sintéticas con tan pocos procesos y materiales tóxicos como sea posible, generar la mínima cantidad de residuos, y producir compuestos que no perduren en el medio ambiente.)[42] NatureWorks, por ejemplo, obliga a cualquier fabricante que use su plástico a tener en cuenta una «lista de sustancias prohibidas», la cual prohíbe el uso de varios contaminantes orgánicos permanentes, interruptores endocrinos, metales pesados, agentes carcinógenos y otras sustancias químicas peligrosas.[43]

Si rebuscamos en las estanterías de productos bioplásticos, observaremos que el problema más habitual que afirman resolver es la persistente durabilidad del plástico. «Adelante, ¡tírelo! No precisa compostaje», alardea un fabricante de tenedores para picnic, dando a entender que una vez desechados, simplemente se derretirán. Tenedor que desaparece, problema resuelto. Pero la publicidad, incluso la más verde, raras veces dice toda la verdad.

Creía saber lo que significaba la palabra «biodegradable», pero al hablar con varios expertos me di cuenta de que es un proceso mucho más complicado que mi noción vaga de algo que simplemente «se descompone». El término tiene un significado científico preciso: «biodegradable» en este contexto quiere decir que las moléculas poliméricas pueden ser consumidas completamente por microorganismos que las convierten en dióxido de carbono, metano, agua y otros compuestos naturales.[44] «Aquí la palabra clave es "completamente"», advirtió Narayan. No cuenta como biodegradación si sólo se digiere una parte del polímero.

Esta distinción es la razón por la que Narayan ha criticado mi tarjeta Discover, supuestamente biodegradable.[45] Sus estudios demuestran que pese al PVC con un cebo para microbios, los microbichitos consumen sólo alrededor del 13 por ciento de la tarjeta; después de eso, el proceso se estanca. La biodegradabilidad engañosa también se encuentra en el punto de mira debido a una serie de bolsas de plástico comercializadas como «oxobiodegradables».[46] Se trata de bolsas hechas con plásticos convencionales mezclados con un aditivo que las hace desintegrarse cuando están expuestas al sol. Es cierto que las bolsas se rompen rápidamente, pero apenas hay pruebas de que los microbios consuman por completo los trocitos de plástico resultantes. En lugar de eso, arguyen los críticos, puede que simplemente llenen la tierra de más trocitos minúsculos de plástico.

Otra de las complicaciones que afectan a la biodegradabilidad de un producto es que el proceso se desarrolla de distintas maneras según el material, el escenario y los microbios presentes. Un árbol caído es sumamente biodegradable. En la húmeda selva tropical, atestada de hongos y de microbios, podría ser devorado en cuestión de meses. Pero si cae en un desierto seco y caluroso, donde apenas hay microorganismos, se petrificará mucho antes de que pueda ser consumido. Y si se hunde hasta el lecho anaeróbico de un río, se conservará durante siglos porque los microbios que digieren la madera necesitan oxígeno para desempeñar su tarea. Los plásticos son intrínsecamente más difíciles de descomponer que la madera, pero su capacidad para biodegradarse es una función de la estructura química de un polímero, y no de sus componentes. Algunos plásticos a base de combustibles fósiles se biodegradarán (los que suelen usarse para fabricar film y bolsas compostables), mientras que otros plásticos de origen vegetal no lo harán.[47]

En teoría, tanto el APL como el Mirel son biodegradables. En la práctica, el proceso tiene lugar más fácilmente en el Mirel. Podría echar una tarjeta regalo de Mirel usada en mi cubo de abono orgánico del jardín, donde los microbios la digerirían en pocos meses, creando un magnífico humus oscuro. Lo mismo sucedería, aunque a un ritmo más lento, si la perdiera en el parque, o incluso si la echara al océano. Mirel es el único plástico disponible en la actualidad —ya sea a base de petróleo o de plantas— que se descompondrá en un entorno marino. Así, aunque no vayamos a construir un muelle con él, podría ser un material estupendo para fabricar envases y envoltorios de plástico, sobre todo para alimentos y productos náuticos. Lo cierto es que la Marina estadounidense está investigando el uso de utensilios, platos y vasos de Mirel.[48]

El APL presenta más dificultades. Se biodegradará, pero sólo en condiciones óptimas de compostaje, y no es nada fácil propiciarlas. Dado el estado del cubo de compostaje que tengo en el jardín, sospecho que si depositara allí la tarjeta regalo de iTunes de APL permanecería intacta durante mucho tiempo. Para movilizar a los microbios que pueden quebrar las largas cadenas poliméricas del APL se requiere una mezcla equilibrada de oxígeno, humedad, aeración y temperaturas constantes de entre 50 y 60 grados centígrados. En resumen, el tipo de condiciones que se dan más fácilmente en una planta de compostaje industrial. Por desgracia, en este país hay sólo entre doscientas y trescientas plantas que procesan residuos de comida, y aún es menor el número de comunidades que recogen los restos de comida de sus habitantes para compostarlas.[49] La mayoría están ubicadas en California y en Washington.

Como sucede con cualquier tecnología nueva, lleva tiempo desarrollar una infraestructura de apoyo. NatureWorks espera que los productos de APL puedan reciclarse químicamente en el futuro mediante un proceso químico que los descomponga hasta llegar a su componente inicial, el ácido láctico. Sin embargo, en el año 2010 sólo hay unas instalaciones en todo el mundo capaces de hacerlo. Actualmente este plástico está provocando una minicrisis en el mundo del reciclaje, donde todo está enfocado a los plásticos convencionales.[50] El APL se usa cada vez más en envoltorios y envases de alimentos, pero muchos consumidores no se percatan de que una botella de APL no puede echarse en el cubo de reciclaje.

—Éstas nos están dando muchos dolores de cabeza —dijo un ejecutivo de Recology en San Francisco, mientras me mostraba una botella de agua de plástico hecha con APL.

La botella tenía exactamente el mismo aspecto que una hecha de PET, pero podía contaminar todo un lote de PET que se estuviera reciclando. Si bien algunos fabricantes de vasos han empezado a usar logotipos y etiquetas verdes o marrones para indicar que los vasos están hechos con APL, de momento no hay ningún sistema estandarizado para diferenciar los biopolímeros.

La atracción de la biodegradabilidad es muy comprensible. (Aunque resulta paradójico ver cómo asume el tipo de caché comercial para los plásticos que antes tenía la durabilidad. No puedo imaginarme a ningún fabricante de plásticos en la actualidad usando este anuncio de la década de 1980: «El plástico es para siempre... y mucho más barato que los diamantes».)[51] Con todo, la capacidad de biodegradarse no es ni una panacea contra la contaminación ni la solución para el fin de vida útil de todos los objetos de plástico.

Consideremos todos los productos, como la tarjeta Discover, que afirman desintegrarse en un vertedero. Es un mito que ha provocado esperanzas infundadas, afirmó Steve Mojo.[52] Mojo es el director del Sustainable Products Institute [Instituto de Productos Biodegradables], una agrupación sectorial que controla el mundo de los biopolímeros y acredita aquellos productos que cumplen con los estándares internacionales de compostabilidad y biodegradabilidad. Lo ideal sería que nada se biodegradara en un vertedero, explicó Mojo. Los vertederos están concebidos para impedir dicho proceso dentro de lo posible, porque genera gases de efecto invernadero. Por asqueroso que pueda parecernos pensar que nuestra basura nos sobrevivirá tanto a nosotros como a nuestros nietos, eso es preferible a que se descomponga y libere metano, el más potente de los gases productores del cambio climático. Al escuchar a Mojo describir cómo funcionan los vertederos, pensé en las muchas bolsas biodegradables que se venden para recoger excrementos de perro y que la mayoría de la gente simplemente tira a la basura. Puede que todas estas personas bienintencionadas esperen que, al usar bolsas biodegradables en lugar de bolsas de plástico normales, la caca de sus chuchos se descompondrá más fácilmente. Pero como sucede con cualquier cosa depositada en un vertedero, «se va a conservar», dijo Mojo.

—Así que cuando las generaciones futuras excaven los terrenos del vertedero, descubrirán que teníamos muchos perros.

La biodegradabilidad es una característica muy útil para todos aquellos productos asociados a los alimentos o a los residuos orgánicos (el tipo de productos que, a diferencia de la caca de perro, se pueden compostar sin riesgos), como platos, vasos y cubiertos desechables, envoltorios de aperitivos y envases de comida rápida. Todos son artículos de un solo uso que no suelen reciclarse en la actualidad, especialmente los que están hechos de film transparente. (La biodegradabilidad también sería útil para los millones de kilos de film transparente usados por los agricultores en las épocas de cultivo a fin de impedir que crezcan hierbajos entre las plantas. Nadie ha encontrado la manera de reciclar de forma económica este film.) Fabricar este tipo de productos con bioplásticos biodegradables no sólo proporciona una solución para eliminar los envoltorios, sino que contribuye a fomentar el compostaje de los restos alimenticios que constituyen una parte mucho mayor del flujo de residuos que los plásticos. Los estadounidenses tiran a la basura más de treinta millones de toneladas de restos de comida cada año, y casi todos estos restos acaban en los vertederos.[53] Los defensores de la política de residuo cero consideran que los envoltorios de plástico compostable proporcionan dos soluciones en una.

Pero ¿acaso es la biodegradabilidad la respuesta a los problemas de acumulación de residuos que plantean las tarjetas de plástico de un solo uso? Quizás. ¿Y por qué no las diseñan de modo que sea más fácil recargar el crédito, permitiendo así que la tarjeta pueda reutilizarse? De esta forma no sería preciso fabricar tantas tarjetas nuevas. En cuanto a las tarjetas de crédito, ¿por qué no reducir la frecuencia con que se emiten nuevas tarjetas para cuentas ya existentes? ¿O por qué no ampliar los escasos programas de reciclaje de tarjeta a tarjeta que existen en la actualidad? ¿O fabricar las tarjetas con un plástico menos tóxico que el PVC para que se puedan reciclar más fácilmente? Éste es el camino emprendido por algunos bancos europeos y el elegido por HSBC cuando quiso emitir una tarjeta de crédito más ecológica para su mercado de Hong Kong.[54] Su tarjeta verde, dada a conocer en 2008, está hecha con el plástico que más se recicla, el PET. Y viene respaldada por ecoventajas aún más tangibles: facturas digitales, que reducen los residuos de papel, y la promesa por parte del banco de que una parte de todo el dinero gastado por sus clientes se donará a proyectos medioambientales.

Desde hace mucho tiempo los fabricantes escogen los plásticos para sus productos basándose en el precio y en la funcionalidad. Pero crear una relación más sostenible con el plástico requerirá una mayor destreza por nuestra parte. Requerirá que pensemos en todo el ciclo vital de los productos que creamos y usamos. Un plástico verde que resulte adecuado para determinada aplicación puede no serlo para otra aplicación distinta si se tienen en cuenta todos los factores medioambientales. Puede que la biodegradación no sea siempre la mejor respuesta.

Consideremos el informe reciente publicado en *The New York Times* según el cual algunos diseñadores de muebles y de otros artículos para el hogar se están esforzando en crear productos biodegradables.[55] En cierto modo, se trata de una aplicación admirable del pensamiento de la cuna a la cuna. Montauk Sofa, por ejemplo, diseñó una gama de sofás en la que todos los componentes estaban hechos con materiales orgánicos no tóxicos que podían biodegradarse. Como explicó al *Times* el gerente de la empresa, «al principio lo más importante era tener el mínimo impacto posible en el medio ambiente. Luego empecé a pensar que sería estupendo no tener ningún impacto. Y entonces pensé "¿y si el sofá desaparece cuando ya no sirva"?».

Dejando a un lado la cuestión de si se trata de un objetivo viable, ¿qué dice todo esto acerca de nuestra cultura? ¿Constituyen los sofás biodegradables un ejemplo de una mentalidad más sostenible? ¿O no son más que otra versión de las mismas costumbres de «comprar y tirar», pero con un toque verde? Tradicionalmente, la durabilidad y la longevidad han proporcionado un valor añadido a las cosas: la cómoda de madera de nogal de una bisabuela no es únicamente un mueble donde guardar la ropa; con el tiempo se convierte en una reliquia familiar, un vínculo con un pasado que se ha conservado. Comprar un sofá de dos mil dólares concebido para deshacerse de él sin cargos de conciencia no es muy distinto de comprar un encendedor de noventa y nueve centavos, también diseñado para ser echado a la basura. ¿Acaso el sofá con el impacto más bajo en el medio ambiente no sería uno diseñado y comprado con la expectativa de continuar usándolo durante décadas?

La tecnología ha acabado definiendo la vida moderna. Nos encantan los apaños tecnológicos sorprendentes, incluso para aquellos problemas creados por la propia tecnología. La indignación por el derrame de petróleo en el golfo de México queda atemperada por la fascinación que nos producen los dispositivos antierupción de alta tecnología y otras maravillas tecnológicas que prometen rescatarnos de nuestras complejas creaciones. Pero la ecologización de Plasticville requerirá algo más que apaños tecnológicos. También nos exigirá encarar los hábitos de consumo descuidados y en ocasiones voraces surgidos a raíz de la llegada del plástico y del dinero de plástico, una afección para la que no existe un símbolo mejor que la tarjeta al límite de crédito. Significa bregar con lo que el historiador Jeffrey Meikle denominó «nuestra cultura inflacionaria»,[56] consistente en invertir una porción cada vez mayor de nuestro bienestar psicológico en la adquisición de objetos, y por otra parte considerar que dichos objetos tienen tan poco valor «como para alentar su sustitución, su eliminación, su consumo rápido y total».

¿Cómo sería darle la espalda a esa cultura, o al menos a la parte relacionada con el plástico? Supongo que podría haber viajado a Lancaster, Pensilvania, y haber pasado algún tiempo con una familia amish para descubrirlo. Pero me limité a descolgar el teléfono y llamé a Beth Terry, una contable a tiempo parcial de cuarenta y tantos años de Oakland, California, que en 2007 decidió empezar a apartar el plástico de su vida y ahora escribe acerca de sus experiencias en un blog titulado «Mi vida sin plástico».

Tal y como explica Terry, estaba en su casa recuperándose de una histerectomía cuando escuchó una noticia por la radio sobre Colin Beavan, alias No Impact Man [El Hombre sin Impacto Medioambiental], un residente de Nueva York que había prometido vivir tan ligeramente como el helio durante un año.[57] A Terry le conmovió la historia de Beavan y decidió echarle un vistazo a su blog. Allí descubrió una cadena electrónica que la llevó primero al blog (ahora cerrado) de Envirowoman [Ecomujer], una canadiense que pasó un año eliminando el plástico de su vida, luego a varios artículos sobre el vórtice plástico, y a continuación a la imagen que, según dijo Terry, le cambió la vida: la fotografía del cuerpo de un albatros de Laysan muerto, atiborrado de residuos plásticos. La imagen se le grabó en el cerebro y cambió para siempre su perspectiva del mundo.

—Aquel pájaro estaba lleno de cosas que yo usaba: tapones de botellas, cepillos de dientes y un montón de cachivaches de plástico —explicó Terry.

Al observar la fotografía, le sorprendió el escaso control que tenía sobre estos objetos una vez se había deshecho de ellos. Quizá, dijo al pensarlo después, su cambio de enfoque se debió al hecho de recuperarse de la histerectomía, darse cuenta de que nunca tendría hijos y mostrarse abierta a la posibilidad de cuidar de otra cosa, como... el planeta. Cualquiera que fuera la razón, sintió la necesidad urgente de transformar su horror en actividad.

Terry me contó esta historia mientras almorzábamos en el restaurante de Oakland donde habíamos acordado encontrarnos. Me imaginé que sería ella al ver a la mujer de rizos oscuros y gafas sin montura vestida con ropa cómoda que abrió la puerta de entrada sosteniendo una bolsa de tela con el eslogan «Lona, porque el plástico está tan pasado de moda». La bolsa contenía algunos de los accesorios que Terry lleva consigo para minimizar su consumo de plástico, como bolsas de tela para los cereales y las verduras que compra a granel, así como su kit para comer fuera de casa: tenedor, cuchara y cuchillo de madera, por si le ofrecen cubiertos de plástico, un par de cañas de cristal para beber y una servilleta de tela. Aquel día también llevaba un cazo de acero inoxidable, que sacó cuando fuimos más tarde a la carnicería de enfrente para comprar carne de pavo picada para su gato (Terry es vegetariana). Para evitar el film transparente o el papel plastificado que se usan para envolver la carne, Terry le pidió al carnicero que metiera la carne picada en el cazo. Me fijé en que pagaba con una tarjeta de crédito. Dice que no le importa usar tarjetas de crédito —el plástico dura mucho tiempo—, pero le preocupan un poco los recibos por el desperdicio de papel, y por el hecho de que estén recubiertos de bisfenol A. (Otro más de los múltiples usos de esta sustancia química: se mezcla con la tinta invisible que lleva el papel sin carbono para que aparezca una imagen cuando se aplica presión, como cuando alguien escribe su firma.)[58]

Como si yo no lo hubiera adivinado ya, Terry me explicó que no es de las personas que hacen las cosas a medias. Cuando decidió correr para hacer ejercicio, acabó corriendo una maratón; cuando empezó a tejer, hizo bufandas y sombreros para todos sus conocidos. Así que su objetivo de reducir el consumo de plástico pronto fue mucho más allá de adoptar medidas tan prosaicas como usar bolsas reutilizables y vasos de picnic. Empezó a controlar los fragmentos más minúsculos de plástico que entraban en su casa:

los trozos de celo en los paquetes que recibía, las ventanas de plástico en los sobres, los pedacitos de film transparente que envuelven los extremos de los plátanos orgánicos (una medida para impedir el moho). Tracy se esfuerza al máximo para deshacerse de todo el plástico superfluo: ha devuelto sobres de Tyvek (material hecho de polietileno) a DuPont para que los reciclen, así como los CD que no necesitaba y que le enviaban de forma automática cada vez que actualizaba su versión de TurboTax. Ha cruzado la ciudad en bicicleta (no tiene coche) para devolver las bolitas de porexpán a la empresa de transporte que le había entregado un paquete enviado por su padre. En todo 2009 sólo acumuló 1,6 kilos de plástico, el 4 por ciento de la media estadounidense, como comentó con orgullo en su blog. Admite de buen grado que es bastante radical, pero considera que está abriendo un camino que los demás podrán seguir hasta donde quieran.

Resulta sorprendente el número de personas que están dispuestas a intentarlo (aunque no el marido de Terry: apoya sus esfuerzos pero no se ha unido a su cruzada contra el plástico). Decenas de sus lectores han aceptado el desafío de acumular sus residuos plásticos durante una semana o algo más, fotografiarlos y luego enviarle las fotos. De hecho, la blogosfera está llena de detractores del plástico y fanáticos de la política de residuo cero empeñados en reducir sus huellas de carbono al máximo. Comparten recetas de condimentos y desodorantes caseros, revelan sus frustraciones al intentar encontrar prendas deportivas de fibras naturales y protector solar en frascos que no sean de plástico e intercambian consejos para reciclar objetos de plástico indeseados como las tarjetas regalo. «Usadlas para rascar la cera de las velas de soja de encimeras, telas y palmatorias planas», sugirió una de las lectoras de Terry. O: «Usadlas para hacer dobleces en las artesanías de papel... Cortadlas a cuadros, pegadlas sobre un corcho y haced posavasos de mosaico». Confiesan sus pecados consumistas por internet: «Por pereza, acabé cediendo y compré tortillas de maíz envueltas en plástico», le escribió a Terry un lector.

Incluso entre este «núcleo duro», hay distintos niveles de extremismo. Otro bloguero verde acusó a Terry de «ecologismo autoflagelante» por usar bicarbonato y vinagre para lavarse el pelo. Y esto, observó Terry, lo decía una mujer que defendía el uso de trozos de tela en lugar de papel higiénico, «lo que me parece realmente extremo». Pero a Terry no le costaba ningún sacrificio dejar de usar el champú de frasco y pasarse al bicarbonato y al vinagre. Y encima sale más barato, todo un plus para una persona tan frugal como ella. Además, añadió, «no soy muy presumida y nunca lo he sido». (Envirowoman, una de las primeras plastífobas de la blogosfera, se quejaba a menudo de lo mucho que le costaba encontrar cosméticos libres de plásticos.)

—¿Has hecho alguna cosa que pueda considerarse ecologismo autoflagelante? —le pregunté.

—Echo en falta el queso —respondió sonriendo con nostalgia.

El cheddar de sabor fuerte que tanto le gusta viene casi siempre envuelto en plástico. Con el tiempo Terry consiguió encontrar un tipo de queso —por desgracia no era cheddar— que viene envuelto en cera de abeja natural, pero tuvo que comprar la rueda entera de siete kilos. De vez en cuando Terry intenta tomarse un respiro.

—El otro día fui a Trader Joe's sólo para comprar algún plato rápido para el almuerzo. Antes solía comer en Trader Joe's todo el tiempo. Me apetecía una ensalada.

Estaba totalmente dispuesta a confesar la transgresión en la siguiente entrada de su blog, pero entonces le vino a la mente aquella imagen del albatros atiborrado de plástico.

—La verdad es que no pude hacerlo. Vi todo ese plástico y salí del restaurante.

Durante el curso de su deplastificación, Terry ha tenido que dejar de comprar muchas de las cosas que compraba antes. Como recordó, al principio sólo quería sustituir los objetos de plástico por cosas hechas de cristal, madera, papel u otros materiales naturales. Compraba las salsas en frascos de cristal, recorría las tiendas de comestibles en busca de platos congelados que no vinieran en bandejas de plástico, probó la leche de soja en polvo (y le pareció horrible) y en vez de usar hojas de afeitar desechables se compró una antigua maquinilla que encontró en una tienda de antigüedades de su barrio.

—Pensé que podría encontrar alternativas para todo lo que uso en casa —explicó.

Pero con el tiempo descubrió que «cada vez había menos cosas que pudiera comprar». Cuando se le estropeó el secador, o encontraba la forma de repararlo, o se secaba el pelo al aire, y aplicó ese principio a todo lo demás. En lugar de comprar leche de almendras, yogur y jarabe para la tos, aprendió a hacerlos por su cuenta. En vez de comprar herramientas nuevas se las pidió prestadas a sus amigos, o las alquiló.

—Al no usar nada de plástico me vi obligada a consumir menos —explicó Terry.

Puede que no ponga pegas a sus tarjetas de crédito por motivos ecológicos, pero el hecho es que una vida sin plástico significa que cada vez tiene menos ocasiones de usarlas.

El plástico está tan vinculado al consumo que ambos términos son casi sinónimos. Si observamos la superficie higiénica y reluciente de Plasticville veremos toda una serie de productos que nos hacen la vida más fácil y cómoda. Pero si empezamos a rascar esa superficie descubriremos que algunas comodidades menores, incluso triviales, pueden acarrear consecuencias funestas, reflejadas en los artículos desechables que nos sobrevivirán, las sustancias químicas que pueden afectar la salud y la fertilidad de generaciones futuras o los albatros asfixiados al tragar aquellos objetos que hemos desechado porque no pueden usarse de nuevo ni reciclarse.

¿Significa esto que debemos seguir a Terry por el camino que se aleja de Plasticville? ¿Tenemos que elegir entre nuestro plástico y nuestro planeta? Si ésas fueran las únicas opciones, no estoy segura de que ni mis conciudadanos ni yo fuéramos capaces de tomar la decisión correcta. Afortunadamente, construir un futuro sostenible no exige una elección tan drástica. Pero un empeño demasiado simplista en lograr la perfección puede obstaculizar los esfuerzos ecológicos de mucha gente.

Pensemos en las centrales lecheras que tratan de mejorar la forma en que se produce y se vende la leche. Una central lechera de mi zona vende leche orgánica en botellas de cristal retornables. Pero el tapón sigue siendo de plástico, y para Terry eso no se ajusta a las normas. Es una cuestión de prioridades, afirmó.

—Tienes que priorizar lo que es importante en tu vida. Yo no necesito beber leche.

Ésa puede ser una opción razonable para Terry, pero si mucha gente siguiera su ejemplo, la central lechera orgánica con sus botellas de cristal retornables tendría que cerrar. Si queremos un mundo más verde, la virtud personal debe tener en cuenta los contextos políticos y sociales más amplios de las acciones individuales. La actitud inquebrantable de Terry nos obliga a pensar en las concesiones que hacemos cada día sin pensarlo demasiado, algo de lo que me percaté cuando finalmente decidí aceptar su desafío y recoger todo el plástico que consumiera durante una semana.

Llevaba algún tiempo posponiéndolo. No estoy muy segura de por qué, excepto que la idea me hacía sentir algo incómoda. Sabía que de ningún modo iba a reducir mi consumo de plástico a los niveles de Terry. Tengo tres hijos, un trabajo a tiempo completo y un carácter mucho menos obsesivo; nunca me he sentido obligada a correr una maratón. No estaba convencida de que recoger mis residuos plásticos durante una semana fuera a revelarme algo que no supiera ya. O, si he de ser sincera, algo que quisiera saber.

Para mi sorpresa, resultó ser un ejercicio muy útil, como lo fue mi anterior experimento de anotar todo lo que tocaba que estuviera hecho de plástico. Me recordó una vez más la omnipresencia del plástico y lo fácil que resulta olvidarse de este hecho. Saber que tendría que conservar todos los artículos de plástico que usara convirtió cada uso —incluso los más triviales— en una decisión consciente. Por ejemplo, en el gimnasio, podía beber agua en uno de los vasos de plástico que hay junto al dispensador de agua fría, y añadir ese vaso a mi colección. O podía bajar una planta y beber directamente de una fuente.

Al mirar el montón de basura que acumulé en una semana —ciento veintitrés artículos, probablemente más de lo que Terry generaba en un año—, me quedaron claras algunas cosas. Una era que a menudo mis compras se basan en la comodidad. ¿Realmente necesito comprar calabacines en Trader Joe's, donde los venden en una bandeja de plástico cubierta de film transparente, con una pegatina de plástico en cada calabacín? A veces. Pero la mayoría de las semanas puedo encontrar tiempo para ir al mercado o a los puestos de verduras del barrio, donde todas las frutas y verduras vienen sin esta capa de piel sintética.

Me avergoncé al darme cuenta de que muchos de los envoltorios que había conservado aquella semana contenían comida que se había estropeado porque no nos la habíamos acabado. Había cinco bolsas de pan de molde, y en cada una quedaban unas cuantas rebanadas mohosas: las de más corteza, que mis hijos se negaban a comer. Estas bolsas constituían la prueba de que hacía demasiadas compras con el piloto automático puesto, sin pensar cuidadosamente en lo que realmente necesitamos. Pero también me recordó algo que Robert Lilienfeld, coautor de *Use Less Stuff* [Use menos cosas], me dijo cuando hablé con él del debate sobre las bolsas de plástico.[59] Lilienfeld señaló que, pese a todos los problemas medioambientales causados por las bolsas de un solo uso, el mayor impacto proviene de lo que contienen. Reducir la huella de carbono humana significa abordar hábitos de consumo alimentario completamente insostenibles, como pretender comer fresas en pleno invierno o comprar ciertos tipos de marisco que se siguen pescando pese a estar al borde de la extinción.

El desafío de Beth Terry me obligó a tomar conciencia de todas mis compras, y me hizo preguntarme lo siguiente cada vez que empujaba el carrito por el súper: «¿Necesitamos esto realmente?». Voy a responder con un «sí» más a menudo que Beth, pero no está de más hacerse de vez en cuando esta pregunta, sobre todo en una cultura consumista como la nuestra que nos anima a usar la tarjeta de crédito, aunque no necesariamente de forma reflexiva.

Estas tarjetas de crédito contribuyen poderosamente a conformar las opciones que se les ofrecen a los consumidores. Podemos usarlas para exigir productos más sanos y seguros y para apoyar el desarrollo de plásticos que sean auténticamente verdes. También podemos manifestar nuestras preferencias no sacándolas del billetero y rechazando los artículos que lleven demasiados envoltorios y los productos que no puedan reutilizarse o reciclarse. El poder del monedero ha contribuido a convertir la sostenibilidad en un nicho de mercado viable, impulsando ventas de botellas de agua no desechables, vasos de viaje y otros artículos de este tipo. Ésta es la razón por la que ahora los almacenes Walmart venden frutas y verduras orgánicas, por la que Clorox introdujo una gama de productos de limpieza sin toxinas y por la que los fabricantes de biberones y de botellas para deportistas optaron voluntariamente por alterativas libres de bisfenol A. Podemos influir en los mercados, como Beth Terry demostró en 2008 cuando organizó una exitosa campaña para conseguir que Clorox reciclara los cartuchos de carbono usados en sus filtros de agua Brita, algo que el fabricante europeo de Brita llevaba haciendo desde hacía años gracias a las exigencias de las leyes que ampliaban la responsabilidad del productor.

Pero es poco probable que las acciones individuales por sí solas produzcan cambios a la escala que se requiere en la actualidad, tanto si la tarea consiste en impedir la plastificación de nuestros océanos como proteger a nuestros hijos de los interruptores endocrinos o limitar las emisiones de carbono que alimentan el calentamiento global. Las fuerzas que dieron forma a nuestro matrimonio con los plásticos —una industria petroquímica poderosa, una cultura consumista, un menor espíritu comunitario debido a la diáspora a los barrios de las afueras— evolucionaron hasta convertirse en una cultura política que presuponía un mundo sin límites biológicos. No podemos volver a meter al genio en la botella, pero sí podemos cambiar nuestra cultura política para convertir al genio en un ciudadano mejor.

El gobierno, a cualquier nivel —desde los ayuntamientos hasta el Congreso—, tiene que desempeñar un papel importante en la reinvención de nuestras comunidades como lugares donde sea fácil, cómodo y rentable usar menos, reutilizar más, reciclar y compostar; donde todos los productores acepten la responsabilidad de la cuna a la cuna por los artículos que creen; y donde el océano sea valorado como la inmensa fuente de recursos que es, en lugar de convertirse en el vertedero al que van a parar todas las muestras de nuestra locura plástica.

Rehacer nuestra relación con esta familia de materiales es un proyecto sumamente importante.

Hemos producido casi tanto plástico en los últimos diez años como en todas las décadas anteriores juntas. Nos hemos acostumbrado a nuestros compañeros poliméricos, para bien o para mal. A los universitarios actuales puede que una carrera profesional en el sector de los plásticos les atraiga tan poco como a Dustin Hoffman en *El graduado,* pero sus vidas estarán definidas por la presencia del plástico en mayor medida que las vidas de cualquier generación anterior. La producción de plásticos se está acelerando, los artículos de este material se extienden por todas partes y la cultura de usar y tirar se está exportando a países en desarrollo cuyo consumo de plástico podría, de acuerdo con algunas estimaciones, alcanzar los niveles estadounidenses y europeos en los próximos cuarenta años. La producción anual de plásticos en el mundo, si las tendencias actuales continúan, podría alcanzar alrededor de mil millones de toneladas antes del año 2050.[60] Si ahora ya tenemos la impresión de estar inundados de plástico, ¿cómo nos sentiremos entonces, cuando consumamos casi cuatro veces esta cantidad?

Hemos recorrido un largo camino desde que surgiera la promesa inicial del plástico, una sustancia que esperábamos que nos liberara de los límites del mundo natural, democratizara la riqueza, inspirara a las artes y nos permitiera convertirnos en cualquier cosa que quisiéramos ser. Pero pese a todas nuestras equivocaciones, el plástico aún ofrece las mismas promesas. Especialmente en un mundo de siete mil millones de almas hasta la fecha, necesitamos los plásticos más que nunca. Tenemos que recordarnos a nosotros mismos que nuestro poder para crear un mundo sublime no radica en los materiales que utilicemos, sino en nuestras dotes de imaginación, nuestra capacidad para forjar vínculos comunitarios y nuestra habilidad para reconocer el peligro y buscar un camino mejor.

Así como la acción individual no es un buen sustituto del ejercicio de la voluntad política colectiva, tampoco podemos cambiar a base de leyes el futuro sostenible y enriquecedor que sabemos que es posible alcanzar. Reconvertir Plasticville en un lugar donde nuestros hijos, sus hijos, y los hijos de sus hijos puedan vivir sin correr riesgos nos exigirá reflexionar sobre la imagen que tenemos de nosotros mismos y sobre lo que precisamos para sentirnos realizados física e intelectualmente. No tenemos por qué rechazar los objetos materiales, sino redescubrir que su valor no reside tanto en la cantidad de objetos que poseamos como en la forma en que nuestras posesiones materiales nos conectan entre sí —recordemos la historia de Della y sus peinetas— y con el planeta que es la auténtica fuente de toda nuestra riqueza.

Epílogo
Un puente

El puente no tiene nada de especial: no es más que un arco corto y sencillo que conecta dos caminos de tierra en el corazón de Pine Barrens, Nueva Jersey. Pinos de tea, encinas y eucaliptos negros bordean el camino que lleva hasta él. Arándanos y helechos de cuero cubren las orillas del río a ambos lados. Es uno de los muchos puentes que cruzan las aguas turbias del río Mullica a su paso serpenteante por un bosque llamado Wharton State Forest. A diferencia de otros puentes, sin embargo, éste está construido enteramente de plástico.

No es algo que se advierta a simple vista, a menos que nos detengamos para observarlo de cerca. De todas formas, una directora de comunicación del bosque estatal me dijo que «no parecía fuera de lugar».[1] Y dado que está construido totalmente a base de plásticos reciclados, explicó, «promueve nuestro enfoque ecológico».

Casi un millón de botellas de leche usadas y un montón de parachoques de coches viejos fueron aplastados, fundidos y remoldeados para hacer los perfiles doble T, los pilotajes y los tableros de plástico que se usaron para construir el puente de dieciocho metros de largo.[2] Thomas Nosker, científico de polímeros de la Universidad Rutgers, inventó la tecnología necesaria para convertir los plásticos desechables en materiales de construcción duraderos y después autorizó a una empresa de Nueva Jersey, Axion International, para que la comercializara. Axion afirma que el plástico que produce a partir de productos reciclables puede moldearse para hacer puentes, traviesas de ferrocarril, cubiertas, pilotajes, mamparos y diques, y soportará el paso del tiempo y el desgaste de los elementos mucho mejor que la madera, el hormigón o el acero. En sólo dos años la empresa ha reciclado alrededor de un millón de kilos de plásticos que podrían haber acabado en un vertedero. Para el fundador de Axion, Jim Kerstein, este tipo de productos suponen un pago kármico por los años que pasó produciendo y vendiendo perchas hechas de plásticos vírgenes que casi siempre acabarían tirándose a la basura.

—Todos los aspectos negativos acerca del plástico, como su durabilidad y el hecho de que no se degrade, se están convirtiendo ahora en aspectos positivos —explicó Kerstein—. Lo que hacemos es coger un material que no se degrada y emplearlo donde queremos que dure para siempre.

El puente de Wharton State Forest, construido en 2002, fue uno de los primeros de la empresa. Intrigado por la tecnología empleada, el Ejército estadounidense contrató a Axion para que construyera un par de puentes sobre pequeños arroyos de Fort Bragg. Axion prometió que estos puentes soportarían no sólo camiones, sino también tanques M1 Abrams que pesan setenta toneladas cada uno. Los ingenieros del Ejército veían tan poco probable que una estructura de plástico pudiera soportar el peso de un tanque que llevaron una grúa al recorrido de prueba por el puente, convencidos de que sería preciso sacar el tanque del arroyo. El enorme tanque retumbó al recorrer los siete metros del arco, y el puente apenas cedió. «Otros construyen puentes sólidos, pero este puente tiene la clase de solidez que exige el Ejército», manifestó con admiración un representante de la oficina de compras del Ejército estadounidense durante la inauguración del puente en 2009.[3]

El Ejército, observó dicho representante, gasta veintidós mil millones y medio de dólares al año para sustituir las estructuras maltrechas por la corrosión. Este puente ha costado menos que los que se han construido con otros materiales y resistirá la corrosión, además de requerir muy poco mantenimiento. Una vez finalizada la construcción de los puentes de Fort Bragg, el Ejército encargó dos más para su base en Fort Eustis, Virginia. Estos puentes están diseñados para soportar el peso de locomotoras de 120 toneladas.[4] Y en 2011 Axion instaló su primer puente en Europa: un puente de plástico de 27 metros que une las dos orillas del río Tweed, cerca de Edimburgo (Escocia).

El puente de madera deteriorado que Axion sustituyó en Wharton State Forest tenía al menos cincuenta años;[5] ya estaba allí cuando la familia Wharton cedió los terrenos al Estado, en 1954.

Con toda probabilidad, el puente de plástico durará mucho más tiempo. A no ser que estalle una guerra o se produzca alguna catástrofe natural, el puente continuará allí mucho después de que las encinas y los pinos cercanos se hayan caído y nuevos árboles hayan crecido en su lugar, aguardando a ser cruzado por las generaciones venideras que esperan su turno en el planeta. Con frecuencia la persistencia contumaz del plástico supone una afrenta al mundo natural, pero este modesto puente construido en medio de bosque constituye el ejemplo perfecto de cómo utilizar un material que nunca muere. Quizá no sea el material adecuado para puentes como el Tappan Zee o el Golden Gate, pero, según Kerstein, la mayoría de los aproximadamente seiscientos mil puentes en Estados Unidos tienen arcos pequeños —de menos de veinte metros— en los que los materiales tradicionales podrían sustituirse fácilmente por plástico reciclado.

El puente más antiguo del mundo es el Arkadiko, en la Grecia meridional. Hace tres mil años, varios albañiles unieron rocas calizas sin pulir para formar un sencillo arco de unos tres metros y medio de altura y dieciocho de longitud sobre lo que tiempo atrás fuera un río y ahora es un barranco seco y cubierto de hierba. Si observamos la antiquísima estructura casi podremos oír el estruendo de las cuadrigas que lo cruzaban en sus viajes entre las ciudades micenas. El Arkadiko se remonta a la Edad de Bronce tardía, que llegó a su fin en un colapso catastrófico atribuido, entre otras razones, a erupciones volcánicas, terremotos, ataques de otras culturas y cambios climáticos.

Hoy, para bien o para mal, estamos firmemente instalados en la era de los plásticos y nos enfrentamos a indicios alarmantes de un colapso ecológico. Tenemos a mano los materiales que contribuirán a evitarlo, las herramientas con las que crear un legado de sostenibilidad. Si los arqueólogos, dentro de milenios, escarban hasta el estrato de nuestra época, ¿lo encontrarán repleto de objetos desechables inmortales como tapones de botellas, bolsas, envoltorios, cañas para beber y encendedores, símbolos de una civilización que pereció ahogada en su propia basura? O quizá descubran puentes como el de Wharton State Forest, puentes que, pese a su falta de belleza, tengan una historia importante que contar: que fuimos un pueblo dotado del ingenio suficiente para fabricar materiales maravillosos y de la sabiduría necesaria para utilizarlos bien.

Apéndices

Reparto de personajes

Éstos son los plásticos con los que tenemos más probabilidades de encontrarnos, en orden aproximado de frecuencia.

POLIETILENO

Si se celebrara un concurso de popularidad entre los polímeros el polietileno lo ganaría de calle. Más de un tercio de todos los plásticos que se producen y se venden en el mundo pertenecen a esta familia de plásticos. Son resistentes, flexibles, a prueba de humedad y excepcionalmente fáciles de procesar, lo que los convierte en la opción preferida para envases y envoltorios. El clan del polietileno cuenta con los miembros siguientes:

Polietileno de baja densidad (LDPE): se usa para hacer bolsas (para iódicos, prendas de tintorería, comida congelada, etcétera), envoltorios de plástico adherente, botellas flexibles, revestimiento de los tetrabriks de leche y vasos para bebidas frías y calientes.

Polietileno linear de baja densidad (LLDPE): una versión más elástica del polietileno, usado en bolsas, envoltorios de plástico adherente, tapas, juguetes y tubos flexibles.

Polietileno de alta densidad (HDPE): una variedad más resistente del polietileno, usada en las omnipresentes bolsas de plástico de tiendas de comestibles y supermercados, así como en las láminas aislantes de Tyvek. En una encarnación aún más rígida, se usa para hacer botellas de leche, zumo, detergente y productos de limpieza doméstica, y para fabricar las bolsas que hay en el interior de las cajas de cereales.

POLIPROPILENO

Aunque guarda relación con el polietileno, este plástico puede soportar temperaturas más altas y una manipulación menos cuidadosa, lo que le proporciona un nicho de mercado distinto en el sector de los envases. Puede soportar la tensión y el constante abrir y cerrar que se exigen de los tapones de botella y de las tapas de bisagra. Su elevado punto de fusión lo vuelve útil para fabricar envases reutilizables en los que guardar restos de comida y comida para llevar, así como recipientes llenos de sustancias calientes, como el sirope recién hervido; también resulta útil para elaborar el yogur. Los automóviles están llenos de polipropileno tanto en su exterior como en su interior, desde los parachoques hasta la moqueta o la parte inferior de los accesorios. En su forma textil, el polipropileno permite que la humedad se escape pese a mantenerse seco, lo que lo vuelve útil para fabricar pañales desechables, camisetas térmicas e incluso trajes espaciales para astronautas.

CLORURO DE POLIVINILO (VINILO)

Uno de los plásticos más versátiles (y más controvertidos). El PVC puede adoptar una asombrosa variedad de personalidades —rígido, fino como una película, flexible o correoso— gracias a la facilidad con la que puede mezclarse con otros productos químicos. El vinilo nos rodea por todas partes. Lo usamos para recubrir paredes, suelos y techos; para aislar cables eléctricos; en prendas de cuero sintético y en tapicerías de escay; como revestimiento y empalme para tuberías; y como plástico flexible en aparatos médicos.

POLIESTIRENO

Más fácil de reconocer cuando se hincha de aire y se convierte en ese merengue sintético conocido técnicamente como poliestireno expandido, y popularmente por la marca Porexpán. Cuando adopta esa forma, es un aislante excelente para el hogar, el café caliente, un plato de *chow mein,* un envío frágil y nuestra cabeza (cuando vamos en bicicleta). Pero también puede adoptar la forma de un plástico fuerte y duro, utilizado para fabricar estuches de cedés, cartuchos de videocasetes, maquinillas de afeitar desechables y cubiertos. La versión de alto impacto se usa para hacer perchas, cubiertas de detectores de incendios, marcos para matrículas de coche, frascos de aspirina, probetas, placas de Petri y kits de modelismo.

POLIURETANO

Introducidos en 1954, los poliuretanos son una gran familia de plásticos que vienen en forma de espuma y pueden tener distintas características: los hay blandos y flexibles (pensemos en el material acolchado de muebles, vehículos y zapatillas deportivas); resistentes y rígidos (revestimientos aislantes de edificios y refrigeradores); y los que se encuentran en un punto intermedio (el acolchado de los salpicaderos). La elasticidad del poliuretano adquiere una nueva dimensión cuando se convierte en la fibra con la que se tejen el Spandex o la lycra, o cuando es extrudido en forma de fina película para fabricar condones que no lleven látex.

TEREFTALATO DE POLIETILENO (PET)

El PET, el miembro más destacado de la familia del poliéster, debutó como fibra antiarrugas introducida después de la segunda guerra mundial, y los textiles siguen siendo el uso final de la mayoría de los poliésteres. El PET pronto tuvo otros usos: en películas fotográficas y radiografías, y en cintas de audio y de vídeo. Pero su fama se debe principalmente a las ventajas que aporta a los envases: una transparencia cristalina y una capacidad sin precedentes para impedir la entrada del oxígeno que estropea los alimentos y la salida del dióxido de carbono que produce las burbujas. Ahora casi todas las bebidas se envasan en una botella de PET, puede que incluso se envase el vino en un futuro muy próximo.

ACRILONITRILO BUTADIENO ESTIRENO (ABS)

El ABS fue creado en la década de 1940 por científicos que intentaban fabricar caucho sintético. Este copolímero, resultado de la combinación de tres monómeros, es un material duro, brillante, amortiguador y muy distinto al caucho. Con él se fabrican piezas de Lego, instrumentos musicales como flautas y clarinetes de plástico, cabezas de palos de golf, carcasas para teléfonos y aparatos de cocina, piezas de carrocerías de automóviles y otros productos moldeados ligeros y rígidos.

FENOPLÁSTICOS

Esta familia de polímeros desciende del primer plástico totalmente sintético, la baquelita. A diferencia de otros plásticos corrientes, los fenoplásticos no pueden fundirse y volverse a moldear. Fuertes, duros y capaces de aislar la electricidad, estos plásticos se usan en instalaciones eléctricas y en conmutadores, así como en artículos de formica y en mangos de cubiertos. La baquelita, el fenoplástico más conocido otrora presente en tantos objetos cotidianos, ha sido relegada en la actualidad principalmente al mundo de los juegos, donde continúa siendo uno de los materiales favoritos para fabricar piezas de ajedrez y fichas de damas, dominó y mahjong.

NAILON

El nombre es una marca registrada de DuPont que abarca una clase diversa de plásticos. Las mismas cualidades que revolucionaron las medias para mujeres —resistencia, durabilidad y elasticidad— vuelven al nailon deseable para un sinfín de productos más. Nacidas a raíz de la búsqueda de seda artificial, las fibras de nailon se usan en tejidos, velos de novia, cuerdas para instrumentos, moquetas, Velcro y cuerda. En su forma sólida, otros tipos de nailon se usan en tornillos para maquinaria, engranajes, hélices de barco, peines, ruedas de monopatines, conductos y depósitos de combustible y cerdas de cepillos de dientes y para el pelo.

POLICARBONATO

Perteneciente a la familia de plásticos usados en la ingeniería, el policarbonato fue desarrollado para competir con el metal fundido a presión. Puede ser uno de los plásticos más resistentes, pero también es transparente, una combinación que lo ha convertido en el material de elección para engranajes, discos compactos, DVD, discos Blu-ray, lentes para gafas, equipos de laboratorio, carcasas para herramientas eléctricas y, hasta hace poco, envases que no queremos que se rompan, como los biberones y las botellas para deportistas. Pero la preocupación por la tendencia de este plástico a lixiviar la sustancia química bisfenol A ha eliminado casi por completo estos últimos usos del mercado.

ACRÍLICO

Transparente como el cristal, pero infinitamente más resistente, el acrílico puede soportar el tiempo inclemente y detener balas, una combinación que lo convirtió en el material ideal para proteger a los artilleros que volaban en aviones de guerra durante la segunda guerra mundial. En la actualidad se utiliza también en las caravanas de vehículos que acompañan a los jefes de Estado, a bordo del Papamóvil y en los cajeros de bancos con autoservicio para automovilistas. Pero el acrílico también desempeña tareas menos glamurosas: se utiliza en ventanillas de aviones y ojos de buey de submarinos, señales exteriores y luces traseras de vehículos, acuarios domésticos y comerciales, lentes de recambio en operaciones de cataratas y como sustituto del cristal en mamparas para la ducha.

Notas

Introducción: Plasticville

1. Jeffrey Meikle, *American Plastic: A Cultural History,* Rutgers University Press, New Brunswick, Nueva Jersey, 1997, pág. 189. El sitio web siguiente contiene información sobre los juguetes: http://www.tandem-associates.com/plasticville/plasticville.htm.

2. George Beylerian, citado en John Leland, «The Guru of Goo (and Gels, Mesh, and Resin)», *New York Times,* 14 de marzo de 2002.

3. *House Beautiful,* 89, octubre de 1947, pág. 161.

4. Robert Kanigel, *Faux Real: Genuine Leather and Two Hundred Years of Inspired Fakes,* Joseph Henry Press, Washington DC, 2007, pág. 87.

5. Herman F. Mark, *Giant Molecules,* Time-Life Books, Nueva York, 1966, pág. 64.

6. Citado en Meikle, *American Plastic,* pág. 114.

7. J. Harry DuBois, *Plastics History, U.S.A.,* Cahners Books, Boston, 1972.

8. La marca registrada de Dow Chemical se refiere a un plástico denominado técnicamente poliestireno extruido, pero yo uso el término para referirme a cualquier producto fabricado con dicho poliestireno espumado.

9. Citado en Meikle, *American Plastic,* pág. 180.

10. Barry Commoner, prólogo de Kenneth Geiser, *Materials Matter: Toward a Sustainable Materials Policy,* MIT Press, Cambridge, Massachusetts, 2001, págs. x-xi.

11. Barry Commoner, *The Poverty of Power: Energy and the Economic Crisis,* Random House, Nueva York, 1976, citado en Meikle, *American Plastic,* pág. 265.

12. «FYI: Global Plastics Resin Production Over the Years», *Plastics News,* 30 de octubre de 2009. En 2008, la producción total era de 245 millones de toneladas, cifra inferior a los 260 millones de toneladas del año anterior como reflejo de la recesión.

13. Dominick Rosato, William Fallon y Donald Rosato, *Markets for Plastics,* Van Nostrand Reinhold, Nueva York, 1969, pág. 3.

14. La cifra per cápita está basada en una población estadounidense de trescientos millones y una producción anual de plásticos de 45 millones de toneladas, un poco menor que la cantidad producida en 2008 y ligeramente mayor que la producción posterior a la recesión en 2009. En dicho año las ventas fueron de 327 mil millones de dólares, un descenso importante en relación con los 374 mil millones de dólares de 2007 y un reflejo de la recesión. Society for Plastics Industry, «Fast Facts on Plastics and the Economy». También Robert Grace, «Society for Plastics Industry Reports on US Plastics Market Recovery», *Plastics News,* 28 de octubre de 2010.

15. Entrevista de la autora con Frederic Sheer, presidente de Cereplast, Inc., mayo de 2010.

16. Meikle, *American Plastic,* pág. 135.

17. Geoffrey Nunberg, *Going Nucular: Language, Politics, and Culture in Confrontational Times,* Public Affairs, Nueva York, 2004, págs. 4 y 5; correspondencia por e-mail de la autora con Nunberg, marzo de 2010.

18. Robert Friedel, *Pioneer Plastic: The Making and Selling of Celluloid,* University of Wisconsin Press, Madison, 1983, pág. 28.

19. Edwin Slosson, *Creative Chemistry,* Century, Nueva York, 1919, págs. 132-135, citadas en Meikle, *American Plastic,* pág. 70.

20. La vigencia de esa frase provocó consternación en la industria de los plásticos, cuya principal revista del ramo «fue incapaz de referirse a ese "chiste trillado" sobre los plásticos hasta 1986». Meikle, *American Plastic,* pág. 3.

21. Citado en Stephen Fenichell, *Plastic: The Making of a Synthetic Century,* HarperCollins, Nueva York, 1996, pág. 306.

22. Este asunto fue investigado con elegancia por Alan Weisman en su libro *The World Without Us,* Thomas Dunne Books, Nueva York, 2007 [trad. esp.: *El mundo sin nosotros,* Editorial Debate, Barcelona, 2007].

23. Robert Friedel, «Some Matters of Substance», en *History from Things: Essays on Material Culture,* Steven Lubar y David W. Kingery (eds.), Smithsonian Institution Press, Washington DC, págs. 49-50.

24. Richard C. Thompson et al., «Plastics, the Environment, and Human Health: Current Consensus and Future Trends», *Philosophical Transactions of the Royal Society B,* 364, julio de 2009, n.º 2166. Este número estaba dedicado por entero a los plásticos y a los problemas de salud y medioambientales asociados a ellos. Presenta un excelente panorama de los conocimientos y los dilemas científicos actuales.

1. Una mejora de la naturaleza

1. Edward Chauncey Worden, *Nitrocellulose Industry,* vol. 2, D. Van Nostrand, Nueva York, 1911, pág. 567, citado en Meikle, *American Plastic,* pág. 15.

2. Entrevista de la autora con Bill Adams, propietario de Adams Manufacturing Corporation, marzo de 2008.

3. «The Supply of Ivory», *New York Times,* 7 de julio de 1867. El historiador Robert Friedel argumentó que los temores a la escasez eran exagerados: el único producto realmente escaso era el tipo particular de marfil necesario para fabricar bolas de billar, que se extraía del centro de los mejores colmillos.

4. La historia de Hyatt y de los primeros tiempos del celuloide se narra en Fenichell, *Plastic,* págs. 38-45, y Meikle, *American Plastic,* págs. 10-30. Algunos, especialmente en Gran Bretaña, consideran que el auténtico padre de los plásticos fue Alexander Parkes, un inventor inglés que fue el primero en combinar celulosa, ácido nítrico y disolventes para crear la sustancia semisintética espesa como el jarabe denominada colodión, que fue la base de los experimentos de Hyatt. Parkes también había observado el valor potencial de emplear alcanfor como disolvente de este material, pero no lo añadió bajo calor y presión como hiciera Hyatt. Su invento, la parkesina, no era tan versátil ni tan dúctil como el celuloide, y Parker carecía de las dotes de mercadotecnia de Hyatt.

5. Friedel, *Pioneer Plastic,* pág. 28.

6. La oficina de patentes estadounidense no creó una categoría específica para los plásticos hasta 1903, y entonces incluyó rarezas como trozos comprimidos de corcho y de cuero, lo que denotaba la confusión existente sobre qué constituía el plástico, según Meikle, *American Plastic,* pág. 5. Robert Malloy, presidente del departamento de ingeniería del plástico en la Universidad de Massachusetts en Lowell, sostiene que la palabra «plástico» apareció por primera vez en un diccionario en 1911. Entrevista de la autora con Malloy, mayo de 2010.

7. Robert Friedel, *A Material World: An Exhibition at the National Museum of American History,* Smithsonian Institution, Washington DC, 1988, pág. 41.

8. Fenichell, *Plastic,* pág. 41.

9. De la patente de 1878 de Hyatt, citada en Meikle, *American Plastic,* pág. 16.

10. Patente de Hyatt, citada en Keith Lauer y Julie Robinson, *Celluloid: Collector's Reference and Value Guide,* Collector Books, Paducah, Kentucky, 1999, pág. 102.

11. Aunque se trataba de un producto popular entre los fabricantes, producirlo no era un proceso fácil. El material tenía que elaborar-

se en una gama de tonalidades de blanco y de blanco roto, a continuación era preciso prensarlo para obtener múltiples laminaciones, y luego tenía que cortarse a contrahilo a fin de producir capas con aspecto marfileño. Robert Friedel, correspondencia por correo electrónico con la autora, mayo de 2010.

12. Meikle, *American Plastic,* pág. 15.

13. Citado en ibíd., pág. 12.

14. O. Henry, «The Gift of the Magi» [El regalo de los Reyes Magos], en *The Best Short Stories of O. Henry,* Modern Library, Nueva York, 1994, págs. 1-7.

15. Citado en Meikle, *American Plastic,* pág. 15.

16. Citado en ibíd., pág. 13.

17. Friedel, *Pioneer Plastic,* págs. 85 y 86. Los juegos de tocador de celuloide también cubrieron la demanda creciente de artículos personales más higiénicos, observó Friedel. A diferencia de la plata, los cepillos y peines de celuloide no se deslustraban, podían limpiarse con agua y jabón y no les afectaba la humedad. Y si los fabricaban con aspecto de marfil eran blancos, el color identificado con la higiene.

18. «Ivory Py-ra-lin Toilet Ware de Luxe», The Arlington Co., Nueva York, 1917, citado en Meikle, *American Plastic,* pág. 18.

19. DuBois, *Plastics History,* pág. 47.

20. Susan Strasser, *Satisfaction Guaranteed: The Making of the American Mass Market,* Pantheon Books, Nueva York, 1989, pág. 6.

21. Meikle, *American Plastic,* pág. 14.

22. Susan Mossman (ed.), *Early Plastics: Perspectives, 1850-1950,* Leicester University Press, Londres, pág. 118.

23. Entrevista de la autora con Julie Robinson Robard, coautora de *Celluloid: Collector's Reference and Value Guide,* en abril de 2010.

24. Glenn D. Kittler, *More Than Meets the Eye: The Foster Grant Story,* Coronet Books, Nueva York, 1972, págs. 1 y 2.

25. Meikle, *American Plastic,* pág. 29.

26. Ibíd.

27. Jen Cruse, *The Comb: Its History and Development,* Robert Hale, Londres, 2007. La autora escribe lo siguiente: «La llegada de las máquinas de moldeo por inyección, unida a las modas cambiantes de principios de la década de 1930, acabó con la idea de que peines y peinetas fueran objetos decorativos. El arte y la destreza necesarios para manufacturar peines desapareció casi por completo en los países occidentales» (pág. 54).

28. Si bien el celuloide eliminó la necesidad de carey para hacer peines, la tradición de manufacturar peines que parezcan hechos de carey persiste. De hecho, hoy el carey es tan sólo una parte de la gama de acabados del plástico; como los vivos colores primarios de las pie-

zas de Lego, el aspecto de carey garantiza casi por completo que un objeto está hecho de plástico.

29. Fenichell, *Plastic,* pág. 87.

30. Friedel, correspondencia por correo electrónico con la autora, mayo de 2010.

31. Fenichell, *Plastic,* pág. 97.

32. *Time,* 22 de septiembre de 1924, citado en Fenichell, *Plastic,* págs. 97 y 98.

33. Friedel, *Pioneer Plastic,* pág. 108.

34. Fenichell, *Plastic,* págs. 147 y 149.

35. Donald Rosato, Marlene Rosato y Dominick Rosato, *Concise Encyclopedia of Plastics,* Kluwer Academic Publishers, Boston, 2000, pág. 56; American Chemistry Council, *The Resin Review,* edición de 2008. La diferencia no siempre es absoluta; algunos polímeros, como el polietileno, pueden formularse como termoplásticos o como plásticos termoestables. Además, hay otras categorías de polímeros mucho más pequeñas, entre las que se cuentan las resinas epoxídicas, la silicona y los plásticos para fines técnicos, polímeros diseñados para exhibir un alto rendimiento.

36. V.E. Yarsley y E.G. Couzens, *Plastics,* Penguin Books, Harmondsworth, Reino Unido, 1941, págs. 154-158.

37. Entrevista de la autora con Luther Hanson, conservador del Museo de Intendencia del Ejército de Estados Unidos, abril de 2010.

38. Meikle, *American Plastic,* pág. 125. La información sobre el papel del teflón en la bomba atómica proviene de John Emsley, *Molecules at an Exhibition: The Science of Everyday Life,* Oxford University Press, Oxford, 1998 [trad. esp.: *Moléculas en una exposición: retratos de materiales interesantes de la vida cotidiana,* Ediciones Península, Barcelona, 2000].

39. Mary Madison, «In a Plastic World», *New York Times,* 22 de agosto de 1943.

40. «Host of New Uses in Plastics Shown», *New York Times,* 23 de abril de 1946.

41. Ibíd.

42. Meikle, *American Plastic,* pág. 2.

43. Una de las ventajas que aducía a menudo la industria era la facilidad con la que los plásticos se podían limpiar: sólo era cuestión de pasarles por encima un trapo húmedo. Un antiguo redactor de *Modern Plastics* recordó: «Escribimos el mismo tipo de anuncio durante muchos años: bla, bla, bla y puede limpiarlo con un trapo húmedo, todos los anuncios acababan así». Citado en Meikle, *American Plastic,* pág. 173.

44. Cruse, *The Comb,* págs. 195 y 196.

45. Meikle, *American Plastic,* pág. 2.

46. Citado en Thomas Hine, *Populuxe,* Knopf, Nueva York, 1986, pág. 4.

2. Un trono para el hombre corriente

1. La exposición también sirvió como campaña de relaciones públicas para la empresa química que la financió, Hooker Chemical Company, que más tarde sería responsable de contaminar el canal de Love. Meikle, *American Plastic,* pág. 1.

2. Hilton Kramer, «"Plastic as Plastic": Divided Loyalties, Paradoxical Ambitions», *New York Times,* 1 de diciembre de 1968.

3. Entrevista de la autora con Peter Fiell, historiador del mobiliario, abril de 2008.

4. Entrevista de la autora con Paola Antonelli, conservadora del Departamento de Arquitectura y Diseño, Museo de Arte Moderno de Nueva York, septiembre de 2008.

5. Florence de Dampierre, *Chairs: A History,* Abrams Books, Nueva York, 2006, pág. 17.

6. Paul Rocheleau y June Sprigg, *Shaker Built: The Form and Function of Shaker Architecture,* Monacelli Press, Nueva York, 1994, citado en Paola Antonelli, «A Chair for the Common Man» [Una silla para el hombre corriente], manuscrito inédito.

7. Alice Rawsthorn, «No. 14: The Chair That Has Seated Millions», *International Herald Tribune,* 7 de noviembre de 2008.

8. George Nelson, *Chairs,* Whitney Publications, Nueva York, 1953, pág. 9, citado en Charlotte Fiell y Peter Fiell, *1000 Chairs,* Taschen, Colonia, 2000, pág. 7.

9. Meikle, *American Plastic,* pág. 71.

10. Roland Barthes, *Mythologies,* trad. inglesa Hill and Wang, Nueva York, 1972, pág. 97 [trad. esp.: *Mitologías,* Siglo XXI de España Editores, Madrid, 2009].

11. Meikle, *American Plastic,* pág. 1.

12. Citado en ibíd., pág. 320.

13. Citado en ibíd., pág. 108.

14. Karim Rashid en una entrevista por correo electrónico concedida a la autora, marzo de 2008.

15. Alison J. Clarke, *Tupperware: The Promise of Plastic in 1950s America,* Smithsonian Institution Press, Washington DC, 1999, pág. 36. En un artículo de 1947, la revista *House Beautiful* lo denominó «arte por 39 centavos». Ibíd., pág. 42.

16. El uso de madera sintética por parte de la industria del mueble era tan habitual a finales de la década de 1960 que la Comisión Federal del Comercio advirtió a la industria que dejara de usar marcas que

indujeran a confusión y potencialmente susceptibles de procesamiento como Wonderwood y Miraclewood. «Los únicos muebles no fabricados en plástico dentro de unos diez años serán antigüedades», dijo el director de márketing de Ward Furniture Company en Fort Smith, Arkansas, a la revista *Modern Plastics* en 1968 en el artículo titulado «The New Excitement in Furniture», *Modern Plastics,* enero de 1968, págs. 89 y 91.

17. Walter McQuade, «Encasement Lies in Wait for All of Us», *Architectural Forum,* 127, noviembre de 1967, pág. 92, citado en Meikle, *American Plastic,* pág. 254.

18. Meikle, *American Plastic,* págs. 165-167.

19. Citado en Fenichell, *Plastic,* pág. 259. Incluso el contrachapado que solían emplear los Eames era un producto de la tecnología de los polímeros; esa superposición de capas de madera no había sido posible hasta la llegada de los plásticos con los que laminar las chapas.

20. Los primeros años de la carrera profesional de Panton se estudian en una serie de ensayos incluidos en Alexander von Vegesack y Mathias Remmele (eds.), *Verner Panton: The Collected Works,* Museo de Diseño Vitra, Weil am Rhein, 2000. El ensayo de Mathias Remmele «All of a Piece: The Story of the Panton Chair» ofrece una de las pocas versiones de cómo construyó Panton su icónica silla.

21. Entrevista de la autora con Rolf Fehlbaum, director de Vitra, septiembre de 2008.

22. Panton, citado en Vegesack y Remmele, *Verner Panton,* pág. 23.

23. Poul Henningsen, citado en ibíd., pág. 71.

24. Ibíd., pág. 28.

25. Al parecer, el comentario procede de George Nelson, director de diseño de Herman Miller. Véase Remmele, «All of a Piece», en ibíd., pág. 78.

26. Fiell y Fiell, *1000 Chairs;* entrevista de la autora con Alexander von Vegesack, director del Museo de Diseño Vitra, mayo de 2008.

27. En realidad, Panton realizó una versión de la silla S en contrachapado moldeado, pero no transmitió la sensación de energía ni la fluidez de la silla hecha con plástico. Y tampoco se podía fabricar en serie. Von Vegesack y Remmele, *Verner Panton,* págs. 76 y 77.

28. El intento comenzó en 1946 en Canadá, cuando un par de diseñadores crearon el prototipo de una silla de fibra de vidrio. Dos años después, los Eames empezaron a fabricar sus célebres asientos cubo de fibra de vidrio. Pero ninguno de estos asientos estaba fabricado por entero con un solo material, y tampoco era fácil producirlos en serie. La fibra de vidrio no puede moldearse por inyección; la mezcla de resinas y fibras de plástico de que está hecha se vierte en un molde y a continuación se solidifica. Durante años, el proceso no estuvo mecanizado y requirió mucha mano de obra.

29. Citado en Fenichell, *Plastic,* pág. 259.

30. Citado en Meikle, *American Plastic,* pág. 204. Otros diseñadores que intentaban fabricar sillas de plástico se toparon con problemas similares. En 1962, el diseñador británico Robin Day concibió una silla con un cuerpo hecho a base de polipropileno de bajo precio. Debido a su trabajo para Shell Corporation (que tenía la patente del plástico), Day tuvo acceso a la tecnología del moldeado necesaria para producir el asiento en una sola pieza. Pero las patas metálicas tenían que fijarse por separado. Sin embargo, la Polyprop obtuvo un éxito clamoroso y se convirtió en la silla de plástico clásica que aún se encuentra en aulas y en salas de espera de todo el mundo. Se han vendido unos quince millones hasta la fecha, y en 2008 el Gobierno británico emitió un sello para conmemorar la aparición de esta silla (como parte de una serie en honor de los mejores artículos de diseño británico). Unos años después de la Polyprop, los arquitectos alemanes Helmut y Alfred Batzner diseñaron una silla hecha de un material similar a la fibra de vidrio que podía moldearse en una única pieza, pero tampoco era fácil fabricarla en serie, y las patas se hacían por separado. Entrevista de la autora con Peter Fiell, y Fiell y Fiell, *1000 Chairs.*

31. En general, los italianos llevaron la delantera en el diseño de muebles de plástico, gracias en parte a la estrecha cooperación entre las grandes empresas italianas, los pequeños talleres y los diseñadores más progresistas, según Karl Mang, *History of Modern Furniture,* Harry Abrams, Nueva York, 1978, pág. 160.

32. Catálogo del Museo Kartell.

33. Meikle, *American Plastic,* pág. 226.

34. Entrevista de la autora con Peter Fiell.

35. Entrevista de la autora con Rolf Fehlbaum.

36. Panton, Fehlbaum y el ingeniero de Vitra Manfred Dieboldt querían encontrar un plástico que pudiera moldearse a máquina y que no requiriera después un laborioso acabado a mano. En el primer intento de fabricar la silla, la empresa empleó un tipo de poliéster reforzado con fibra de vidrio, que exigía mucha mano de obra durante un gran número de horas. Los escasos prototipos que hicieron causaron gran sensación en la prensa de diseño, pero Panton no estaba contento con el peso de la silla, el tosco acabado y el elevado precio. Véase Von Vegesack y Remmele, *Verner Panton,* pág. 85.

37. Aunque había tocado techo en cuanto a la utilización de polímeros en la manufactura de sillas, Panton no estaba del todo satisfecho con la silla Baydur, que salía del molde con un aspecto tosco y resultaba áspera al tacto. Era preciso aplicarle masilla, lijarla y pintarla, lo que encarecía el precio. Panton quería venderla a un precio asequible. Dos años después, Panton y sus socios dieron con un nuevo plástico que en su opinión funcionaría aún mejor: un poliestireno llamado Lu-

ran S, fabricado por BASF, que venía en gránulos teñidos y no necesitaba un procesado adicional una vez salía del molde. Empezaron a fabricar la silla con Luran S. Pero al cabo de varios años, resultó evidente que el material era menos resistente de lo que habían creído en un principio. Los consumidores se quejaban de que las sillas se agrietaban e incluso se rompían. Estas quejas, unidas a los cambios en el gusto, condujeron a una disminución importante de las ventas; en 1979 la empresa dejó de fabricar la silla. Panton tuvo que buscar de nuevo a un fabricante que creyera en la belleza y el valor del diseño. Finalmente, Vitra, el sucesor de la empresa que produjo la silla por primera vez, volvió a incorporarla a su catálogo, y desde 1990 la ha estado fabricando y vendiendo. Información procedente de Von Vegesack y Remele, *Verner Panton,* págs. 84-86, y entrevista de la autora con Fehlbaum, Von Vegesack y Manfred Dieboldt, antiguo ingeniero de Vitra, diciembre de 2009.

38. Von Vegesack y Remmele, *Verner Panton,* pág. 94.

39. De un ensayo biográfico sobre Panton colgado en el sitio web del Museo del Diseño de Londres, http://designmuseum.org/design/verner-panton.

40. Alice Rawsthorn, «Celebrating the Everychair of Chairs», *International Herald Tribune,* 4 de febrero de 2007; Mariana Gosnell, «Everybody Take a Seat», revista *Smithsonian,* 1 de julio de 2004. Ambas autoras ofrecen sendos análisis penetrantes sobre la monobloc, una silla omnipresente pero esencialmente invisible.

41. El debate sobre la importancia de la silla en el vídeo del asesinato de Berg tuvo lugar en www.functionalfate.org, un sitio web dedicado a la silla monobloc.

42. Jens Thiel, «Sit Down and Be Counted», *ArtReview,* abril de 2006, págs. 58-61.

43. Entrevista de la autora con Jens Thiel, creador de www.dunctionalfate.org, marzo de 2008.

44. Entrevista de la autora con Stephen Greenberg, Corporación Mercantil Canadiense, junio de 2008.

45. Coste de una prensa de inyección de Gosnell, «Take a Seat»; coste de los moldes: entrevista de la autora con George Lemieux, KCA Plastics Consultants, abril de 2008.

46. No hay tanta competencia en el sector, pero los muebles de plástico continúan siendo un negocio difícil. Por ejemplo, Bill Adams, fundador de Adams Manufacturing, no gana ni un céntimo con su modelo básico. Considera la silla un reclamo de ventas, al igual que los minoristas que la venden: poco menos que la regalan a fin de atraer clientes a sus tiendas.

47. Entrevista de la autora con Bill Adams, fundador de Adams Manufacturing, marzo de 2008.

48. En una época en la que la ironía abunda tanto como el plástico, puede que sea inevitable que incluso la silla monobloc, considerada algo hortera, acabara adquiriendo cierto caché, si no estrictamente como mueble al menos como objeto cultural. El diseñador español Martí Guixé llenó de grafitis sillas de plástico con eslóganes como *Stop Discrimination of Cheap Furniture* y *Respect Cheap Furniture,** y luego las vendió como ediciones limitadas (sin duda por un precio superior al del lote de seis sillas). Otros artistas conceptuales las han pasado por una trituradora, las han apilado en montones enormes, las han colgado de edificios o llenado de agujeros minúsculos e incluso las han reconstruido en madera.

49. Entrevista de la autora con Thiel.

50. Entrevistas de la autora con Lemieux, Adams.

51. La frase proviene del ya mencionado ensayo inédito de Antonelli titulado «A Chair for the Common Man».

52. Citado en Gosnell, «Take a Seat».

53. La ciudad natal de Fehlbaum no es un caso aislado. Diversas ciudades, como Bratislava, Helsinki, Berna y Los Gatos (California), han aprobado leyes que prohíben a los bares sacarlas al exterior. La ordenanza municipal de Los Gatos fue concebida para proteger el carácter «tranquilo» de su centro histórico al estilo de los años cuarenta.

54. Es un pariente del mismo plástico usado para fabricar botellas de refresco, el tereftalato de polietileno, o PET.

55. Alice Rawsthorn, «Konstantin Grcic's New Chair Design, the MYTO», *International Herald Tribune,* 9 de noviembre de 2007.

56. Entrevista de la autora con Philippe Starck, mayo de 2008.

57. Citado en Fiell y Fiell, *1000 Chairs,* pág. 9.

3. Revoloteando por Plasticville

1. Wham-O no divulga sus cifras de ventas; se trata del cálculo de una fuente que conoce la empresa.

2. Las estadísticas básicas de la industria provienen de Society for Plastics Industry, «Fast Facts on Plastics», y pueden obtenerse en el sitio web de la SIP, http://www.plasticsindustry.org/Press/content.cfm?ItemNumber=798&navItemNumber=1323. Según la Society for Plastics Industry, hay cerca de 18.500 empresas relacionadas con el plástico en Estados Unidos, principalmente en Texas y California.

3. Dejó Wham-O en 2009 después de que los nuevos propietarios compraran la empresa.

* Guixé escribió los eslóganes en inglés. *(N. de la T.)*

4. Morrison relató la historia en su libro de 2006 *Flat Flip Flies Straight! True Origins of the Frisbee,* Wormhole Publishers, Wethersfield, Connecticut, 2006, que escribió con el coleccionista de discos voladores Phil Kennedy. El título hace referencia a las instrucciones escritas originalmente por la esposa de Morrison, Lucille, y que aún se graban en la parte inferior de todos los discos voladores: SI SE LANZA PLANO VUELA RECTO, SI SE LANZA INCLINADO SE CURVA AL VOLAR — ¡EXPERIMENTA! JUEGA A ATRAPARLO — INVENTA JUEGOS.

5. Tim Walsh, *Wham-O Super-Book: Celebrating Sixty Years Inside the Fun Factory,* Chronicle Books, San Francisco, 2008, pág. 77.

6. Morrison y Kennedy, *Flat Flip Flies Straight!,* pág. 106.

7. Walsh, *Wham-O Super-Book,* págs. 30-34.

8. Ibíd., pág. 17.

9. Los sonajeros y los muñecos Kewpie de celuloide eran muy populares, y en la década de 1930 el acetato de celuloide se usaba para fabricar instrumentos musicales de juguete.

10. Yarsley y Couzens, *Plastics,* pág. 154.

11. Donovan Hohn, «Moby-Duck: Or, The Synthetic Wilderness of Childhood», *Harper's,* enero de 2007, pág. 57. Hoy se venden tres mil millones de juguetes anualmente en Estados Unidos, según Michael Luzon, «No Toying around», *Plastics News,* 22 de diciembre de 2008.

12. Hiram McCann, «Doubling, Tripling, Expanding: That's Plastics», *Monsanto,* octubre de 1947, pág. 5.

13. Entrevista de la autora con Robert von Goeben, cofundador de Green Toys, septiembre de 2007.

14. «Trends in Toys», *Modern Plastics,* junio de 1952, pág. 71.

15. Fenichell, *Plastic,* págs. 260-262.

16. Bill Hanlon, *Plastic Toys: Dimestore Dreams of the '40s and '50s,* Schiffer Publishing, Inc., Atgen, Pensilvania, 1993, págs. 10-14.

17. Por aquel entonces, los inventores del polietileno, DuPont y la empresa británica Imperial Chemical Industries, habían perdido el control de su invento en una acción antimonopolio. Aquello dio vía libre a otras empresas químicas para empezar a producirlo. Meikle, *American Plastic,* págs. 189-190.

18. Ibíd., pág. 190.

19. El crecimiento de la industria se ha ralentizado en años recientes. Por ejemplo, tal y como informó *Plastics News,* el crecimiento total para las ventas de plástico entre 1973 y 2007 fue de un 4,2 por ciento, pero en los últimos seis años de dicho periodo, la tasa de crecimiento se redujo a la mitad. La ralentización hacia el final de ese periodo de treinta y cuatro años refleja el enfriamiento del mercado «después de las importantes conversiones a partir de materiales como la madera y el metal de las décadas de 1970 y 1980 [...], también indica que la producción se trasladó desde Norteamérica hasta regiones del mundo

con costes de mano de obra y de producción más bajos». Frank Esposito, «Resin Market Slows in North America», *Plastic News,* 10 de septiembre de 2007.

20. Meikle, *American Plastic,* pág. 190; Walsh, *Wham-O Super-Book,* págs. 62-69. En el punto álgido de la moda, Wham-O fabricaba veinte mil aros a la semana.

21. Walsh, *Wham-O Super-Book,* pág. 69.

22. Ibíd., págs. 78 y 79. Morrison se quejó del nombre, aduciendo que no era lo suficientemente descriptivo. Pero pese a sus quejas, tuvo que admitir que su trato con Wham-O lo hizo rico, y durante muchos años continuó trabajando para la empresa, promocionando los discos voladores. Murió en 2010 a los noventa años, pero para entonces Wham-O había cambiado de manos repetidamente y Morrison apenas tenía contacto con la empresa.

23. Ibíd., pág. 191.

24. Gerald Markowitz y David Rosner, *Deceit and Denial: The Deadly Politics of Industrial Pollution,* University of California Press, Berkeley, 2002, pág. 235.

25. Anthony Andrady y Mike A. Neal, «Applications and Societal Benefits of Plastics», *Philosophical Transactions of the Royal Society B,* 364, junio de 2009, 1980; Anthony Andrady et al., «Environmental Issues Related to the Plastics Industry: Global Concerns», en Andrady (ed.), *Plastics and the Environment,* John Wiley and Sons, Hoboken, Nueva Jersey, 2003, pág. 38. El American Chemistry Council afirma que la producción de plásticos representa entre un cuatro y un cinco por ciento del gas natural consumido en Estados Unidos anualmente, y alrededor del tres por ciento del petróleo.

26. Barry Commoner, introducción a Geiser, *Materials Matter.* También, entrevista de la autora con Ken Geiser, director del Centro Lowell para la Producción Sostenible, enero de 2010.

27. Meikle, *American Plastic,* págs. 82-83.

28. Fenichell, *Plastic,* págs. 200-202; químico de ICI citado en Meikle, *American Plastic,* pág. 189.

29. Fenichell, *Plastic,* pág. 202.

30. Colin Richards, «Polyethylene, a Phenomenon», *Plastiquarian,* 40, octubre de 2008, pág. 14.

31. Society for Plastics Industry, «Definition of Resins-Polyethylene», en http://www.plasticsindustry.org/AbaoutPlastics/content.cfm?ItemNumber=1400&navItemNumber=1128.

32. Richard Rhompson et al., «Our Plastic Age», *Philosophical Transactions of the Royal Society B,* 364, 2009, 1973. En *The Concise Encyclopedia of Plastics,* pág. 57, se afirma que hay alrededor de diecisiete mil variedades distintas de plástico, y otros expertos estiman la cifra en treinta mil.

33. American Chemistry Council, *The Resin Review,* 2008, págs. 16 y 17. La producción estadounidense de polímeros ascendió a 52 millones de toneladas, su nivel más alto, en 2007. Pero debido a la recesión posterior a esa fecha, la producción de resina descendió a menos de 45 millones de toneladas por primera vez en una década a medida que la demanda de varios mercados finales disminuía, según el American Chemistry Council.

34. Entrevistas de la autora con el asesor industrial Glenn Beall, Glenn Beall Plastics, Ltd., marzo de 2008; y David Durand, asesor jefe, Townsend Solutions, marzo de 2008. Para ilustrar los retos de fabricar polímeros totalmente nuevos, Beall describió la campaña de 50 millones de dólares y quince años de duración por parte de General Electric para fabricar Ultem, o polieterimida, un plástico diseñado para soportar temperaturas muy elevadas. Cuando el plástico estuvo listo para salir al mercado, las patentes casi habían expirado. Kevlar, el material usado en los chalecos antibala, le costó a DuPont 500 millones de dólares antes de su lanzamiento en 1982. Emsley, *Molecules at an Exhibition,* pág. 143.

35. American Chemistry Council, *The Resin Review,* 2008, págs. 25-31.

36. Entrevista de la autora con Raymond Giguere, junio de 2008. Giguere hizo sus cálculos en 2006 y dio por sentado que el peso medio de un estadounidense era de 70 kilos y que la población de Estados Unidos era de 300 millones, lo que supone un total de 20 millones de toneladas. Estados Unidos produjo alrededor de 17,5 millones de toneladas de polietileno en 2006. La producción disminuyó ligeramente en 2009, a 11,7 millones de toneladas, pero la población sin duda había aumentado.

37. Dow se introdujo en aquel negocio por casualidad. Mientras extraía minerales del agua de mar, la empresa acumuló toda una serie de subproductos, como el cloruro de etilo. Los químicos de la empresa comenzaron a investigar maneras de usarlos; uno de los productos propuestos fue la etilcelulosa, un polímero semisintético hecho con pasta de papel, que Dow empezó a comercializar en 1935 con el nombre de Ethocel. Asimismo, la empresa comenzó a fabricar poliestireno a finales de los años treinta con la intención de usar los suministros sobrantes de etileno. El etileno podía reaccionar con benceno, otro residuo del procesado, para formar etilbenceno, que a su vez podía convertirse en estireno, el componente básico del poliestireno, el plástico que Dow vendía con la marca registrada Styron. Jack Doyle, *Trespass Against Us: Dow Chemical and the Toxic Century,* Common Courage Press, Monroe, Maine, 2004, págs. 146-147.

38. Dina Cappiello y Dan Feldstein, «In Harm's Way: A Special Report», *Houston Chronicle,* 20 de enero de 2005, y entrevista de la autora con Sharron Stewart, activista medioambiental por un periodo prolongado en la zona de Freeport, febrero de 2009.

39. Entrevista de la autora con Tracie Copeland, Dow Chemical, febrero de 2009.

40. Entrevista de la autora con Howard Rappaport, director general, Chemical Market Associates, Inc., febrero de 2009. La mayoría de las craqueadoras pueden procesar sólo una u otra.

41. El etileno es la sustancia química fabricada en mayor cantidad, y la mitad de todo el etileno que se produce se emplea para hacer polietileno.

42. Entrevista de la autora con Charles Singletary, gerente, Local 564, International Union of Operating Engineers, febrero de 2009.

43. Algunos plásticos, como el cloruro de polivinilo, se envían en polvo en lugar de en gránulos.

44. Steve Toloken, «Industry Shifts Towards Asia Continues», *Plastic News,* 16 de marzo de 2009; entrevista de la autora con Rappaport; presentación de Rappaport, «Economy, Energy, Feedstocks, Polymers and Markets», marzo de 2009.

45. Entrevista de la autora con Rappaport.

46. Ibíd. El país está construyendo dos complejos junto a la costa del mar Rojo para atraer a inversores que quieran instalar fábricas para la producción de plásticos. Tal y como dijo Rappaport, básicamente, el Gobierno saudí les está diciendo a los fabricantes: «Podemos proporcionaros los gránulos aquí y vosotros podéis fabricar vuestros artículos terminados, y nosotros enviaremos dichos artículos en lugar de gránulos». Que es lo que hacen en China. Se trata del modelo chino, con la diferencia de que en Oriente Próximo el coste de la materia prima es más bajo.

47. Li Shen, Juliane Haufe y Martin K. Patel, «Product Overview and Market Projection of Emerging Bioplastics», informe encargado por el European Polysaccharide Network of Excelence y por el European Bioplastics Council, noviembre de 2009, pág. 7.

48. Ibíd., pág. 8.

49. Correspondencia por correo electrónico de la autora con Danny Grossman, diciembre de 2009.

50. Entrevista de la autora con Clare Goldsberry, colaboradora de *Injection Molding Magazine,* junio de 2008.

51. Mattel fue el propietario de Wham-O durante un breve periodo, desde 1994 hasta 1997, y luego vendió la empresa a un grupo de inversores estadounidenses, que a su vez la vendieron a inversores residentes en Hong Kong. En 2009, una empresa estadounidense, Manufacturing Marvel, la compró.

52. James Fallows, *Postcards from Tomorrow Square: Reports from China,* Vintage Books, Nueva York, 2009, pág. 66.

53. Robert Marks, «Robert Marks on the Pearl River Delta», *Environmental History,* 9, 2004, pág. 296.

54. Steve Toloken, «Ecologists Seeking to Clean Up China's PRD Zone», *Plastic News,* 31 de diciembre de 2008.

55. Steve Toloken, enviado especial de *Plastics News* en Guangzhou, correspondencia por correo electrónico con la autora en julio de 2010.

56. Marks, «Pearl River Delta», págs. 296 y 297.

57. Fallows, *Postcards,* pág. 6.

58. Michael J. Enright et al., *The Greater Pearl River Delta,* Invest Hong Kong, Hong Kong, 2007, pág. 1. El cálculo se basa en datos de 2005.

59. Marks, «Pearl River Delta», pág. 297.

60. Sun Qunyang, Larry Qiu y Li Jie, «The Pearl River Delta: A World Workshop», en Kevin H. Zhang (ed.), *China as the World Factory,* Routledge, Londres, 2006.

61. Departamento de Industria del Gobierno de Hong Kong, «Hong Kong's Manufacturing Industries», diciembre de 1996. Entrevistas de la autora con L.T. Lam, Forward Winsome Industries, Tony Lau, CanfatManufacturing, Dennis Wong, marzo de 2009. Unos cuantos fabricantes habían intentado instalar sus negocios en China continental con anterioridad. Lam, fundador de Winsome Industries, afirmó haber sido uno de los primeros fabricantes de juguetes de plástico en Guangdong. Lam abrió una fábrica allí en la década de 1940, pero tuvo que volver a Hong Kong cuando los comunistas se hicieron con el poder en 1949. Cuando nos reunimos en Hong Kong, me mostró lo que era, según él, uno de los primeros juguetes de plástico producidos en Asia: un silbato sobre el cual había una jaulita con un pájaro.

62. Según Leslie Chang, la primera fábrica en China continental fue la fábrica de bolsos Taiping de Hong Kong, que abrió en Dongguan en 1978 y obtuvo un millón de dólares de Hong Kong en su primer año. «La fábrica procesaba material procedente de Hong Kong y lo convertía en artículos terminados, que luego eran enviados de vuelta a Hong Kong para ser vendidos desde allí al resto del mundo. Estableció el modelo que luego seguirían miles de fábricas.» Leslie Chang, *Factory Girls: From Village to City in a Changing China,* Spiegel and Grau, Nueva York, 2009, pág. 29.

63. Jonathan Dee, «A Toy Maker's Conscience», *New York Times Magazine,* 25 de diciembre de 2007.

64. China Labor Watch, «Investigación de los fabricantes de juguetes en China: los trabajadores continúan sufriendo», agosto de 2007.

65. El mercado juguetero interno en China continúa siendo minúsculo; las ventas al por menor de juguetes ascendieron a un total de 603 millones de dólares en 2006, en comparación con los más de 20 mil millones de dólares que los estadounidenses gastan en juguetes. Pero esta situación está empezando a cambiar debido al auge de la clase media china. Los padres que pueden permitírselo compran a menudo

juguetes de marcas extranjeras, como Legos de Dinamarca o Transformers fabricados por Bandai, empresa sita en Japón. Aunque los juguetes estén hechos en China, los padres chinos dan por sentado que las marcas extranjeras serán más seguras y que existirán menos posibilidades de que los juguetes contengan materiales dañinos como la pintura de plomo. Elaine Kurtenbach, «Chinese Kids Get Foreign-Brand Toys», *Associated Press,* 14 de diciembre de 2007.

66. Véase por ejemplo, Michael Lauzon, «Chinese Toy Recalls May Be Boon to U.S.», *Plastic News,* 17 de diciembre de 2007.

67. Steve Toloken, «Safety Concerns Cost Chines Toy-Makers», *Plastic News,* 27 de enero de 2009.

4. «Ahora los humanos son un poco de plástico»

1. Fenichell, *Plastic,* págs. 329 y 330. Kolff sería más tarde el mentor de Robert Jarvik, el inventor del primer corazón artificial que obtuvo resultados satisfactorios. Según el cirujano William DeVries, al implantarlo en su paciente en 1982, «encajó como la tapa de un recipiente Tupperware».

2. «Boom in Single-Use Markets», *Modern Plastics,* marzo de 1969, págs. 60-62.

3. Un informe de 2010 de la empresa Global Industry Analysts indica que los plásticos médicos consumirán alrededor de cinco millones de toneladas de todos los polímeros producidos a escala mundial antes de 2015. La producción mundial de plásticos es de aproximadamente 260 millones de toneladas, pero muchos productores importantes de material médico están ubicados en Estados Unidos, lo que significa que la medicina es un mercado final mayor para la industria nacional. En una entrevista de la autora en agosto de 2009, Ken Pawlak, asesor del sector del plástico y autor de un libro de próxima publicación sobre plásticos médicos, calculó que la medicina representaba el 10 por ciento del consumo de plástico. Las cifras de consumo de otros mercados finales proceden del American Chemistry Council, *The Resin Review,* 2007.

4. También está creciendo más deprisa que muchos otros mercados finales. Véase Mike Verespej, «Medical Faring Better Than Many Markets», *Plastics News,* 13 de enero de 2009; «Medical Suppliers Optimistic Their Market Will Remain Strong», *Plastics News,* 1 de julio de 2010.

5. Una de las mayores colecciones del Museo Nacional del Plástico en Leominster, Massachusetts (cerrado en la actualidad) estaba dedicada a las aplicaciones médicas de los plásticos, por ejemplo el Taller de Repuestos para el Cuerpo, una muestra de diversas prótesis

de plástico. La incubadora neonatal apareció en la campaña a favor del plástico Essential2, del American Chemistry Council.

6. Para tener una buena perspectiva de las obras sobre interruptores endocrinos en los plásticos, véase John Wargo et al., «Plastics That May Be Harmful to Children and Reproductive Health», Environment and Human Healthe, Inc., North Haven, Connecticut, 2008. Véase también Center for Evaluation of Risks to Human Reproduction (CERHR), «NTP-CERHR Monograph on the Potntial Human Reproductive and Developmental Effects of Ci(2-Ethylhexyl) Phthalate (DEHP)», noviembre de 2006; National Research Council, *Phthalates and Cumulative Risk Assessment: The Task Ahead,* National Academies Press, Washington, DC, 2008.

7. Se ha descubierto que el bisfenol A tiene actividad a nivel de partes por billón. Véase Wargo, «Plastics That May Be Harmful», pág. 22; Frederick vom Saal et al., «Chapel Hill Bisphenol A Expert Panel Consensus Statement: Integration of Mechanisms, Effects in Animals and Potential to Impact Human Health at Current Levels of Exposure», *Reproductive Toxicology,* 24, agosto-septiembre de 2007, págs. 131-138.

8. John R. Brooks, «Carl W. Walter, MD: Surgeon, Inventor, and Industrialist», *American Journal of Surgery,* 148, noviembre de 1984, págs. 555-558.

9. Robert Ausman y David Bellamy Jr., «Problems and Resolutions in the Development of the Flexible Plastic Blood Container», *American Journal of Surgery,* 148, noviembre de 1984, págs. 559-561.

10. El PVC se creó en 1872, pero no se produjo comercialmente hasta 1920. Más de la mitad de la molécula (alrededor de un 57 por ciento en peso) se compone de cloro. Andrady, «Applications and Societal Benefits», 1978.

11. Sitio web del Vinyl Institute, www.vinylinfo.org.

12. El vinilo es uno de los plásticos producidos en mayor volumen en Norteamérica. En 2006 se fabricaron más de 6,8 millones de toneladas en Estados Unidos, según el Vinyl Institute.

13. El PVC constituye alrededor de una cuarta parte de los plásticos usados en productos sanitarios. Joel Tickner et al., «The Use of Di-2 Ethylhexyl Phthalate in PVC Medical Devices: Exposure, Toxicity, and Alternatives», Lowell Center for Sustainable Production, 1999, pág. 9.

14. Antes de la década de 1930, el aceite de ricino y más tarde el alcanfor eran las sustancias químicas que más se usaban para ablandar los plásticos rígidos.

15. Cada año se producen más de 230 millones de kilos de ftalatos, según la Environmental Protection Agency, «Phtalates Action Plan», 12 de diciembre de 2009, http://www.epa.gov/oppt/existingchemicals/pubs/ac-

tionplans/phtalates_ap_2009_1230_final.pdf. El DEHP representa un poco más de la mitad de los ftalatos producidos. En 2002 los fabricantes produjeron alrededor de 120 millones de kilos de esta sustancia química, según la Agency for Toxic Substances and Disease Registry [Agencia para el Registro de Sustancias Tóxicas y Enfermedades], «Toxicological Profile for Di(2-ethyl-hexyl) phtalate (DEHP)», Producción, importación, uso y eliminación, 2002. A escala mundial, anualmente se producen alrededor de quinientos millones de toneladas de ftalatos, según el sitio web de Our Stolen Future, http://www.ourstolenfuture.org/newscience/oncompounds/phthalates/phthalates.htm#.

16. Ted Shetter, «Human Exposure to Phthalates Via Consumer Products», *International Journal of Andrology,* 29, febrero de 2006, pág. 134.

17. Ibíd.; Wargo et al., «Plastics That May Be Harmful».

18. Schetter, «Human Exposure»; S. Hernández-Díaz et al., «Medications as a Potential Source of Exposure to Phthalates in the U.S. Population», *Environmental Health Perspectives,* 117, febrero de 2009, págs. 185-189.

19. El uso de varios ftalatos depende de su peso molecular. Es decir, de la masa de la molécula. Los ftalatos de peso más elevado, como el DEHP, el ftalato di-isononil *(di-isonomyl phthalate,* DINP) y el ftalato di-isodecil *(di-isodecyl phthalate,* DIDP) se producen en mayor volumen y se usan en materiales para la construcción, ropa, mobiliario, cortinas y alfombras. Los ftalatos de bajo peso, como el ftalato dibutil *(dibutyl phthalate,* DBP), el ftalato dietil *(di-ethyl phthalate,* DEP) y el ftalato dimetil *(dimethyl phthalate,* DMP) suelen usarse como disolventes y en productos adhesivos, ceras, tintas, cosméticos, insecticidas y productos farmacéuticos. Véase Shettler, «Human Exposure», pág. 134.

20. Alrededor de una cuarta parte del DEHP que se fabrica se usa en productos sanitarios. Agency for Toxic Substances and Disease Registry, «Toxicological Profile».

21. Douglas M. Surgeonor, «Reflections on Blood Transfusion», *American Journal of Surgery,* 148, noviembre de 1984, pág. 563.

22. Entrevista de la autora con Gary Moroff, Cruz Roja Estadounidense, noviembre de 2009.

23. Entrevista de la autora con Pawlak. En 1959, Walter vendió Fenwall, la empresa que había fundado para comercializar su sistema a base de bolsas de sangre al gigante de los suministros sanitarios Baxter Healthcar.

24. «Why Doctors Are Using More Plastics», *Modern Plastics,* octubre de 1957, pág. 87.

25. Markowitz y Rosner, *Deceit and Denial,* págs. 173-175.

26. Ibíd., pág. 171.

27. Citado en ibíd., pág. 192.

28. Ibíd., pág. 223.

29. Esta línea de investigación se remonta a la década de 1940, con informes aislados de que cierta sustancia emitida por diversos envoltorios de plástico podría producir tumores en las ratas. Por ejemplo, en los años cincuenta un grupo de investigadores de la Universidad de Columbia descubrieron datos inquietantes acerca de los filmes de plástico adherente recién introducidos en el mercado, como Saran Wrap, que Dow comercializaba como «el film de ciento un usos». En un uso que sin duda no estaba en la lista de Dow, los investigadores envolvieron riñones de ratas de laboratorio en film de plástico adherente para estudiar los medicamentos contra la hipertensión. Para su sorpresa, varios años después descubrieron que siete de las ratas habían desarrollado tumores malignos en las zonas donde tenían los riñones envueltos. En estudios posteriores, descubrieron que las ratas expuestas a varios plásticos distintos desarrollaron un elevado número de tumores. Entre dichos plásticos se encontraba el film transparente Saran Wrap (hecho de cloruro de polivinilideno, un primo hermano del PVC), PVC, polietileno, dacrón, celofán y teflón. Los investigadores no tenían claro qué estaba causando los tumores, ni tampoco si la enfermedad de las ratas indicaba un riesgo para la salud humana. En la década de 1970, la preocupación de la Food and Drug Administration de que el PVC pudiera lixiviar cloruro de vinilo la condujo a rechazar la petición de Monsanto de fabricar botellas de PVC para las bebidas alcohólicas. Sarah Vogel, «The Politics of Plastic: The Social, Economic and Scientific History of Bisphenol A», tesis doctoral, Universidad de Columbia, 2008.

30. La historia de su descubrimiento proviene en gran parte de entrevistas de la autora con Rudolph Jaeger, septiembre de 2009, y Robort Rubin, octubre de 2009. Véase también R.J. Jaeger y R.J. Rubin, «Plasticizers from Plastic Devices Extraction, Metabolism, and Accumulation by Biological Systems», *Science,* 170, 23 de octubre de 1970, págs. 460-462; R.J. Jaeger y R.J. Rubin, «Contamination of Blood Stored in Plastic Packs», *Lancet,* 2, 18 de julio de 1970, pág. 151; R.J. Jaeger y R.J. Rubin, «Some Pharmacologic and Toxicologic Effects of Di-2-Ethylhexyl Phthalate (DHP) and Other Plasticizers», *Environmental Health Perspectives,* 3 de enero de 1973, págs. 53-59.

31. Tickner et al., «Use of Di-2-Ethylhexyl Phthalate».

32. La lixiviación es casi inevitable dada la estructura del PVC plastificado, según el toxicólogo Bruce LaBelle. Entrevista de la autora con LaBelle, Departamento de Control de Sustancias Tóxicas de California, septiembre de 2009. Con el tiempo, las fuerzas normales de atracción atómica unen las largas moléculas de PVC, liberando así el DEHP. Este proceso está creando una crisis en el ámbito del arte moderno, donde

los conservadores pugnan por encontrar maneras de lidiar con las obras de arte hechas en plástico que están liberando plastificantes o emitiendo olores desagradables. Sam Kean, «Does Plastic Art Last Forever?», *Slate Magazine,* 1 de julio de 2009.

33. Victor Cohn, «Plastics Residues Found in Bloodstreams», *Washington Post,* 18 de enero de 1972.

34. Tal y como apareció en una reseña de 1978, «no existen pruebas de toxicidad derivada del uso de plásticos de PVC plastificado en contextos médicos. Los principales componentes del PVC plastificado han sido examinados durante un periodo prolongado y cada año que pasa se confirma la falta de toxicidad [...]. Si tenemos en cuenta factores como el coste, la comodidad y la seguridad, se desprende que los recipientes de PVC plastificado continúan desempeñando un papel valioso en el campo médico». W.L. Guess, «Safety Evaluation of Medical Plastics», *Clinical Toxicology,* 12, 1978, págs. 77-95. Véase también Naomi Luban et al., «I Want to Say One Word to You —Just One Word—: "Plastics"», *Transfusion,* 46, abril de 2006, págs. 503-506.

35. Ernest Hodgson y Patricia Levi, *A Textbook of Modern Toxicology,* Elseier, Nueva York, 1987, pág. 2.

36. Pete Myers y Wendy Hessler, «Does the Dose Make the Poison?», *Environmental Health News,* 30 de abril de 2007.

37. La historia de la obra de Colborn y la subsiguiente comprensión de los interruptores endocrinos se narra en Theo Colborn, Dianne Dumanoski y John Peterson Myers, *Our Stolen Future: Are We Threatening Our Fertility, Intelligence, and Survival? A Scientific Detective Story,* Dutton, Nueva York, 1996 [trad. esp.: *Nuestro futuro robado: ¿amenazan las sustancias químicas artificiales nuestra fertilidad, inteligencia y supervivencia?,* Ecoespaña Editorial, Madrid, 2001]. Véase también Vogel, «The Politics of Plastic»; Gay Daly, «Bad Chemistry», *OnEarth,* invierno de 2006.

38. Daly, «Bad Chemistry».

39. Colborn et al., *Our Stolen Future,* pág. 12.

40. Ibíd., pág. 26.

41. Estudios recientes sobre animales indican la posibilidad de que existan efectos de tercera generación entre ratones expuestos al DES, aunque los riesgos para nietos expuestos al DES aún no están claros. Wargo et al., «Plastics That May Be Harmful», pág. 8.

42. Daly, «Bad Chemistry»; Vogel, «The Politics of Plastic», págs. 238-240.

43. Daly, «Bad Chemistry».

44. En retrospectiva, dijo Ted Schettler, destacado investigador en este campo, la frase exacta fue «un poco desafortunado». Centraba la atención en las vías hormonales afectadas por las sustancias químicas sintéticas. «Pero hay muchas otras vías de señalización que son im-

portantes para las funciones o el desarrollo físicos normales.» Investigaciones más recientes han empezado a estudiar los efectos de las sustancias químicas en los mensajeros neuroquímicos en el cerebro, entre otros. Entrevista de la autora con Schettler, director científico, Science and Environmental Health Network, octubre de 2009.

45. Vogel, «The Politics of Plastic», pág. 244.

46. Colborn et al., *Our Stolen future,* pág. 253.

47. Organismos reguladores japoneses han identificado setenta interruptores endocrinos (Daly, «Bad Chemistry»); la cifra de mil proviene de John Wargo, «Pervasive Plastics: Wy the U.S. Needs New and Tighter Controls», *Yale Environment,* 360, 16 de noviembre de 2009.

48. Colborn et al., *Our Stolen future,* pág. 72.

49. Esta sustancia química también está presente en el PVC.

50. Entrevistas de la autora con Fred vom Saal, Universidad de Missouri, Columbia, octubre de 2007, y Bruce LaBelle. Véase también Vogel, «The Politics of Plastic»; Frederick vom Saal et al., «An Extensive New Literature Concerning Low-Dose Effecs of Bisphenol A Shows the Need for a New Risk Assessment», *Environmental Health Perspectives,* 113, agosto de 2005, págs. 923-933, y Wargo et al., «Plastics That May Be Harmful».

51. Wargo et al., «Plastics That May Be Harmful», pág. 22.

52. Entrevista de la autora con Vom Saal.

53. Colborn et al., *Our Stolen future,* pág. 32.

54. La exposición prolongada a la sustancia química en el lugar de trabajo puede tener efectos neurológicos sutiles, y un informe reciente publicado por la American Cancer Society [Sociedad Estadounidense contra el Cáncer], el National Institute for Occupational Safety and Health [Instituto Nacional para la Seguridad en el Trabajo], el National Institute of Environmental Health Sciences [Instituto Nacional de Ciencias Medioambientales para la Salud] y el National Cancer Institute [Instituto Nacional contra el Cáncer] incluyó el estireno entre veinte carcinogénicos potenciales que merecían una investigación más a fondo. Reuters, «Report Targets Twenty Possible Causes of Cancer», 15 de julio de 2010.

55. BCC Research, «Plastic Additives: The Global Market», junio de 2009. Sinopsis procedente de http://www.bccresearch.com/report/PLSo22B.html.

56. Entrevista de la autora con Martin Wagner, Departamento de Ecotoxicología Acuática, Universidad Goethe, Frankfurt del Meno, mayo de 2009. Véase también M. Wagner et al., «Endocrine Disruptors in Bottled Mineral Water: Total Estrogenic Burden and Migration from Plastic Bottles», *Environmental Science Pollution Research International,* 16, mayo de 2009, págs. 278-286. Investigadores italianos informaron de resultados similares: B. Pinto et al., «Screening of Estrogen-

Like Activity of Mineral Water Stored in PET Bottles», *International Journal of Hygiene and Environmental Health,* 212, marzo de 2009, págs. 228-232. El hecho de que el PET libere sustancias químicas no sorprende demasiado. Normalmente, una minúscula fracción del plástico —alrededor de un uno por ciento— está formada por moléculas que no se polimerizaron completamente. Estas cadenas de margarita acortadas, conocidas como oligómeros, podrían tener una extensión de sólo unas pocas unidades. Dado que son más pequeños que las moléculas de los polímeros, los oligómeros pueden escabullirse de la matriz de plástico, llevándose consigo cualquier aditivo químico o cualquier residuo procedente de la fabricación.

57. Ted Schettler en un correo electrónico dirigido a la autora, noviembre de 2009. George Gittner, un neurocientífico de la Universidad de Texas, sostiene que los informes sobre la actividad hormonal en el policarbonato, el vinilo y el PET son «la punta del iceberg». Bittner afirma haber analizado cientos de plásticos y aditivos comunes en estudios celulares y aún no ha encontrado ninguno que no muestre la capacidad de mimetizar la actividad hormonal. Sin embargo, antes de mediados de 2010 su obra no había aparecido en ninguna publicación científica reseñada por sus colegas.

58. Eso es cierto incluso en referencia a los cosméticos, que son sujetos a estrictas normas de etiquetado. Un estudio analizó setenta y dos productos cosméticos y para el cuidado personal distintos; los ftalatos no aparecían en las etiquetas de ninguno de ellos, pero se encontraron en cincuenta y dos de dichos productos. Schettler, «Human Exposure», pág. 137.

59. En 2008, el Center for Health, Environment, and Justice intentó detectar el origen de aquel olor químico analizando cortinas de ducha de vinilo nuevas. El análisis, llevado a cabo por laboratorios independientes, indicó que el olor no estaba producido por una única sustancia química, sino por una mezcla de docenas de sustancias. En realidad, los investigadores descubrieron que las cortinas de ducha de vinilo nuevas contenían al menos 108 sustancias químicas orgánicas volátiles distintas, como DEHP y otro ftalato, DINP. «Algunas de estas sustancias químicas causan daños en el desarrollo del feto, así como daños en el hígado y en el sistema central nervioso, respiratorio y reproductor», Lester Stephen et al., «Volatile Vinyl: The New Shower Curtain's Chemical Smell», Center for Health, Environment, and Justice, junio de 2008.

60. Schettler, «Human Exposure»; Wargo et al., «Plastics That May Be Harmful»; CERHR, «Monograph». La relación con las chancletas apareció en un informe reciente publicado por la Sociedad Sueca para la Conservación de la Naturaleza, «Chemicals Up Close: Plastic Shoes from All Over the World», 2009, que halló ftalatos en diecisiete de los

veintisiete zapatos sometidos a pruebas. Para acceder a una reseña de los estudios sobre la exposición a sustancias químicas a través de la comida, véase Jane Muncke, «Exposure to Endocrine Disrupting Compounds Via the Food Chain: Is Packaging a Relevant Source?», *Science of the Total Environment,* 407, agosto de 2009, págs. 4549-4559. Gran parte de la investigación relacionada con alimentos se ha llevado a cabo en Europa, y no queda del todo claro si puede extrapolarse a los mercados estadounidenses.

61. Entrevistas de la autora con Shanna Swan, Universidad de Rochester, octubre de 2007 y octubre de 2009. También Mark Schapiro, *Exposed: The Toxic Chemistry of Everyday Products and What's at Stake for American Power,* Chelsea Green Publishing, White River Junction, Vermont, 2007, pág. 44. Los mecanismos exactos por los que el DEHP causa daños no están del todo claros, pero diversos estudios han demostrado que esta sustancia química puede suprimir células fetales que sintetizan la testosterona, eliminar las vías entre las células nodrizas y las células germinales que promueven la creación de esperma y reducir la producción de otro factor de crecimiento fundamental para construir el tracto reproductor. Véase K.L. Howdeshell et al., «Mechanisms of Action of Phthalate Esters, Individually and in Combination, to Induce Abnormal Reproductive Development in Male Laboratory Rats», *Environmental Research,* 108, 2008, págs. 168-176.

62. National Research Council, *Phthalates and Cumulative Risk Assessment,* 2008, pág. 5. Véase también L.E. Gray Jr. et al., «Perinatal Exposure to the Phthalates DEH, BBP and DINP, but Not DEP, DMP or DOTP Alters Sexual Differentiation of the Male Rat», *Toxicology Science,* 58, diciembre de 2000, págs. 350-365.

63. B.J. Davis et al., «Di-(2-Ethylhexyl) Phthalate Suppresses Estradiol and Ovulation in Cycling Rats», *Toxicology and Applied Pharmacology,* 128, 1994, págs. 216-223, citado en Wargo et al., «Plastics That May Be Harmful», pág. 40.

64. Véase L. Oie, L.G. Hersoug y J.O. Madsen, «Residential Exposure to Plasticizers and Its Possible Role in the Pathogenesis of Asthma», *Environmental Health Perspectives,* 105, 1997, págs. 972-978, citado en Wargo et al., «Plastics That May Be Harmful», págs. 41-45.

65. Entrevistas de la autora con Swan; Joel Tickner, Universidad de Massachusetts en Lowell, Centro de Producción Sostenible, octubre de 2009; Russ Hauser, médico e investigador en la Escuela de Harvard para la Salud Pública, octubre de 2009; Rebecca Sutton, investigadora principal, Grupo de Trabajo Medioambiental, septiembre de 2009. Véase también Leonard Paulozzi, «International Trends in Rates of Hypospadias and Cryptorchidism», *Environmental Health Perspectives,* 107, abril de 1999, págs. 297-302. Investigadores daneses argumentan que tales síntomas están relacionados y forman parte de una afección

que denominan síndrome de disgénesis testicular, que vinculan a errores en el desarrollo de los testes fetales, causados o bien por defectos genéticos o por factores medioambientales, como la exposición a sustancias químicas que alteran las hormonas. En un documento publicado en 2001, sostenían que dicho síndrome es relativamente frecuente, y calculaban que al menos uno de cada veinte hombres daneses tiene como mínimo uno o dos síntomas. N.E. Skakkebaek et al., «Testicular Dysgenesis Syndrome: An Increasingly Common Developmental Disorder with Environmental Aspects», *Human Reproduction,* 16, mayo de 2001, págs. 972-978.

66. B. Blount et al., «Levels of Seven Urinary Phthalate Metabolites in a Human Reference Population», *Environmental Health Perspectives,* 108, octubre de 2000, págs. 979-982; M. Silva et al., «Urinary Levels of Seven Urinary Phthalate Metabolites in the U.S. Population from the National Health and Nutrition Examination Survey (NHANES) 1999-2000», *Environmental Health Perspectives,* 112, marzo de 2004, págs. 331-338. Y algunos estudios indican que casi todos los estadounidenses llevan al menos un ftalato en el organismo, pero hasta hace poco el Center for Desease Control sólo podía analizar unos pocos metabolitos de esta sustancia química.

67. Wargo et al., «Plastics That May Be Harmful», pág. 39; Environmental Protection Agency, «Action Plan on Phthalates», pág. 209. También se ha demostrado que estas sustancias químicas pueden atravesar la placenta.

68. Se calcula que casi todos nosotros estamos absorbiendo entre 1 y 30 microgramos por kilo de peso corporal cada día, lo que supone una exposición diaria de entre 70 y 2100 microgramos para alguien que pese 70 kilos. CERHR, «Monograph», pág. 1.

69. Investigadores alemanes descubrieron que casi un tercio de los hombres y mujeres que tomaron parte en la investigación sobrepasaban el límite de ingesta diaria establecido por la Environmental Protection Agency. En Taiwan, donde existe un gran consumo de plástico, el porcentaje era del 85 por ciento. El umbral de ingestión fijado por la Environmental Protection Agency en 1986 es de 0,02 mg/kg/día, basado en los efectos potenciales para el hígado. Wargo et al., «Plastics That May Be Harmful», págs. 40-46.

70. Blount et al., «Levels of Seven», D.B. Barr et al., «Assessing Human Exposure to Phthalates Using Monoesters and Their Oxidized Metabolites as Biomarkers», *Environmental Health Perspectives,* 111, julio de 2003, págs. 1148-1151.

71. Entrevista de la autora con Swan.

72. CERHR, «Monograph».

73. Entrevista a Hauser. Para más información sobre la exposición de recién nacidos en las unidades de cuidados intensivos neonatales,

véase Ronald Green et al., «Use of Di(2-ethylhexyl) Phtalate-Containing Medical Products and Urinary Levels of Mono(2-ethylhexyl) Phthalate in Neonatal Intensive Care Unit Infants», *Environmental Health Perspectives,* 113, septiembre de 2005, págs. 1122-1125. CERHR, «Monograph»; Julia Barrett, «NTP Draft Brief on DEHP», *Environmental Health Perspectives,* 114, octubre de 2006, págs. A580-581.

74. Luban et al., «I Want to Say», pág. 504.

75. CERHR, «Monograph», pág. 2.

76. Muchos científicos consideran que los fetos, los recién nacidos y los niños pequeños en general son especialmente vulnerables a las sustancias químicas porque sus órganos, metabolismos y sistemas hormonales aún se están desarrollando. Asimismo, los niños pequeños respiran más aire y consumen más alimentos y bebidas por kilo de peso corporal, lo que aumenta su exposición relativa a las sustancias químicas presentes en el medio ambiente. La National Academy of Sciences reconoció en 1993 la especial susceptibilidad de los muy jóvenes a las sustancias químicas industriales en un informe sobre los pesticidas. Wargo et al., «Plastics That May Be Harmful», págs. 9-10.

77. En una entrevista de la autora, el autor, médico e investigador Russ Hauser describió la dificultad de extraer conclusiones prácticas del conocimiento de que un paciente esté expuesto a los ftalatos. Hauser ha llevado a cabo estudios epidemiológicos que demuestran una correlación entre los niveles de ftalatos y la infertilidad masculina. Sin embargo, Hauser afirmó que la naturaleza de dicha conexión aún es demasiado incierta para resultar de utilidad en su consultorio, donde trabaja con parejas estériles. Si bien Hauser analiza los niveles de ftalatos de estas parejas, así como los niveles de otras sustancias químicas usadas en los plásticos, raras veces comparte los resultados con ellas porque son difíciles de interpretar. No es lo mismo que enfrentarse a un riesgo conocido como el mercurio, afirmó. Si uno de sus pacientes tuviera niveles elevados de mercurio, Hauser podría decirle cómo afectarían dichos niveles a su salud y cómo evitar la ingesta de mercurio. Pero, en el caso de los ftalatos, según Hauser «ni siquiera puedo interpretar el nivel que tienen en la orina. Si tienen cuarenta, u ochenta, o ciento veinte partes por cada mil millones, ¿serán distintos los riesgos en cada caso? Carecemos de datos suficientes [para saberlo]». Además, añadió, «no queremos que una persona que está preocupada por si puede concebir un hijo se preocupe aún más por la necesidad de cambiar por completo de estilo de vida».

78. Entrevista de la autora con Swan; Shanna Swan et al., «Decrease in Anogenital Distance Among Male Infants with Prenatal Phthalate Exposure», *Environmental Health Perspectives,* 113, agosto de 2005, págs. 1056-1061.

79. Entrevista de la autora con Swan; Swan et al., «Prenatal Phthalate Exposure and Reduced Masculine Olay in Boys», *International Journal of Androgyny,* 33, abril de 2010, págs. 259-269.

80. Para obtener una visión general de algunas de estas conclusiones, véase Wargo et al., «Plastics That May Be Harmful»; John Meeker et al., «Phthalates and Other Additives in Plastics: Human Exposure and Associated Health Outcomes», *Philosophical Transactions of the Royal Society B,* 364, julio de 2009, págs. 2097-2113; Russ Hauser et al., «Phthalates and Human Health», *Occupational Environmental Medicine,* 62, noviembre de 2005, págs. 808-818.

81. Un estudio sobre niñas puertorriqueñas halló elevados niveles de DEHP en más de dos tercios de las muchachas que presentaban un desarrollo sexual prematuro y desarrollo mamario temprano en comparación con sólo alrededor de una de cada cinco de los sujetos con una pubertad normal. Este estudio ha sido objeto de críticas por la posible incapacidad para controlar la aportación de DEHP en el laboratorio a las concentraciones en tejidos conocidas. I. Colón et al., «Identification of Phthalate Esters in the Serum of Young Puerto Rican Girls with Premature Breast Development», *Environmental Health Perspectives,* 108, septiembre de 2000, págs. 895-900. Las mujeres con endometriosis tenían niveles más altos de DEHP en la sangre según estudios realizados en Italia y en India; véase L Cobellis et al., «High Plasma Concentrations of Di-(2-ethylhexyl)-phthalate in Women with Endometriosis», *Human Reproduction,* 18, julio de 2003, págs. 1512-1515; y B.S. Reddy et al., «Association of Phthalate Esters with Endometriosis in Indian Women», *BJOG,* 113, mayo de 2006, págs. 515-520. Otro estudio italiano también halló asociaciones entre los niveles de ftalatos y los fibromas uterinos; véase S. Luisi et al., «Low Serum Concentrations of Di-(2-ethylhexyl)-phthalate in Women with Uterine Fibromatosis», *Gynecological Endocrinology,* 22, febrero de 2006, págs. 92-95.

82. Mike Verespej, «Study Says Phthalates May Harm Newborns' Immune Systems», *Plastics News,* 22 de julio de 2010.

83. H. von Rettberg et al., «Use of Di-(2-ethylhexyl)-Phthalate-Containing Infusion Systems Increases the Risk for Cholestasis», *Pediatrics,* 124, agosto de 2009, págs. 710-716.

84. Entrevista de la autora con Schettler. Véase C. McKinnell et al., «Effect of Fetal or Neonatal Exposure to Monobutyl Phthalate (MBP) on Testicular Development and Function in the Marmoset», *Human Reproduction,* 24, septiembre de 2009, págs. 2244-2254. Véase también CERHR, «Monograph».

85. Las mismas contradicciones aparecen en los estudios sobre el bisfenol A, en los que los resultados pueden variar enormemente dependiendo de, por ejemplo, la raza de las ratas de laboratorio empleadas. Algunas son más sensibles a los estrógenos que otras, y por con-

siguiente más proclives a responder a la sustancia química. Los químicos afirman que se trata de uno de los factores que explican las enormes diferencias entre los estudios financiados por la industria y aquellos realizados por investigadores independientes. Los animales usados en los estudios financiados por la industria han sido entre veinticinco mil y cien mil veces menos sensibles al estrógeno que otras especies, según un estudio de 2005. El mismo estudio descubrió que 94 de 104 investigaciones financiadas por el Gobierno indicaban efectos importantes relacionados con la exposición al bisfenol A, mientras que ni un solo estudio de los once patrocinados por la industria halló efectos. Frederick vom Saal et al., «Extensive New Literature».

86. K. Rais-Bahrami et al., «Follow-up Study of Adolescents Exposed to Di-(2-ethylhexyl)-phthalate (DEHP) as Neonates on Extracorporeal Membrane Oxygenation (ECMO) Support», *Environmental Health Perspectives,* 112, septiembre de 2004, págs. 1339-1340.

87. Environmental Working Group, «Body Burden – The Pollution in Newborns», 14 de julio de 2005, en http://www.ewg.org/reports/bodybrden2/execsumm.php.

88. Entrevista de la autora con Earl Gray, octubre de 2009.

89. Marion Stanley, American Chemistry Council, citada en respuesta a una notificación sobre la salud pública de la Food and Drug Administration. También, entrevista de la autora con Chris Bryant, Phthalate Esters Group, American Chemistry Council, octubre de 2008. Véase también CERHR, «Monograph», que incluye comentados proporcionados por el American Chemistry Council en 2005.

90. Wargo, «Pervasive Plastics». Véanse también los comunicados de prensa incluidos en el sitio web del American Chemistry Council en http://www.americanchemistry.com/s_acc/sec_newsroom.asp?CID=206&DID=555.

91. David Michaels, «Doubt Is Their Product», *Scientific American,* junio de 2005, pág. 96.

92. Environmental Protection Agency, «Phthalate Action Plan», 2009.

93. Food and Drug Administration, «Food and Drug Administration Public Health Notification: PVC Devices Containing the Plasticizer DeHP», julio de 2002. En http://www.fda.gov/MedicalDevices/Safety/AlertsandNotices/PublicHealthNotifications/UCM062182.

94. Entrevista de la autora con Shettler. Véase también Health Care Without Harm, «Aggregate Exposures to Phthalates in Humans», julio de 2002, en http://www.noharm.org/lib/downloads/pvc/Agg_Exposures_to_Phthalates.pdf.

95. Schapiro, *Exposed,* pág. 52.

96. Wargo, «Pervasive Plastics». Una versión ampliada de su análisis se puede encontrar en su libro *Green Intelligence: Creating Envi-*

ronments That Protect Human Health, Yale University Press, New Haven, Connecticut, 2009.

97. Se trata de un cálculo de la Environmental Protection Agency citado en Michael Wilson y Megan Shwarzman, «Toward a New U.S. Chemicals Policy: Rebuilding the Foundation to Advance New Science, Green Chemistry, and Environmental Health», *Environmental Health Perspectives,* 117, agosto de 2009, págs. 1202-1209. El cálculo de 70 por ciento fue citado por Joel Tickner en un correo electrónico a la autora, octubre de 2010.

98. Shapiro, *Exposed,* pág. 52.

99. En 2001, la Unión Europea clasificó el DEHP como «tóxico» y también prohibió su uso en cosméticos y en todos los productos infantiles. Desde 1998, los fabricantes de juguetes estadounidenses eliminaron voluntariamente el DEHP de todos los mordedores, sonajeros y otros juguetes que los niños menores de tres años pudieran meterse en la boca. Sin embargo, eso no impide la importación de juguetes que contienen ftalatos. Se trata de una cifra importante, dado que el 80 por ciento de los juguetes vendidos en Estados Unidos se importan de China, donde no existen restricciones al uso de DEHP.

100. Health Care Without Harm, «The Weight of the Evidence on DEHP», en http://www.noharm.org/lib/downloads/pvc/Weight_of_Evidence_DEHP.pdf.

101. Entrevistas de la autora con Liz Harriman, Pam Eliason y Greg Morose del Toxics Use Reduction Institute [Instituto para la Reducción del Uso de Tóxicos], el organismo establecido para educar a las empresas sobre alternativas no tóxicas y para ayudarlos a acatar la ley estatal, octubre de 2009.

102. Wargo, «Pervasive Plastics».

103. Entrevista de la autora con Paula Safreed, ex enfermera en la unidad neonatal de cuidados intensivos en el Brigham and Women's Hospital, septiembre de 2009. Asimismo, entrevista de la autora con Julianne Mazzawi, directora adjunta de la unidad neonatal de cuidados intensivos en el Brigham and Women's Hospital, septiembre de 2009.

104. Gary Cohen, Health Care Without Harm, vídeo de Skoll, en http://www.youtube.com/watch?v=tR4Pz9qwRyo. La información sobre la historia del grupo obtenida también durante las entrevistas de la autora con Tickner; Mark Rossi, director de investigación, Center for Clean Production [Centro para la Producción Limpia], septiembre de 2009; y Stacey Malkin, antigua portavoz de Health Care Without Harm, septiembre de 2007.

105. Health Care Without Harm, «List of Hospitals Undertaking Efforts to Reduce PVC or DEHP», en http://www.noharm.org/lib/downloads/pvc/List_of_Hosps_Reducing_PVC_DEHP.pdf. La mayoría están

ubicados en California, el noroeste del Pacífico y Nueva Inglaterra. Véase también Laura Landro, «Hospitals Go "Green" to Cut Toxins, Improve the Patient Environment», *Wall Street Journal,* 4 de octubre de 2006.

106. Entrevistas de la autora con Rossi, Tickner.

107. Entrevista de la autora con Patrick Harmon, septiembre de 2009.

108. Estimación de Mark Ostler, director de los servicios de material técnico en Hospira, en una entrevista con la autora, diciembre de 2009.

109. Este hecho recientemente puso a Luban y a Short en la extraña situación de tener que presionar contra una propuesta local para prohibir el uso de suministros médicos que contengan DEHP. Aunque a ambos médicos les preocupa el impacto de dicha sustancia química en la salud, de haberse aprobado la ley, dijo Luban, «nadie [en el distrito de Columbia] habría podido recibir una transfusión sanguínea».

110. A.M. Calafat et al., «Exposure to Bisphenol A and Other Phenols in Neonatal Intensive Care Unit Premature Infants», *Environmental Health Perspectives,* 117, abril de 2009, págs. 639-644; entrevista de la autora con Steve Ringer, jefe del servicio de neonatología en el Brigham and Women's Hospital, agosto de 2009.

5. Materia fuera de lugar

1. Entrevista de la autora con David Karl, profesor de oceanografía, Universidad de Hawai, julio de 2009.

2. Entrevista de la autora con Seba Sheavly, asesora sobre residuos marinos que ha estudiado los residuos en las playas de Midway, enero de 2010.

3. Charles Moore, «Trashed», *Natural History,* 112, noviembre de 2003.

4. Entrevista de la autora con John Klavitter, Servicio de Pesca, Fauna y Flora, abril de 2010.

5. Curtis Ebbesmeyer y Eric Scigliano, *Flotsametrics and the Floating World: How One Man's Obsession with Runaway Sneakers and Rubber Ducks Revolutionized Ocean Science,* HarperCollins, Nueva York, 2009, pág. 212.

6. Heidi Auman et al., «Plastic Ingestion by Laysan Albatross Chicks on Sand Island, Midway Atoll, in 1994 and 1995», en G. Robinson y R. Gales (eds.), *Albatross Biology and Conservation,* Surrey Beatty and Sons, Chipping Norton, Australia, 1997, págs. 239-244.

7. Sitio web de los voluntarios de Midway, en http://kms.kapalama.ksbe.edu/projects/2003/albatross/.

8. Entrevista de la autora con Klavitter: Auman, «Plastic Ingestion»; también, Kenneth R. Weiss, «Plague of Plastic Chokes the Seas», *Los Angeles Times,* 2 de agosto de 2006.

9. José G.B. Derraik, «The Pollution of the Marine Environment by Plastic Debris: A Review», *Marine Pollution Bulletin,* 44, septiembre de 202, págs. 842-852. Véase también David Laist, «Impacts of Marine Debris: Entanglement of Marine Life in Marine Debris Including a Comprehensive List of Species with Entanglement and Ingestion Records», en J.M. Coe y D.B. Rogers (eds.), *Marine Debris: Sources, Impacts and Solutions,* Springer Verlag, Nueva York, 1997, págs. 99-139.

10. David Barnes et al., «Accumulation and Fragmentation of Plastic Debris in Global Environments», *Philosophical Transactions of the Royal Society B,* 364, julio de 2009, pág. 1987.

11. Una noticia reciente explicaba que los erizos alemanes se habían aficionado a lamer los envases de los helados McFlurrys de McDonald's, pero la cabeza se les quedaba atrapada en las tapas convexas y acababan por morir de hambre. Dicho sea en honor de McDonald's, la cadena de restaurantes cambió el diseño de las tapas por otro menos dañino para los erizos. Patrick MacGroarty, «McDonald's Redesigns Deadly Lids», *Der Spiegel,* 27 de febrero de 2008. En http://www.spiegel.de/international/zeitgeist/0,1518,538125,00.html.

12. Emma L. Teuten et al., «Transport and Release of Chemicals from Plastics to the Environment and Wildlife», *Philosophical Transactions of the Royal Society B,* 364, 27 de julio de 2009, págs. 2027-2045.

13. La cifra de 13.000 piezas por kilómetro cuadrado se cita en un informe publicado por el Programa Medioambiental de Naciones Unidas, «Marine Litter: An Analytical Overview», 2005, pág. 4. En www.unep.org/regionalseas/publications/Marine_Litter.pdf. La fuente de los 3,5 millones de piezas por kilómetro cuadrado es Richard Thompson et al., «Plastics, the Environment and Human Health: Current Consensus and Future Trends», *Philosophical Transactions of the Royal Society B,* 364, 27 de julio de 2009, pág. 2155.

14. Andrady, «Applications and Societal Benefits», 1981. Andrady calculó que entre el 0,2 y el 0,3 por ciento de todos los plásticos producidos en todo el mundo cada año acaban en el océano, lo que supondría entre 0,5 y 0,8 millones de toneladas. La información sobre la pesca del bacalao proviene de la FAO, *Fishery and Aquaculture Statistics,* 2007, Roma, 2009, pág. 12, en http:/www.fao.org/fishery/publications/yearbooks/en.

15. Los primeros datos procedían de informes acerca de los fragmentos de plásticos hallados en los cuerpos de las aves marinas recogidas en las costas. Thompson, «Plastics, the Environment», pág. 2154.

16. Richard Thompson, «Lost at Sea: Where Is All the Plastic?», *Science,* 304, mayo de 2004, pág. 838; también Ebbesmeyer y Scigliano, *Flotsametrics,* pág. 203.

17. Thompson, «Plastics, the Environment», pág. 2155; entrevistas de la autora con Seba Sheavly, consultora sobre residuos marinos, enero y junio de 2010; entrevista de la autora con Kara Lavender Law, científica jefe de la Sea Education Association, un organismo educativo sin ánimo de lucro situado en Woods Hole, Massachusetts, agosto de 2009. Según Law, desde la década de 1980 el grupo ha enviado barcos de investigación para que hicieran la misma ruta a través del Atlántico Norte y el Caribe, tomando muestras de plancton con redes especiales que tienen mallas de 0,3 milímetros. Las redes de arrastre siempre han sacado plástico a la superficie. No parece que las cantidades estén aumentando, pero a finales de la década de 1980 las redes recogían un gran número de gránulos de preproducción, mientras que en la actualidad las redes suelen sacar más fragmentos de plásticos posconsumo.

18. Strasser, *Waste and Want: A Social History of Trash,* Metropolitan Books, Nueva York, 1999, pág. 267.

19. «Plastics in Disposables and Expendables», *Modern Plastics,* abril de 1957, pág. 94.

20. Ibíd., pág. 93.

21. Heather Rogers, *Gone Tomorrow: The Hidden Life of Garbage,* New Press, Nueva York, 2005, pág. 109.

22. «Plastics in Disposables», *Modern Plastics,* abril de 1957, pág. 96.

23. «Throwaway Living», *Life,* 1 de agosto de 1955.

24. Jefferson Hopewell et al., «Plastics Recycling: Challenges and Opportunities», *Philosophical Transactions of the Royal Society B,* 364, julio de 2009, pág. 2155.

25. Gordon McKibben, *The Cutting Edge: Gillette's Journey to Global Leadership,* Harvard Business Press, Boston, 1998, págs. 101-104.

26. Lee Daniels, «Gillette Gives Up on Cricket», *New York Times,* 5 de octubre de 1984.

27. McKibben, *Cutting Edge.* El encendedor fue sólo uno de los productos de una guerra cruenta, larga y legendaria por los artículos de consumo desechables lidiada entre las dos empresas. Primero batallaron por los bolígrafos, y Bic acabó ganando al bolígrafo Paper Mate de Gillette. A continuación llegó la guerra por los encendedores, que Bic ganó rápidamente; en 1984, cuando Gillette vendió el encendedor Cricket a una empresa sueca, Bic controlaba el 55 por ciento de un mercado de aproximadamente 325 millones de dólares (Daniels, «Gillette Gives Up»). Las empresas también batallaron por las maquinillas desechables, que ambos introdujeron hacia los años setenta. «Les ganamos con los bolígrafos, les ganamos con los encendedores, y no veo por qué no vamos a ganarles también ahora», reveló a *The New York Times* un publicista cuando Bic lanzó su maquinilla desechable en 1976 (Philip Dougherty, «Bic Pen Challenges Gillette on Razors», *The New*

York Times, 29 de octubre de 1976). Pero en aquella batalla Gillette ha tomado la delantera.

28. McKibben, *Cutting Edge,* pág. 102. Pese a lo rico que era el mercado, ni Bic ni Gillette obtuvieron grandes ganancias porque, en la dura batalla por el liderazgo, ambas empresas continuaron bajando los precios para vender más barato que la otra.

29. Judith McKay y Michael Eriksen, *The Tobacco Atlas,* Organización Mundial de la Salud, 2002, pág. 91. En http://www.who.int/tobacco/en/atlas38.pdf.

30. Información procedente del sitio web de Bic, www.Bicworld.com.

31. Allen Liao, «Born of Fire: China's Lighter Manufacturing Industry», *Tobacco Asia,* Q2, 2009. En http://www.tobaccoasia.net/previous-issues/features/39-featured-articles-q2-2009/128-born-of-fire-china-is-lighter-manufacturing-industry. El negocio aún cuenta con volúmenes lo suficientemente elevados para que un fabricante chino de encendedores desechables anuncie que no aceptará pedidos de menos de 500.000 unidades.

32. Sitio web de DuPont Delrin. Puede consultarse en línea en www2.dupont.com/Plastics/en_US/Products?delrin/Delrin.html.

33. Anthony Andrady, «Plastics and Their Impact in the Marine Environment», Actas del Congreso Marino Internacional sobre aparejos de pesca abandonados y el entorno oceánico, agosto de 2000. Según Andrady, el tiempo que tarda un polímero en biodegradarse también depende del entorno inmediato —si es húmedo o seco, frío o caliente, expuesto al sol o no— y del tipo de polímero. En un estudio, los investigadores incubaron polietileno en un cultivo de bacterias vivas. Al cabo de un año había desaparecido menos del uno por ciento. (Entrevista de la autora con Andrady, octubre de 2009, y descripción procedente de Weisman, *The World Without Us,* pág. 127.)

34. La única excepción es el poliestireno expandido, también conocido como Styrofoam, que es más duradero en tierra que en el océano, según Andrady. En tierra, reacciona a la radiación ultravioleta formando una capa superficial amarillenta que ayuda a que el material no se desintegre. En el agua, esta capa desaparece y el material se desintegra rápidamente, dividiéndose en trozos microscópicos. Entonces ya no es visible, pero no puede considerarse que se haya degradado.

35. Murray R. Gregory, «Environmental Implications of Plastic Debris in Marine Settings-Entanglement, Ingestion, Smothering, Hangers-on, Hitchhiking and Alien Invasions», *Philosophical Transactions of the Royal Society B,* 364, 27 de julio de 2009, pág. 2017.

36. Ibíd.

37. Entrevistas de la autora con Judith Selby Lang y Richard Lang, marzo y noviembre de 2008.

38. Ebbesmeyer y Scigliano, *Flotsametrics,* págs. 200-201.

39. Gregory, «Environmental Implications», pág. 2014.

40. Barnes et al., «Accumulation and Fragmentation».

41. Derraik, «Pollution of the Marine Environment». En algunos lugares es incluso más alto. En el curso de una inspección de las playas y los puertos de Cape Cod se descubrió que el 90 por ciento de los residuos eran plásticos.

42. Entrevista de la autora con Charles Moore, mayo de 2009.

43. Ocean Conservation, *A Rising Tide of Ocean Debris and What We Can Do About It: 2009 Report*. También se recogen muchos residuos no plásticos, como bolsas de papel, botellas de cristal, latas y lengüetas de latas.

44. Ebbesmeyer citado en Hohn, «Moby-Duck».

45. Ocean Conservation, *Rising Tide*. Estados Unidos encontró 18.555.

46. Hohn, «Moby-Duck». Para una buena descripción del giro, véase Ebbesmeyer y Scigliano, *Flotsametrics*.

47. Moore, «Trashed».

48. Se calcula que se echan por la borda dos mil contenedores al año. Ebbesmeyer y Scigliano, *Flotsametrics*, pág. 205.

49. Moore, «Trashed». Entrevista de la autora con Moore.

50. Uno de los errores guarda relación con un estudio realizado por Moore en el que afirmó haber descubierto que la masa de plástico que sacó del vórtice pesaba seis veces más que la masa de plancton que había allí. La estadística se ha repetido a menudo, y sin embargo los expertos señalan que puede inducir a error. El vórtice es un desierto oceánico: debido a sus rasgos particulares la vida marina no abunda en la zona, lo que significa que no se puede encontrar demasiado plancton allí. Además, el plancton está compuesto principalmente de agua; cuando se ha secado —como se hizo en el estudio de Moore— su masa parece menor de lo que es en realidad.

51. Editorial, «Our Plastic Legacy Afloat», *New York Times*, 26 de agosto de 2009.

52. Estas descripciones provienen de entrevistas con miembros del Proyecto Kaisei, una expedición que viajó hasta el giro en el verano de 2009 para documentar la extensión de los residuos y para investigar la posibilidad de limpiarlos. Entrevistas de la autora con Miriam Goldstein, Andrea Neal, Dennis Rogers, Nelson Smith y Doug Woodring, agosto de 2009.

53. Entrevista de la autora con Sheavly.

54. La advertencia la hizo Andrea Neal, quien con el tiempo superó sus reservas sobre el proyecto y participó en él como asesora científica. Entrevista de la autora con Neal, julio de 2009; entrevista de la autora con Woodring, agosto de 2009.

55. La cifra es discutible. Basándose en sus estudios de los desechos flotantes y en modelos informatizados, Ebbesmeyer calcula que hay

once giros oceánicos definidos y ocho vórtices de alta presión. Los investigadores Peter Niiler y Nikolai Maximenko siguieron los recorridos de quince mil boyas de investigación para localizar las corrientes oceánicas por todo el mundo, y el mapa resultante muestra sólo cinco zonas en las que las corrientes convergen en un vórtice. «Tracking Ocean Debris», *IPCR Climate,* 8, 2008, págs. 14-16; entrevista de la autora con Peter Niiler, Scripps Institution of Oceanography, julio de 2009.

56. Entrevista de la autora con Law. El viaje de investigación de 2010 al giro del Atlántico Norte por parte de su organización, la Sea Education Association, fue el primero financiado por el Gobierno federal. Los resultados del viaje se publicaron en Kara Lavender Law et al., «Plastic Accumulation in the North Atlantic Subtropical Giro», *Science,* 329, 2010, pág. 1185. Véase también Melissa Lang, «Fishing for Plastic in the Atlantic», *Boston Globe,* 14 de julio de 2010.

57. Entrevista de la autora con Niiler.

58. Thompson, «Plastics, the Environment», pág. 2155.

59. Entrevista de la autora con Holly Bamford, directora del programa sobre los residuos marinos en la National Oceanic and Atmospheric Administration, julio de 2009. La cifra parece provenir de un documento de C. Fowler, «Status of Northern Fur Seals on the Pribilof Islands», presentado en la vigesimosexta reunión anual del Comité Científico Permanente de la Comisión sobre la Piel de Foca del Pacífico Norte, en 2008. En dicho documento se afirmaba que «se calcula que cada año mueren entre 50.000 y 90.000 osos marinos septentrionales enredados en los residuos. Se cree que al menos 50.000 muertes se deben a este hecho; las otras 40.000 muertes se deben posiblemente a este hecho o posiblemente a algún factor desconocido, como la enfermedad». Un artículo de 2008 publicado en *The Times* de Londres describía cómo una cita errónea posterior del informe, que no mencionaba las bolsas de plástico, contribuyó a alentar la opinión contraria a las bolsas de plástico. Alexi Mostrous, «Series of Blunders Turned the Plastic Bag into Global Villain», *Times* de Londres, 8 de marzo de 2008. Se puede consultar en línea en http://ad.uk.doubleclick.net/adj/news.timesonline.co.uk/environment;pos=sponsor;sz=143x50;tile=2;yahoo=No;ord=1274124758122?

60. Entrevista de la autora con Bambord. Véase también la sección de preguntas frecuentes del sitio web de la National Oceanographic and Atmosphere Administration sobre residuos marinos en http://marinedebris.noaa.gov/info/faqs.html#6.

61. Derraik, «Pollution of the Marine Environment»; estudio sobre los osos marinos meridionales citado en Charles Moore, «Synthetic Polymers in the Marine Environment: A Rapidly Increasing Threat», *Environmental Research,* 108, octubre de 2008; sobre los fulmares, véase M. Malloy, «Marine Plastic Debris in Northern Fulmars from the

Canadian High Arctic», *Marine Pollution Bulletin,* 58, agosto de 2008, págs. 1501-1504.

62. «Exfoliating Scrubs Join List of Plastic Harming Whales», *Scotland Sunday Herald,* 9 de marzo de 2008.

63. «Leatherback Turtle Threated by Plastic Garbage in the Ocean», *Science Daily,* 16 de marzo de 2009. Información sobre el estudio de N. Mrosovsky et al., «Leatherback Turtles: The Menace of Plastic», *Marine Pollution Bulletin,* 58, 2009, pág. 287.

64. Gregory, «Environmental Implications».

65. Barnes et al., «Accumulation and Fragmentation». Entrevista de la autora con Barnes, junio de 2009.

66. Barnes, citado en Thomas Hayden, «Trashing the Oceans», *U.S. News and World Report,* 14 de noviembre de 2002.

67. Las actas del congreso proporcionan una buena perspectiva general del conocimiento que se tiene de los microdesechos y de la inquietud que provocan. Véase National Oceanic and Atmospheric Administration, *Proceedings of the International Workshop on the Occurrence, Effects and Fate of Microplastic Marine Debris,* 9 de septiembre a 11 de septiembre de 2008, publicado en enero de 2009. Véase también Murray Gregory y Anthony Andrady, «Plastics in the Marine Environment», en Andrady (ed.), *Plastics and the Environment,* págs. 391-382, y Richard C. Thompson et al., «Our Plastic Age», 1975.

68. Moore, «Synthetic Polymers». En 1991 la Society of Plastics Industry creó un programa, Operación Limpieza, concebido para evitar la pérdida de gránulos. Las medidas recomendadas en dicho programa resultan eficaces para reducir alrededor del 50 por ciento las cantidades que se diseminan por el medio ambiente. Por desgracia, sigue siendo voluntario, y, según Moore, sólo participa en él un pequeño porcentaje de empresas.

69. Entrevista de la autora con Richard Thompson, Universidad de Plymouth, septiembre de 2009.

70. Entrevista de la autora con Thompson; Weisman, *World Without Us,* pág. 116.

71. Descrito en Thompson, «Plastics, the Environment», pág. 2156.

72. Los resultados fueron descritos en el sitio web de la Algalite Marine Research Foundation de Moore, en «Update on Fish Ingestion Study», septiembre de 2009, http://www.algalita.org/bispap-ingestion-update-9-09.html. También en David Ferris, «Message in a Bottle», revista *Sierra,* mayo/junio de 2009.

73. Teuten et al., «Transport and Release of Chemicals», págs. 2035-2037.

74. Entrevista de la autora con Bamford.

75. Entrevista de la autora con Hideshige Takada, febrero de 2009. Véase también Yuko Ogata et al., «International Gránulo Watch: Glo-

bal Monitoring of Persistent Organic Pollutants (POPs) in Coastal Waters. Initial Phase Data on PCBs, DDTs and HCHs», *Marine Pollution Bulletin,* 58, octubre de 2009, págs. 1437-1446.

76. Todos los gránulos, salvo treinta y tres, eran de polietileno (el resto eran de polipropileno), y ésos fueron los que analizó. Correspondencia por correo electrónico de la autora con Takada, enero de 2010.

77. Emma L. Teuten, «Microplastic-Pollutant Interactions and Their Implication in Contaminant Transport to Organisms», presentado en International Workshop on the Occurrence, Effects and Fate of Microplastic Marine Debris, septiembre de 2008.

78. Entrevista de la autora con Thompson. Los estudios se describen en Teuten et al., «Transport and Release of Chemicals», pág. 2038.

79. Ibíd., pág. 2040.

80. Entrevista de la autora con Hans Laufer, agosto de 2008. Véase también Abbie Mitchell, «Plastic in the Ocean Hurts Lobster», *Nova News Now,* 3 de julio de 2008, en http://www.novanewsnow.com/article-227641-Plastic-in-the-ocean-hurts-lobster.html.

81. Correspondencia por correo electrónico de la autora con Pat Grandy, director de comunicaciones, Zippo Corporation, septiembre de 2009.

82. Entrevistas de la autora con Judith Sanders, On the Lighter Side; Ted Ballard, Museo Nacional del Encendedor, junio de 2009.

6. La batalla de las bolsas

1. Achim Steiner, vicesecretario general de Naciones Unidas y director ejecutivo de UNEP, comunicado de prensa sobre la publicación de un informe de Naciones Unidas sobre residuos marinos, 10 de junio de 2009; http://www.unep.org/Documents.Multilingual/Default.asp?DocumentID=589&ArticleID=6214&L=EN&T=LONG.

2. Mike Verespej, «Plastic Bag Industry in Fight of Its Life», *Plastics News,* 16 de marzo de 2009.

3. Belinda Luscombe, «The Patron Saint of Plastic Bags», *Time,* 27 de julio de 2008.

4. Stephanie Barger, directora ejecutiva de la Earth Resource Foundation, sita en Costa Mesa, y fundadora de la Campaign Against the Plastic Plague, citada en Steve Toloken, «Plastics' Image Problem», *Plastics News,* 6 de agosto de 2007.

5. «No Easy Years Ahead», *Modern Plastics,* junio de 1956, pág. 5.

6. Mike Verespej, «Even Going Green Requires Cutting Costs», *Plastics News,* 22 de diciembre de 2008.

7. American Chemistry Council, *The Resin Review,* 2008, pág. 51.

8. Meikle, *American Plastic,* págs. 249-250.

9. Mildred Murphy, «Plastic Industry to Warn on Bags», *New York Times,* 18 de junio de 1959.

10. Jerome Heckman, «Heckman Shares Plastics Past», *Plastics News,* 17 de abril de 2000.

11. El relato de la creación de las bolsas camiseta por parte de Mobil procede de una entrevista de la autora con Bill Seanor, ahora empleado de Overwraps Packaging, Inc., septiembre de 2008.

12. Según Diana Twede, científica e historiadora del sector de los envoltorios, la bolsa de la compra de papel apareció a mediados del siglo XIX cuando a un emprendedor tendero de Bristol, Inglaterra, se le ocurrió que podría pegar unos trozos de papel para hacer una bolsa y obtener así dos valiosos beneficios: una forma cómoda para sus clientes de llevar la compra a casa y un espacio gratuito donde hacer publicidad de su tienda. Hasta que el proceso se automatizó después de la guerra civil estadounidense, los tenderos pasaban sus horas de asueto sentados en las trastiendas pegando papel para hacer bolsas. Con todo, la bolsa de papel marrón no se convirtió en un producto básico en las cajas de las tiendas hasta el auge de la cultura del automóvil, los barrios residenciales y los autoservicios en las décadas posteriores a la segunda guerra mundial. Entrevista de la autora con Diana Twede, Universidad del Estado de Michigan en Lansing, agosto de 2008.

13. Europa estaba más abierta a las bolsas de plástico que Estados Unidos, donde, debido a la abundancia de la madera, los precios del papel siempre han sido más bajos.

14. «Design Landmarks», *European Plastics News,* 1 de octubre de 2008. Entrevista de la autora con Chris Smith, director de *European Plastics News,* septiembre de 2008. Los inventores llevaban mucho tiempo intentando hacer lo mismo, pero Thulin fue el primero en desarrollar un método viable para doblar, pegar y troquelar un tubo plano de plástico. O uno de los primeros: existe una patente finlandesa concedida hacia la misma época.

15. Mobil compró una pequeña fábrica en Florencia, Italia, que producía bolsas camiseta y envió allí a Seanor para que acelerara la producción destinada al mercado estadounidense.

16. Otro problema fue el polímero que usó Mobil para fabricar sus bolsas: un polietileno lineal de baja densidad que se daba de sí y se desgarraba con facilidad. Al cabo de unos años, los fabricantes de bolsas se pasaron a un tipo de plástico más resistente, el polietileno de alta densidad (HDPE), más adecuado para acarrear grandes pesos. El cambio a HDPE «segó la hierba bajo los pies» del negocio bolsero de Mobil, señaló Seanor. La empresa había invertido demasiado en polietileno linear de baja densidad (LLDPE) para cambiar, y finalmente

cedió el mercado de bolsas camiseta a una tanda de nuevas empresas que usaban HDPE para fabricar bolsas.

17. Flexible Packaging Association, «An Industry Takes Shape: The FPA Story, 1950-2000», pág. 28.

18. La industria del papel no cedió sin presentar antes batalla y defendió las bolsas de papel por razones ecológicas. Ante la preocupación medioambiental por la amenaza que suponían los vertederos llenos a rebosar, el papel ofrecía importantes ventajas: era un material biodegradable y más fácil de reciclar. Para muchos consumidores se trataba de una consideración importante, y el American Paper Institute se mostró más que dispuesto a sacar partido de estas preocupaciones. El grupo congregó a las nueve mil secciones de la Federación General de Clubes Femeninos para combatir por lo que uno de los directivos del grupo denominó «la bolsa de papel típicamente americana». «Tenemos que denunciar los embalajes excesivos y debemos exigir opciones de embalaje ecológicas», manifestó Margaret England, presidenta de la Federación. George Makrauer, «Plastic Bag Wars and Politics», historia no publicada relatada a la autora.

19. Entrevista de la autora con Peter Grande, septiembre de 2008.

20. Es el cálculo que aparece en Reusablebags.com.

21. Basado en cálculos según los cuales los estadounidenses consumen alrededor de 90 mil millones de bolsas al año. La población de Estados Unidos es de unos 300 millones.

22. Meikle, *American Plastic,* pág. 250.

23. «Cleaning Plastic Bags», *New York Times,* 8 de mayo de 1956. Cuando Imperial Chemical Company introdujo las primeras bolsas de polietileno, dichas bolsas eran lo suficientemente caras para venir con instrucciones de lavado para su reutilización. Entrevista de la autora con Chris Smith.

24. Daniel Imhoff, *Paper or Plastic: Searching for Solutions to an Overpackaged World,* Sierra Club Books, San Francisco, 2005, pág. 9; Environmental Protection Agency, *Municipal Solid Waste Generation, Recycling and Disposal in the United States: Facts and Figures for 2008.* Puede que no sea una coincidencia que entre 1960 y 1980 la cantidad de residuos sólidos en Estados Unidos se triplicase.

25. Daniel Wintraub, «Into the Battle», *Orange County Register,* 11 de junio de 2000.

26. Entrevistas de la autora con Mark Murray, septiembre y noviembre de 2008, junio de 2010.

27. En estudios de diversos vertederos llevados a cabo por el Garbage Project [Proyecto Basura] de William Rathje, los productos y los embalajes de plástico representaban regularmente entre el 20 y el 24 por ciento de toda la basura antes de ser seleccionada, y un 16 por ciento después de su compactación. William Rathje y Cullen Murphy, «Five

Major Myths About Garbage and Why They're Wrong», *Smithsonian,* julio de 2002. Los estudios más recientes sobre residuos realizados por la Environmental Protection Agency muestran que los plásticos constituyen alrededor del 12 por ciento del flujo total de residuos, mientras que el papel asciende a un 31 por ciento.

28. Kirk Lang, «Fairfield Panel Recommends Trashing Plastic Bags», www.connpost.com, 13 de agosto de 2009.

29. El trabajo de Rathje sobre los vertederos proporcionó valiosos argumentos a la industria de los plásticos en la década de 1980. La industria financió su investigación y divulgó ampliamente sus conclusiones. Los fabricantes de bolsas de plástico se valieron de dichas conclusiones para reforzar sus críticas a las bolsas de papel, dijo Seanor: «Probablemente dimos sus vídeos y cosas así a todos los minoristas del país».

30. Por ejemplo, una propuesta de 2010 para prohibir las bolsas en California estuvo financiada por Heal the Bay, de Santa Mónica, y los grupos ecologistas integraban buena parte de la coalición que apoyaba esta medida.

31. Entrevista de la autora con Robert Haley, director de Zero Waste [Residuo Cero], Departamento de Medio Ambiente de San Francisco, octubre y noviembre de 2008. También, Elizabeth Royte, *Garbage Land: On the Secret Trail of Trash,* Little, Brown, Boston, 2005, pág. 255.

32. Robert Lilienfeld, «Revised Analysis of Life Cycle Assessment Relating to Plastic Bags», *ULS Report,* marzo de 2008, en http://use-less-stuff.com/research.htm.

33. Green Cities California, *Master Environmental Assessment on Single-Use and Reusable Bags,* publicado el 15 de marzo de 2010.

34. Entrevista de la autora con Leslie Tamminen, julio de 2010.

35. Ocean Conservancy, *A Rising Tide,* pág. 9. En total, las bolsas representaban el 12 por ciento de toda la basura recogida, por detrás únicamente de las colillas. Curiosamente, uno de los patrocinadores de estas limpiezas anuales de playas es Dow Chemical, destacado productor de resina de polietileno, el material con el que se hacen las bolsas camiseta.

36. Departamento de Obras Públicas del condado de Los Ángeles, «An Overview of Carryout Bags in Los Angeles County», agosto de 2007, pág. 24.

37. Californians Against Waste, «The Problem of Plastic Bags», sitio web de Californians Against Waste en http://www.cawrecycles.org/issues/plastic_campaign/plastic_bags/problem.

38. Entrevistas de la autora con Haley.

39. Las bolsas disminuyeron de alrededor del 45 por ciento de toda la basura tirada en la calle al 0,22 por ciento en 2004, según Frank

Convery et al., «The Most Popular Tax in Europe? Lessons from the Irish Plastic Bags Levy», *Environmental and Resource Economics,* 38, septiembre de 2007, pág. 7. Sudáfrica y Hong Kong han adoptado tasas similares.

40. Elisabeth Rosenthal, «Motivated by a Tax, Irish Spurn Plastic Bags», *New York Times,* 2 de febrero de 2008.

41. Convery et al., «Most Popular Tax», pág. 9. En años posteriores aumentaron la tasa.

42. Ibíd., pág. 2. La industria señala a menudo que a raíz de la imposición de la tasa a las bolsas de plástico, las importaciones irlandesas de bolsas de basura de plástico y de film de polietileno aumentaron de manera considerable, de 26,3 millones de toneladas métricas en 2002 a 31,6 millones en 2006. Los defensores de la bolsa suelen considerar dicho aumento «una consecuencia no intencionada» de la prohibición. Pero dicha afirmación elude el hecho de que la tasa no estaba concebida para eliminar todas las bolsas de plástico, sino aquellas que acababan arrojándose en la vía pública, destino menos habitual de las bolsas de basura.

43. Tim Shestek, miembro de un grupo de presión al servicio del American Plastics Council, citado en Suzanne Herel, «Paper or Plastic: Pay Up», *San Francisco Chronicle,* 20 de noviembre de 2004.

44. Esto sucedió durante un periodo en el que los comercios de alimentación habían aceptado reducir voluntariamente la distribución de bolsas de plástico si Mirkarimi aplazaba un año la tasa propuesta. El acuerdo consistía en que si las tiendas conseguían disminuir considerablemente el número de bolsas que distribuían, la ciudad cancelaría su plan de imponer la tasa. Entrevistas de la autora con Haley y con Ross Mirkarimi, Junta de Supervisores de San Francisco, diciembre de 2008. Véase también Charles Goodyear, «Deal to Reduce Plastic Ba Use Hits the Skids», *San Francisco Chronicle,* 18 de enero de 2007.

45. Entrevistas de la autora con Murray, Haley y Mirkarimi.

46. Véase, por ejemplo, Mark McDonald, «Dump the Plastic Bag?», *Philadelphia Daily News,* 18 de septiembre de 2007; Carolyn Shapiro, «The Flap Over Plastic Shopping Bags», *The Virginian-Pilot,* 10 de marzo de 2008; y Kyle Hopkins, «Tundra Trash: Bethel Prohibits Plastic Bags», *Anchorage Daily News,* 21 de julio de 2009.

47. Marc Gunther, «Wal-Mart: The New Food and Drug Administration», *Fortune,* 16 de julio de 2008.

48. Roger Bernstein, vicepresidente de asuntos estatales y de las bases sociales, American Chemistry Council, entrevista con la autora, octubre de 2008.

49. Joe Eskenazi, «Baggage», *San Francisco Weekly,* 5 de enero de 2009.

50. «Purge the Plastic Plague», *Die-Line: The Newsletter of the California Film Extruders and Converters Association,* enero de 2005.

51. Steve Toloken, «APC, Calif. Clash on Marine Debris Issue», *Plastics News,* 6 de diciembre de 2004.

52. Incluso en 2007, una encuesta llevada a cabo por la industria reveló que la mitad de los encuestados consideraban que las batallas de las bolsas y otros enfrentamientos por los envoltorios de plástico que tenían lugar en California resultaban irrelevantes fuera del estado o una reacción exagerada. El hecho de que tantos integrantes del negocio «piensen que no nos enfrentamos a un problema grave [...] me lleva a preguntarme si el auténtico problema es el de la falta de divulgación, el de la autocomplacencia o ambos», protestó Pete Grande, fabricante de bolsas de plástico ubicado en Los Ángeles, en un editorial de la revista profesional *Die-Line* en marzo de 2007. La mayoría de los fabricantes de bolsas californianos que se pronunciaron sobre los residuos marinos no fabricaban bolsas camiseta; hacían bolsas para productos agrícolas, restaurantes o grandes almacenes. Pero temían que cualquier reacción contraria a las bolsas camiseta acabara perjudicando a sus artículos.

53. Entrevista de la autora con Robert Bateman, septiembre de 2007.

54. Según su declaración de la renta de 2006, tuvo unos ingresos de 122,8 millones de dólares. Y en 2008, el nuevo presidente del American Chemistry Council mencionó que su presupuesto era cuatro veces mayor que el presupuesto operativo de 30 millones de dólares de su empresa anterior. Mike Verespej, «New American Chemistry Council Head Discusses Challenges Ahead», *Plastics News,* 28 de julio de 2008.

55. En 2007, el presupuesto operativo de la Society for Plastics Industry era de 7 millones de dólares, una cantidad mucho menor que los 30 millones de hacía una década; desde entonces el grupo ha recortado aún más el presupuesto y el número de empleados. Véase Mike Verespej, «Society for Plastics Industry Shake-Up Concerning Some Members», *Plastics News,* 13 de agosto de 2007 y «Society for Plastics Industry Cuts Staff, Reorganizes Amid Downturn», *Plastics News,* 13 de julio de 2009.

56. Seanor, citado en Mike Verespej, «Plastic Bag in Fight for Its Life», *Plastics News,* 16 de marzo de 2009.

57. Cálculo realizado por Isaac Bazbaz, presidente de Superbag Corp., uno de los principales fabricantes de bolsas camiseta de la nación. Entrevista de la autora con Bazbaz, agosto de 2008.

58. Esta crónica sobre la reunión está basada en entrevistas de la autora con Seanor y Bazbaz. Las instalaciones para la fabricación de bolsas de Vanguard y Sucono fueron compradas posteriormente por Hilex Poly, empresa ubicada en Carolina del Sur.

59. Isaac Bazbaz, presidente de Superbag, al parecer gastó más de un millón de dólares en campañas a favor de la bolsa. Brett Clanton, «Bag Makers Defend Plastic», *Houston Chronicle,* 1 de diciembre de 2007.

60. Fue también una experiencia reveladora, según Seanor y otros de sus colegas. Al principio se había mostrado hostil a las quejas de los ecologistas sobre la contaminación plástica. Al cabo de un año, empezó a pensar que la industria de los plásticos debería crear un fondo destinado a mitigar el problema de los residuos plásticos en el océano. Murió antes de tener la oportunidad de llevar a la práctica su idea.

61. Keith O'Brien, «In Praise of Plastic», revista *Boston Globe,* 28 de septiembre de 2008.

62. Citado en Meg Kissinger y Susanne Rust, «Plastics Fights Back with PR», *Milwaukee Journal Sentinel,* 22 de agosto de 2009.

63. Eskenazi, «Baggage».

64. Entrevistas de la autora con Joseph, julio de 2008 y junio de 2009. Véase también Luscombe, «Patron Saint».

65. Entrevista de la autora con Pete Grande.

66. Mostrous, «Series of Blunders».

67. Se llevaron a cabo al menos media docena de análisis en Europa, Australia, Sudáfrica y Estados Unidos. Para leer un resumen y tener acceso a los enlaces más creíbles, véase Lilienfeld, «Revised Analysis», marzo de 2008.

68. Tom Robbins, citado en Diana Twede y Susan E.M. Selke, *Cartons, Crates and Corrugated Board: Handbook of Paper and Wood Packaging Technology,* DEStech Publications, Lancaster, Pensilvania, 2005.

69. Gene Maddaus, «The Plastic Bag Lives on in Manhattan Beach», *Los Angeles Weekly,* 27 de enero de 2010.

70. Por ejemplo, el Ayuntamiento de Fairfax, una pequeña localidad de siete mil habitantes y que cuenta con dos comercios de alimentación, fue demandado cuando aprobó una prohibición de las bolsas en 2007. Las autoridades municipales prefirieron retirar la propuesta antes que enzarzarse en una batalla judicial o redactar un informe medioambiental completo. Pero las autoridades de Fairfax encontraron otra forma de prohibir las bolsas: sometieron la propuesta a la votación de los habitantes del pueblo, una iniciativa que no precisa la misma revisión del impacto medioambiental. Los votantes la aprobaron en 2008.

71. Informe sobre el impacto medioambiental realizado por Green Cities California, 2010.

72. Entrevista de la autora con Carol Misseldine, mayo de 2010.

73. Entrevistas de la autora con Roger Bernstein; Keith Christman, director de envoltorios y embalajes, departamento de plásticos, American Chemistry Council; y Jennifer Killinger, directora de sostenibilidad y divulgación, American Chemistry Council, en octubre de 2008.

74. Entrevista de la autora con Bazbaz. Bajo los auspicios de American Chemistry Council, el grupo de fabricantes de bolsas antes conocido como Progressive Bag Alliance se cambió el nombre por el de Progressive Bag Affiliates. Curiosamente, la Society for Plastics Industry se ha mantenido al margen de la disputa.

75. Ronald Yocum y Susan Moore, «Challenge 2000: Making Plastic a Preferred Material», en Rosato et al., *Concise Encyclopedia,* pág. 15. La campaña estuvo patrocinada por el American Plastics Council, y las encuestas patrocinadas por el sector mostraron que la aceptación del plástico aumentó de alrededor del 52 por ciento a alrededor del 65 por ciento. Véase también Steve Toloken, «The Plastics Wars», *Plastics News,* 8 de marzo de 1999.

76. Por ejemplo, las duras tácticas del sector consiguieron impedir que el condado de Suffolk, Nueva York, pusiera en práctica la primera prohibición del país a los envoltorios y embalajes de plástico, como las bolsas de plástico. Después de que se aprobara la ley en 1988, los fabricantes pusieron un pleito, y el litigio se alargó durante cuatro años. El condado ganó el juicio, pero por aquel entonces ya se habían iniciado varios programas de reciclaje, los consumidores habían perdido interés, y el condado decidió anular la prohibición. John McQuiston, «Suffolk Legislators Drop a Ban on Plastic Packaging for Foods», *New York Times,* 9 de marzo de 1994.

77. Puede obtenerse información sobre los desfiles de modas y otros programas en http://www.plasticsmakeitpossible.com. Entretanto, la Society for Plastics Industry ha prometido lanzar una campaña de diez millones de dólares en internet titulada «Imagina las posibilidades que ofrece el plástico». Dicha campaña pregonará las ventajas de este material y refutará lo que, en opinión del sector, constituye una enorme cantidad de información errónea sobre el plástico que puede encontrarse en la red. Mike Verespej, «Playing Offense», *Plastic News,* 29 de junio de 2009.

78. Informes sobre las actividades de los grupos de presión archivados en los despachos del secretario de estado de California. La sesión de los años 2007-2008 fue también el periodo en que se debatió la Iniciativa a Favor de la Química Verde de California, una medida en la que el American Chemistry Council tenía mucho más en juego. En cuanto al tercer trimestre de 2010, el grupo informó que había gastado casi 1,2 millones de dólares en la sesión legislativa de 2009-2010, aunque no toda esa cantidad se destinó a defender la bolsa de plástico. En esta misma sesión el American Chemistry Council combatía una propuesta de prohibición del bisfenol A. A nivel federal, el American Chemistry Council gastó 4,9 millones de dólares en 2008 en cabildeos y más de 8 millones en 2009, según el sitio web www.opensecrets.org.

79. Entrevistas de la autora con Keith Christman, American Chemistry Council, diciembre de 2009, y Dick Lilly, director de prevención y gestión de residuos en el ámbito comercial, Servicios Públicos de Seattle, y uno de los artífices de la tasa, diciembre de 2009. Curiosamente, cuando aprobó la tasa para las bolsas, el Ayuntamiento de la ciudad también promulgó la prohibición de suministrar envases de poliestireno expandido con la comida para llevar. El American Chemistry Council optó por no enfrentarse a la prohibición del poliestireno porque, tal y como explicó su portavoz Keith Christman, «no incluía los mismos datos». A diferencia de la tasa de las bolsas, era una medida popular, por lo que en esta ocasión no fue posible explotar la ambivalencia de los consumidores.

80. Mike Verespej, «Seattle Voters Reject 20-Cent Fee», *Plastic News*, 19 de agosto de 2009; Marc Ramírez, «Paper or Plastic? Or Neither?», *Seattle Times*, 21 de julio de 2009. Oficialmente había otros socios en la Coalition to Stop the Seattle Bag Tax [Coalición para Impedir la Tasa a las Bolsas en Seattle], entre los que estaban 7-Eleven y la asociación sectorial que representaba a los comercios de alimentación independientes de Washington. Pero la mayor parte del dinero provenía del American Chemistry Council.

81. La Green Bag Coalition [Coalición para las Bolsas Verdes] gastó alrededor de 98.000 dólares defendiendo las tasas, según informes de la Ethics and Election Commission de Seattle.

82. Además de los gastos propagandísticos y los dedicados a presionar a los congresistas, el American Chemistry Council gastó al menos 15.000 dólares en donativos políticos durante los diez primeros meses de 2010. En ese mismo periodo, Hilex Poly entregó 21.700 dólares a varios legisladores e hizo una contribución de 10.000 dólares al comité central del estado del Partido Demócrata. Exxon Mobil dio casi 45.000 dólares a varios legisladores, además de 10.000 al Partido Republicano de California. Un grupo denominado Good Chemistry PAC, asociado a Dow Chemical, donó 3000 dólares a un influyente senador estatal. Para ser justos, durante el mismo periodo la California Grocers Association [Asociación de Comercios de Alimentación de California], que respaldaba la prohibición, donó 22.000 dólares a varios legisladores, 10.000 al Partido Demócrata del estado y 32.500 al Partido Republicano.

83. El estudio, llevado a cabo por los reputados científicos Chuck Gerba y David Williams, de la Universidad de Arizona, y Ryan Sinclair, de la Universidad de Loma Linda, halló «grandes cantidades de bacterias» en casi todas las bolsas sometidas a prueba, por ejemplo la peligrosa bacteria *E. coli* en el 12 por ciento de la muestra. La solución al problema era muy sencilla: lavar las bolsas regularmente.

84. Según Green Cities California. Para el seguimiento de la legislación y los litigios relativos a las bolsas de plástico en Estados Unidos

y otros países, véase el sitio web www.plasticbaglaws.org, mantenido por la abogada y activista contra las bolsas de plástico Jennie Roemer. La inclusión de las bolsas de plástico, así como el hecho de que esos ayuntamientos ahora están armados con un informe sobre el impacto medioambiental, significa que a Steve Joseph le será más difícil pleitear con éxito. San Francisco, entretanto, está estudiando una medida concebida para ampliar su prohibición de las bolsas, de modo que incluya cualquier otro tipo de bolsa de plástico, a excepción de las que se usan para envolver productos agrícolas y periódicos. Por otra parte, varios fabricantes de bolsas de California están tomando medidas para crear nuevos tipos de bolsas de plástico que sean más gruesas y por tanto menos fáciles de tirar en lugares públicos, y que contengan plástico reciclado.

85. En la lista de zonas en las que fracasaron las propuestas de prohibiciones figuran Edmonds, Washington; Fairfax, Malibu, Palo Alto y Ft. McMurray California; Brownsville, Texas; Maui County, Hawai; Marshall County, Iowa; y Wesport, Connecticut. Los Ángeles aprobó una prohibición, pero el Ayuntamiento fue demandado por Joseph y accedió a retrasar la puesta en práctica de la medida hasta que emitiera su veredicto la asamblea legislativa estatal.

86. Nikita Stewart, «Bill to Charge Consumers for Bags Prompts Debate», *Washington Post,* 2 de abril de 2009; Tim Craig, «D.C. Bag Tax Collects $ 150,000 in January for River Cleanup», *Washington Post,* 30 de marzo de 2010; Sara Murray y Sudeep Reddy, «Capital Takes Bag Tax in Stride», *Wall Street Journal,* 20 de septiembre de 2010. El American Chemistry Council tampoco pudo impedir que Brownsville, Texas, exigiera a los comercios de alimentación en 2010 que impusieran la tasa más alta hasta la fecha a las bolsas: un dólar.

87. Entrevista de la autora con Steve Russell, director ejecutivo, American Chemistry Council, departamento de plásticos, diciembre de 2009. También Bruce Horovitz, «Makers of Plastic Bags to Use 40 Percent Recycled Content by 2015», *USA Today,* 21 de abril de 2009.

88. Murray citado en «Bag Makers Set Recycling Goal for 2015», *Plastics News,* 27 de abril de 2009.

89. Estas cifras han sido objeto de debate. El American Chemistry Council sostiene que el reciclaje de bolsas ha aumentado enormemente durante los últimos años, y que los distintos programas existentes reciclan ahora alrededor del 13 por ciento de todas las bolsas que se producen. Pero análisis convincentes de la revista *Plastic News* rebaten estas afirmaciones: muestran que el reciclaje de bolsas aumentó un 24 por ciento en 2005, primer año de la campaña del American Chemistry Council, pero desde entonces los índices apenas han aumentado. Según *Plastic News,* el índice real del reciclaje de bolsas es de sólo alrededor del ocho por ciento. Véase «New Data Shows Bag,

Film Recycling Stall», *Plastic News,* 22 de marzo de 2010; Mike Verespej, «Film, Bag Collections on the Rise», *Plastic News,* 9 de marzo de 2009.

90. Podríamos acabar enredándonos en otro debate sobre el impacto medioambiental de varios tipos de bolsa reutilizable. Como señaló el sector del plástico, casi todas las bolsas de malla de polipropileno que suelen sustituir a las bolsas camiseta están fabricadas en China, contienen metales pesados y no son fáciles de reciclar. Dada la selección disponible en la actualidad, descubriremos que incluso las mejores opciones implican hacer alguna concesión.

91. Entrevista de la autora con Cialdini, diciembre de 2009. Véase también Robert Cialdini, «Crafting Normative Messages to Protect the Environment», *Current Directions in Psychological Science,* 12, agosto de 2003, págs. 105-109. Noah Goldstein et al., «Room for Improvement: A Social Psychological Approach to Hotel Environmental Conservation Programs», *Cornell Hotel and Restaurant Administration Quarterly,* 48, 2007, págs. 145-150.

92. Robert Lilienfeld, «Report on Field Trip to San Francisco to Assess Plastic Bag Ban», septiembre de 2008. En http://use-less-stuff.com/Field-Report-on-San-Francisco-Plastic-Bag-Ban.pdf. También, entrevista de la autora con Lilienfeld, noviembre de 2008.

93. La ciudad empleó ochenta y cuatro millones de bolsas de papel en 2009, según cálculos del escritor Joe Eskenazi. Por esta razón, los que combaten las bolsas en la ciudad aún esperan acabar con la costumbre de usar bolsas de papel; en 2010 Mirkarimi propuso una ley que exigía a los comercios de alimentación cobrar diez centavos por cada bolsa compostable o de papel.

94. La encuesta sobre desperdicios en lugares públicos llevada a cabo por el Ayuntamiento en 2008 reveló que la prohibición no había incidido en el número de bolsas de plástico que revoloteaban por las calles de la ciudad; de hecho, el número de bolsas tiradas había aumentado ligeramente.

95. Ellen Gamerman, «An Inconvenient Bag», 26 de septiembre de 2008.

7. Cerrar el ciclo

1. Glenn Fowler, «N.C. Wyeth, Inventor, Dies at 78; Developed the Plastic Soda Bottle», *New York Times,* 7 de julio de 1990.

2. Fenichell, *Plastic,* pág. 316.

3. Fowler, «N.C. Wyeth».

4. Jack Challoner (ed.), *1001 Inventions That Changed the World,* Quintessence, Londres, 2009, pág. 835.

5. La historia de su invento aparece en Fenichell, *Plastic,* págs. 315-316. Véase también un perfil de Wyeth escrito cuando fue galardonado con el prestigioso premio Lemelson a la innovación, «Nathaniel Wyeth», archivo sobre el Inventor MIT de la semana, agosto de 1998. En http://web.mit.edu/invent/iow/wyeth.html. El polímero por el que optó Wyeth, el PET, está hecho a partir de la combinación de un alcohol, el glicol de etileno (anticongelante) y un ácido, el tereftalato de dimetilo, y fue descubierto en 1941 por los químicos británicos Rex Whinfield y James Dickson. Descubrieron que la molécula podía convertirse en un buen tejido, y después de la guerra lo lanzaron con el nombre de Terylено. Más tarde los fabricantes descubrieron otras formas de usar la fibra para crear distintas variantes de las telas antiarrugas que nos liberaron de la insufrible tarea de planchar. Emsley, *Molecules at an Exhibition,* págs. 134-135.

6. El tereftalato que forma parte del PET proviene de una rama de la familia de los ftalatos distinta de las usadas en el vinilo y sospechosas de causar trastornos hormonales.

7. La Food and Drug Administration ya ha rechazado la propuesta de Monsanto de fabricar una botella para bebidas alcohólicas hecha de PVC, después de que aparecieran pruebas de lixiviación de cloruro de vinilo, un monómero carcinógeno. Después Coca-Cola y Monsanto colaboraron en una iniciativa de 100 millones de dólares para crear una botella de plástico para refrescos hecha de estireno acrilonitrilo. Pero abandonaron el intento en 1977 después de que Monsanto admitiera que pequeñas cantidades de acrilonitrilo podían filtrarse en la bebida, y diversos investigadores descubrieron que las ratas alimentadas a base de este polímero podían desarrollar tumores y defectos de nacimiento. Véase Fenichell, *Plastic,* pág. 315.

8. Container Recycling Institute, «Sales by container type», en http://www.container-recycling.org/facts/all/data/salesbymat.htm.

9. Las cifras exactas varían según la fuente, pero datos procedentes del Servicio de Investigación Económica del Departamento de Agricultura Estadounidense indican que a principios de la década de 1970, cada estadounidense bebía entre 83 y 114 litros de refrescos al año. A finales de la década de 1990, el consumo de refrescos alcanzó su nivel más alto: casi 197 litros al año. Desde entonces esta cifra ha descendido, dado que más gente se ha pasado a las infusiones y a los zumos. Véase Judy Putnam y Shirley Gerrior, «Americans Consuming More Grains and Vegetable, Less Saturated Fat», *Food Review,* septiembre-diciembre de 1997, en http://www.ers.usda.gov/publications/foodreview/sep1997/septt97a.pdf.

10. Alrededor de un tercio de las bebidas ahora se consumen por la calle, según la hoja informativa *What's a Bottle Bill* colgada en www.bottlebill.org.

11. Jon Mooallem, «The Unintended Consequences of Hyperhydration», *New York Times Magazine,* 27 de mayo de 2007.

12. Las botellas de agua representaban la mitad, o treinta y seis mil millones, de las botellas de PET producidas en 2006, según el Container Recycling Institute. Una consultora de márketing reveló a *The New York Times* que su investigación demostró que el hábito de las botellas de agua guardaba menos relación con la hidratación física que con el consuelo psicológico de llevar a todas partes la botella: «Les aporta seguridad». Mooallem, «Unintended Consequences».

13. Frank Ackerman, *Why Do We Recycle? Markets, Values, and Public Policy,* Island Press, Washington DC, 1997, págs. 124-135.

14. El primer reciclaje de estas botellas tuvo lugar en 1977.

15. Entrevista de la autora con Dennis Sabourin, director de la National Association for PET Container Resources, febrero de 2010.

16. Association of Postconsumer Plastic Recyclers, «2009 United States National Post-Consumer Plastics Bottle Recycling Report». En 2009 la cifra era de un 28 por ciento, un cuatro por ciento más que en 2007.

17. Según la National Association for PET Containers Resources, hacen falta sesenta y tres botellas de 600 mililitros para hacer un jersey, por lo que la cifra equivale a más de 870 millones de jerséis.

18. Container Recycling Institute, «Energy Impacts of Replacing Beverage Containers Wasted in 2005», en http://www.container-recycling.org/facts/datashow.php?file=/issues/zbcwaste/data/energytable.htm&title=Energy%20Inpacts%20%200f%Replacing%20Beverage%20 Containers.

19. La tasa de reciclaje del polietileno de alta densidad, el plástico n.º 2 usado en botellas de leche y de detergente, es un poco más alta que la del PET: 29 por ciento en 2008. Pero en cuanto a tonelaje, se recicla mucho más PET según la Environmental Protection Agency, «Municipal Solid Waste Generation, 2008».

20. Ibíd.

21. Ackerman, *Why Do We Recycle,* pág. 14.

22. Strasser, *Waste and Want,* págs. 11-13. El libro proporciona una reseña muy útil de la forma en que los estadounidenses han gestionado y eliminado los residuos.

23. Ibíd.

24. Strasser, *Waste and Want,* y Ackerman, *Why Do We Recycle,* constituyen buenas fuentes de información sobre la historia del reciclaje.

25. Ackerman, *Why Do We Recycle,* pág. 12.

26. El organismo que fija los estándares, el ATSM, Inc., está desarrollando cambios en el código que podrían suponer añadir nuevas categorías de números. Véase Mike Verespej, «Changes Planned for

Resin Identification Codes Include Categories for PC, PLA», *Plastics News,* 26 de octubre de 2009.

27. Ackerman, *Why Do We Recycle,* págs. 18-19.

28. El American Chemistry Council estima que ocho de cada diez estadounidenses tienen acceso al reciclaje, pero algunos expertos sostienen que este cálculo es demasiado alto. Susan Collins, directora del Container Recycling Institute señala que el 40 por ciento de los estadounidenses vive en edificios plurifamiliares que no suelen contar con programas de recogida selectiva puerta a puerta y que «acceso» podría significar vivir en un estado que tenga un centro donde depositar residuos. Correspondencia por correo electrónico entre la autora y Collins, julio de 2010.

29. Departamento de Recursos y Reciclaje de California, «Biannual Report of Beverage Container Sales, Returns, Redemptions and Recycling Rates», mayo de 2010.

30. La tasa media de recogida en aquellos estados que no cuentan con una ley de envases retornables es del 13,6 por ciento, según el Container Recycling Institute. Los estados con una ley de envases retornables recuperan el 71 por ciento de las botellas de refrescos gaseosos y el 35 por ciento de las botellas de bebidas no gaseosas. Véase el sitio web del CRI, http: www.container-recycling.org/facts/all/data/recrates-depnon-3mats.htm.

31. Correspondencia por correo electrónico de la autora con Robert Reed, portavoz de Recology, mayo de 2010.

32. Para ubicar allí las instalaciones, el Ayuntamiento prometió a los vecinos del barrio que serían los primeros en recibir ofertas de empleo con sueldos fijados mediante convenio sindical.

33. Entrevista de la autora con Steve Alexander, director ejecutivo de la Association of Postconsumer Plastic Recyclers, diciembre de 2008.

34. Correspondencia por correo electrónico de la autora con Robert Reed, portavoz de Recology, julio de 2010.

35. Este problema llevó al empresario de Boston Eric Hudson a fundar Preserve, una empresa dedicada a fabricar productos con polipropileno (el plástico n.º 5) usado, con la esperanza de exhibir la ganancia económica para animar al reciclaje del plástico. Su primer producto fue un cepillo de dientes hecho a base de envases usados de yogur; podía devolverse a la empresa por correo para que lo reciclaran de nuevo. El eslogan que viene en el paquete es «Si no desperdicias tienes mucho que ganar». Recientemente la empresa se asoció a Whole Foods para lanzar una campaña llamada «Venga esos cinco», que animaba a los compradores a devolver sus envases usados de yogur a las tiendas para que los reciclaran. En el primer año, la campaña consiguió captar veinte mil kilos de polipropileno usado, una gota de agua

en el mar de las resinas. Entrevista de la autora con el portavoz de Preserve C.A. Webb, febrero de 2010.

36. Entrevista de la autora con Leno Bellomo, director del departamento de bienes de consumo, Recology, septiembre de 2009.

37. Entrevista de la autora con David Allaway, analista de políticas en el Programa de Residuos Sólidos del Departamento de Calidad Medioambiental de Oregón, febrero de 2010.

38. Toland Lam, citado en Nina Ying Sun, «China's Lam Talks Up Recycling and Change», *Plastic News,* 7 de abril de 2008.

39. De hecho, es preciso triturar las botellas para que China las acepte, aunque China está reconsiderando esa política. Si la rescinden, a los recicladores estadounidenses les preocupa que pueda conducir a una exportación aún mayor de botellas de PET al extranjero. Steve Toloken, «China to Accept Whole PET Bottles», *Plastics News,* 14 de diciembre de 2009.

40. El episodio del programa *Sixty Minutes* titulado «El páramo electrónico» se emitió por primera vez en noviembre de 2008.

41. No todos los recicladores son tan exigentes. Otra planta de reciclaje que visité mezclaba diferentes tipos de plástico durante el proceso de reciclado, y la resina obtenida era un plástico de peor calidad que sólo podía emplearse en productos de gama baja como macetas y perchas. La mayoría de los clientes de dicha planta eran fabricantes chinos.

42. Entrevista de la autora con Edward Kosior, director gerente de Nextek Pty Ltd., empresa especializada en reciclaje que ha diseñado instalaciones de circuito cerrado por todo el mundo, enero de 2010.

43. Hasta hace poco, toda la gama de plásticos numerados entre el 3 y el 7 se enviaban directamente al extranjero. Debido a la recesión, los gastos de transporte se han disparado y a Recology le resulta más barato encontrar reprocesadores estadounidenses que acepten estos plásticos de menos valor.

44. National Association for PET Container Resources, «2009 Report on Postconsumer PET Container Recycling Activity».

45. La dependencia de China también volvió enormemente vulnerables a los distintos programas de reciclaje de todo el país cuando la economía mundial entró en caída libre en otoño de 2008. Se desfondó el mercado de productos básicos, China dejó de comprar todos los materiales usados y la infraestructura del reciclaje se paralizó. Los precios de varios tipos de residuos cayeron en picado, especialmente los residuos plásticos. Los programas de reciclaje tuvieron que vender asumiendo pérdidas, rechazaron plásticos difíciles de reciclar y alquilaron espacio en almacenes para guardar aquellos plásticos que no podían vender. En algunos casos más drásticos tuvieron que llevar los plásticos al vertedero. Algunos municipios decidieron suprimir sus pro-

gramas de reciclaje. Véase Philip Sherwell, «Crash in Trash Creates Mountains of Unwanted Recyclables In the U.S.», *UK Telegraph,* 13 de diciembre de 2008.

46. La tasa general de reciclaje en Estados Unidos para 2008, de un 34 por ciento, ha bajado con respecto a la tasa general de 2000 (41 por ciento) y veinte puntos porcentuales con respecto a la tasa más alta, el 54 por ciento alcanzado en 1992, según el Container Recycling Institute, «Wasting and Recycling Trends, 2008», pág. 4. En http://www.container-recycling.org/assets/pdfs/reports/2008-BMDA-conclusions.pdf.

47. Charla de Chase Willett, analista de Chemical Market Associates, Inc., en el Congreso sobre el Reciclaje de Plásticos celebrado en Austin, Texas en marzo de 2010.

48. Peter Schworm, «Recycling Efforts Fail to Change Old Habits», *Boston Globe,* 14 de marzo de 2010. Los problemas de los sistemas de flujo único se analizan en Clarissa Morawski, «Understanding Economic and Environmental Impacts of Single-Stream Collection Systems», informe encargado por el Container Recycling Institute en diciembre de 2009.

49. Entrevista de la autora con Patty Moore, Moore Consultants, diciembre de 2008.

50. Se considera que las ventajas ecológicas de cerrar el ciclo en las fases previas de la producción son entre diez y veinte veces mayores que las que se obtienen mediante el infraciclado o la eliminación de un producto. Morawski, «Understanding Economic», pág. 8.

51. La primera ley de envases retornables se aprobó en Oregón en 1971. Durante los quince años siguientes diez estados más recogieron el testigo, pero entonces las iniciativas a favor de estas leyes se paralizaron. Había once estados con leyes de envases hasta 2010, cuando Delaware anuló la imposición de un depósito de cinco centavos, vigente desde hacía veintiocho años. Los legisladores estatales dijeron que la medida no conducía a demasiadas devoluciones de botellas porque la mayoría de las tiendas se negaban a devolver los envases. Así, la asamblea legislativa sustituyó el depósito con una tasa no reembolsable de cuatro centavos, con la que se proporcionarán fondos a los transportistas de desechos para que lleven a cabo programas de recogida selectiva puerta a puerta. Mike Verespej, «Delaware Replaces Bottle Deposits with Controversial Fee», *Plastics News,* 17 de mayo de 2010.

52. El grupo fue fundado por Mike Garvey, activista contra la contaminación del agua en Houston. Entrevistas de la autora con Mary Wood y Patsy Gillham, marzo de 2010.

53. Entrevista de la autora con Collins; también, «What Is a Bottle Bill», http://www.botlebill.org/about/whatis.htm.

54. Sitio web del Container Recycling Institute.

55. Ibíd. El número de envases de bebidas tirados en lugares públicos ha disminuido entre un 69 y un 84 por ciento en los estados que han promulgado leyes de envases retornables.

56. Entrevista de la autora con Collins y con su predecesora, Betty McLaughlin, en octubre de 2007. Véase también Mooallem, «Unintended Consequences», sobre las disputas por la ampliación de las leyes de envases retornables al agua embotellada.

57. Entrevista de la autora con Rappaport.

58. Brenda Platt et al., *Stop Trashing the Climate,* Institute for Local Self-Reliance, Washington DC, 2008, pág. 19.

59. Entrevista de la autora con Bill Sheehan, director ejecutivo, Product Policy Institute, febrero de 2010.

60. Environmental Protection Agency, «Municipal Solid Waste», 2008, pág. 9.

61. El informe de Grassroots Recycling Network titulado «Wasting and Recycling in the U.S. 2000» indica que entre 1990 y 1997 los envases y los envoltorios de plástico aumentaron cinco veces más deprisa por peso que el plástico recuperado para su reciclaje; citado en Jim Motavalli, «Zero Waste», revista *E,* marzo-abril de 2001.

62. John Tierney, «Recycling Is Garbage», *New York Times Magazine,* 30 de junio 1996.

63. Lyle Clarke, vicepresidente de políticas y programas, Stewardship Ontario, que gestiona uno de los programas de la provincia sobre la responsabilidad ampliada del productor, en una conferencia pronunciada en el Congreso de Reciclaje de Plásticos, Austin, Texas, marzo de 2010.

64. El argumento detallado se expone en Helen Spiegelman y Bill Sheehan, «Unintended Consequences: Municipal Solid Waste Management and the Throwaway Society», Product Policy Institute, Athens, Georgia, marzo de 2005. Véase también Melinda Burns, «The Smoldering Trash Revolt», *Miller-McCune,* 21 de enero de 2010.

65. La información sobre el sistema alemán proviene de Imhoff, Paper or Plastic, págs. 46-53; Clean Production Action, «Summary of Germany's Packaging Takeback Law», septiembre de 2003; en www.cleanproduction.org/library/EPR_dvd/DualesSystemDeutsch_REVISEDoverview.pdf. Para tener una buena perspectiva general del programa, véase Betty Fishbein, «EPR: What Does It Mean? Where Is It Headed?», *Pollution Prevention Review,* 8, 1998, págs. 43-55; en www.informinc.org/eprppr.phpP2.

66. «Profits Warning: Why Germany's Green Dot Is Selling Up», *Let's Recycle,* 25 de noviembre de 2004, en http://www.letsrecycle.com/do/ecco.py/view_item?listid=38&listcatid=218&listitemid=2056§ion=.

67. PlasticsEurope, «Compelling Facts About Plastic, 2009»; en http://www.plasticseurope.org/Documents/Document/20100225141556_Brochure_UK_FactsFigure_2009_22sept_6_Final-20090930-001-EN-v1.pdf.

68. En términos generales, alrededor del 30 por ciento del plástico que no se envía a los vertederos en Europa se quema para obtener energía. Ibíd. Véase también Elisabeth, Rosenthal, «Europe Finds Cleaner Source of Fuel in Trash Incinerators as U.S. Sits Back», *New York Times,* 13 de abril de 2010. Los críticos argumentan que las plantas podrían generar gases con efecto invernadero, producir cenizas tóxicas y fomentar un aumento en la producción de basura, dado que dependen de los desechos para poder seguir funcionando.

69. Entrevista de la autora con Collins.

70. Fishbein, «EPR». Un informe más reciente, encargado por el Departamento de Conservación de California, reveló que, desde el año 2000, la cantidad de residuos de envoltorios producidos se ha estabilizado y ahora es de entre 15,1 y 15,5 millones de toneladas métricas, lo cual indica que las políticas han conseguido interrumpir la conexión entre crecimiento económico y aumento de residuos; véase R3 Consulting Group y Clarissa Morawski, «Evaluating End-of-Life Beverage Container Management Systems for California», Departamento de Conservación de California, mayo de 2009.

71. Californian Ocean Protection Council, «An Implementation Strategy for the California Ocean Protection Council Resolution to Reduce and Prevent Ocean Litter», 20 de noviembre de 2008, pág. 11.

72. Sitio web de Product Policy Institute; sitio web de California Product Stewardship Council.

73. William McDonough y Michael Braungart, *Cradle to Cradle: Remaking the Way We Make Things,* North Point Press, Nueva York, 2002, pág. 92.

74. Reunión trimestral de la Sustainable Packaging Coalition, San Francisco, abril de 2008.

75. Entrevista de la autora con Ann Johnson, directora de la Sustainable Packaging Coalition, marzo de 2008.

76. La información sobre las diversas medidas de Coca-Cola procede de una entrevista de la autora con Scott Vitters, director de envasado sostenible y de recursos hídricos y medioambientales, Coca-Cola, marzo de 2010, y correspondencia por correo electrónico de la autora con Vitters, agosto de 2010. Véase también la nota de prensa «Coca-Cola, Our Commitment to Environmental Stewardship»; Marc Gunther, «Coca-Cola's New PlantBottle Sows Path to Greener Packaging», Greenbiz.com, 1 de diciembre de 2009.

77. Amy Galland, «Waste and Opportunity: U.S. Beverage Container Scorecard and Report, 2008»; el informe, escrito para el organis-

mo regulador As You Sow [Lo Que Uno Siembra], dio un aprobado a Coca-Cola en una ficha que evaluaba toda una serie de criterios, por ejemplo la reducción en origen, el reciclaje y el uso de contenido reciclado. Resultó revelador que fuera la puntuación más alta de todos los fabricantes de bebidas.

78. Betsy McKay, «Message in the Drink Bottle: Recycle», *Wall Street Journal,* 30 de agosto de 2007.

79. Ariel Schwartz, «Coca-Cola Japan Sells Easy-Crush Water Bottles to Save Plastic, But Is It Greenwashing?», *Fast Company,* 9 de junio de 2009; en http://www.fastcompany.com/blog/ariel-schwartz/sustainability/coca-cola-japan-selling-easy-crush-water-bottles-save-plastic-it?#.

80. Correspondencia por correo electrónico de la autora con Vitters, agosto de 2010.

81. Mike Verespej, «Coke Planning U.S. PET Recycling Plant», *Plastics News,* 31 de agosto de 2007; editorial, «Coke's PET Pledge: Real Progress or PR?», *Plastics News,* 24 de septiembre de 2007.

82. Entrevista de la autora con Kosior.

8. ¿Qué significa ser verde?

1. Caitlin McDevitt, «Plastics Flashback: A Visual History of the Credit Card», *Big Money,* 28 de mayo de 2009; en http://www.thebigmoney.com/slideshow/plastic-flashback#.

2. Ibíd. Hacia la misma época, una empresa de Cleveland empezó a producir tarjetas de compra de plástico y las promocionó con la sugerencia de que dichas tarjetas servirían como «vallas publicitarias en los billeteros» de las empresas que las emitieran. La idea atrajo enseguida a las grandes compañías de gas, así como a tiendas y bancos; véase «Credit Cards in Plastics», *Modern Plastics,* noviembre de 1957.

3. *Oxford English Dictionary;* correspondencia de la autora con Geoffrey Nunberg, abril de 2010.

4. La frase apareció en el sitio web de Teraco, uno de los principales fabricantes de tarjetas de plástico.

5. «The Survey of Consumer Payment Choice», Federal Reserve Bank of Boston, enero de 2010; en www.creditcard.com.

6. Tracie Rozhon, «The Weary Holiday Shopper Is Giving Plastic This Season», *New York Times,* 9 de diciembre de 2002.

7. Cindy Waxer, «Eco-friendly Initiatives Focus on Gift Cards», Creditcards.com; en http://www.creditcards.com/credit-card-news/eco-friendly-green-gift-cards-plastic-1237.php.

8. McDevitt, «Plastics Flaschback».

9. Correspondencia por correo electrónico de la autora con Mai Lee, relaciones con los medios, Discover Card Services, abril de 2010.

10. Entrevista de la autora con John Kiekhaefer, director de desarrollo, Perfect Plastic Cards, mayo de 2010.

11. Laura Shin, «Making Credit Cards Landfill Friendly», blog verde del *New York Times,* http://green.blogs.nytimes.com/2009/02/23/making-credit-cards-landfill-friendly/.

12. Según cálculos de Rodd Gilbert, propietario de Earthwork Systems, una empresa ubicada en Solon, Ohio, que recoge y recicla tarjetas de plástico usadas. Entrevista de la autora con Gilbert, abril de 2010.

13. Entrevista de la autora con Paul Kappus, abril de 2010.

14. Entrevista de la autora con Tim Greiner, socio, Pure Strategies, abril de 2010.

15. Li Shen et al., «Product Overview». Según este informe sobre el futuro de los bioplásticos, la tasa media de crecimiento anual en el mundo fue de un 38 por ciento entre 2003 y 2007, y alcanzó el 48 por ciento en Europa. Otros pronósticos auguran tasas de crecimiento de los bioplásticos de entre un 15 y un 20 por ciento en 2011, y entre un 12 y un 40 por ciento anualmente en los años siguientes, dependiendo de la rapidez con que se creen nuevas resinas y nuevos mercados. Véase Mike Verespej, «Despite New Feedstocks, Resins Will Be Resins», *Plastics News,* 16 de agosto de 2010.

16. Entrevista de la autora con Ramani Narayan, profesor de Química en la Universidad del Estado de Michigan en Lansing, mayo de 2010. En todo el mundo, se produjeron 360.000 toneladas de bioplásticos en 2007, lo que suponía sólo un 0,3 por ciento de la producción mundial de plásticos. Jon Evans, «Bioplastics Get Growing», *Plastics Engineering,* febrero de 2010, pág. 16.

17. Li Shen et al., «Product Overview», pág. 2.

18. Mauro Gregorio, director de materias primas alternativas en Dow, citado en Joshua, Schneyer, «Brazil's "Organic» Plastics", *Business Week,* 24 de junio de 2008.

19. Nonny de la Pena, «Bioplastics Lifts Garbage Out of the Trash Heap», *New York Times,* 19 de junio de 2007.

20. La historia del interés de Ford en las semillas de soja se cuenta en Meikle, *American Plastic,* págs. 155-156, y en Geiser, *Materials Matter,* págs. 260-261. La cita de la revista *Time* proviene de Meikle, *American Plastic,* pág. 156. En la película de 1946 *Qué bello es vivir,* el amigo de George Bailey, Sam, intenta convencerlo para que invierta en plásticos a base de soja. George rechaza la oferta y continúa siendo un banquero de provincias en Bedford Falls mientras su amigo se enriquece moldeando burbujas acrílicas a base de soja para aviones (ibíd., pág. 159).

21. De la Pena, «Bioplastics».

22. En los años ochenta y noventa, como respuesta a la preocupación de que el plástico se acumulara en los vertederos, los fabricantes

crearon varios tipos de pseudobiopolímeros, plásticos convencionales mezclados con almidón vegetal que en teoría se biodegradarían. En realidad, sólo se descomponían los almidones, mientras que los polímeros a base de petróleo permanecían intactos. Estos materiales no sólo no resolvían los problemas de residuos que planteaban los plásticos, sino que los productos fabricados con ellos tendían a desgarrarse o a romperse, lo cual afectó a la reputación de todo el sector de los bioplásticos durante un tiempo. Lo sucedido hizo pensar en cómo había quedado la reputación de los dermoplásticos debido a los productos de mala calidad que se fabricaron después de la segunda guerra mundial.

23. Kerry Dolan, «Revving Up Nature's Engines», *Forbes,* 24 de julio de 2006.

24. Frank Esposito, «Biopolymers Building Muscle in Market», *Plastics News,* 22 de marzo de 2010.

25. Rosalie Morales et al., «The Brazilian Bioplastics Revolution», documento publicado en Knowledge@Wharton, sitio web de la Escuela de Negocios Wharton; en http://www.wharton.universia.net/index.cfm?fa=viewArticle&id=1704&language=englishWharton study.

26. Procter and Gamble ya usa polietileno a base de caña de azúcar en envases y envoltorios de varios de sus productos, entre los que se cuentan algunos cosméticos de las marcas Max Factor y CoverGirl. Toyota piensa usar PET a base de caña de azúcar en el interior de sus vehículos.

27. La empresa también usa tejidos para asientos hechos con hilo reciclado en el Ford Escape y el Escape Hybrid. Y en el Ford Flex de 2010, los compartimentos de almacenamiento están hechos de plástico reforzado con paja de trigo. El objetivo de Ford es fabricar todas las piezas de plástico de sus coches con materiales compostables. Rhoda Miel, «Natural Fiber Use in Auto Parts Expands», *Plastics News,* 4 de diciembre de 2009; Candace Lombardi, «Our Cars Are 85 Percent Recyclable, Ford says», *CNET News,* 22 de abril de 2010.

28. Entrevista de la autora con Mark Rossi, octubre de 2009.

29. Pueden verse diferentes versiones de estas fichas de evaluación en los sitios web de Clean Production Action, cleanproduction.org, y Sustainable Biomaterials Collaborative [Colectivo Biomateriales Sostenibles], www.sustainablebiomaterials.org.

30. En realidad, el APL fue sintetizado por primera vez hace más de ciento cincuenta años, pero no se le encontró ninguna aplicación hasta la década de 1960, cuando resultó evidente que podría tener usos médicos ya que este material se disolvía en el interior del cuerpo sin causar daño. A finales de la década de 1980, varias empresas, como DuPont, Coors y Cargill, comenzaron a investigar cómo aumentar la producción a fin de poder emplearlo como materia prima plástica; véase Li Shen et al., «Product Overview», pág. 57. La historia de Na-

tureWorks y el APL proviene de una entrevista de la autora con Steve Davies, director de comunicación de NatureWorks, abril de 2010, y de Elizabeth Royte, «Corn Plastic to the Rescue», *Smithsonian,* agosto de 2006.

31. Suzanne Vranica, «Snack Attack: Chip Eaters Make Noise About a Crunchy Bag», *Wall Street Journal,* 5 de octubre de 2010.

32. Dado que la versatilidad del APL tiene sus límites, una empresa llamada Cereplast está obteniendo un considerable éxito comercial gracias a la creación de híbridos de APL y de petroplásticos convencionales que amplían la gama de atributos de este biopolímero.

33. La información sobre Metabolix proviene de entrevistas de la autora con su jefe de comunicación, Brian Igoe, y con el fundador de la empresa, Oliver Peoples, en julio de 2009. Véase también Mara Der Hovanesian, «I Have Just One Word for You: Bioplastics», *Business Week,* 19 de junio de 2008.

34. En 2010 Peoples dijo que la empresa «estaba a uno o dos años de iniciar pruebas de campo con nuestros cultivos comerciales», lo que supondría el paso siguiente hacia la comercialización.

35. Evans, «Bioplastics Get Growing», pág. 17.

36. Entrevista de la autora con Narayan. Algunos críticos han cuestionado que las ventajas sean realmente tan grandes, al menos en cuanto a Metabolix. Un antiguo científico de Metaboliz argumentó que la energía que se precisa para convertir el azúcar de maíz en polihidroxialcanoato (PHA) es mayor que la que se necesita para hacer polietileno convencional. Lo mismo sucedería al extraer PHA de pasto de la pradera o de cualquier otro cultivo de plantas no comestibles. Y arguyó que, al ser compostable, puede liberar metano, mientras que los petroplásticos no biodegradables actuarán como capturadores de carbono a largo plazo. Si tenemos en cuenta todos los factores, afirmó el ingeniero de Dartmouth College Tillman Gerngross, el Mirel «no es sostenible». Entrevista de la autora con Gerngross, abril de 2010; Gerngross, «How Green Are Green Plastics?», *Scientific American,* agosto de 2000. Narayan sostuvo que el análisis de Gerngross no concedía la debida importancia al ahorro inicial de carbono obtenido mediante el uso de materias primas renovables.

37. E.T.H. Vink et al., «The Eco-Profiles for Current and Near-future Natrue Works Polylactide (PLA) Production», *Industrial Biotechnology,* 3, 2007, págs. 58-81.

38. The Sustainable Biomaterials Collaborative —una red de grupos y negocios ecologistas interesados en los bioplásticos— se opone al uso de los biopolímeros hechos a base de materias primas transgénicas. Al grupo le preocupa especialmente el pasto de la pradera transgénico, dado que es un cultivo de polinización abierta que podría amenazar al pasto de la pradera natural que tuviera al lado. Correspondencia por

correo electrónico de la autora con la copresidenta de SBC Brenda Platt, agosto de 2010.

39. Geiser, *Materials Matter*, pág. 331.

40. Entrevista de la autora con Craig Criddle, Universidad de Stanford, mayo de 2010.

41. Stacey Shackford, «Ithaca Plastics Company Gets $18.4 Million Federal Grant», *Ithaca Journal*, 22 de julio de 2010. Coates está comercializando su trabajo a través de una empresa privada que ha recibido más de veinte millones de dólares en subsidios federales.

42. Desde principios de los años sesenta, a los científicos les han preocupado cada vez más las consecuencias medioambientales de las prácticas químicas tradicionales. Pero el campo de la química verde no empezó a funcionar hasta finales de los años ochenta, cuando dos destacados científicos, John Warner y Paul Anastas, expusieron una serie de principios rectores para el sector. Dichos principios comenzaban con la declaración de que «es mejor prevenir los residuos que tratarlos o limpiarlos una vez se hayan formado», y continuaban recalcando la necesidad de instaurar prácticas más ecológicas, como reducir el uso de disolventes, agentes separadores y otras sustancias auxiliares siempre que fuera posible; usar materiales renovables cuando fuera técnica y económicamente posible; diseñar productos que no persistan en el medio ambiente y que se descompongan en subproductos inocuos; y elegir sustancias y procesos que tengan una posibilidad muy pequeña de causar accidentes químicos. J.A. Linthorst, «An Overview: Origins and Development of Green Chemistry», *Foundations of Chemistry*, 12, págs. 55-68.

43. La lista no prohíbe explícitamente el uso de bisfenol A o de ftalatos, pero dado que el APL se ha escogido para utilizarlo en más aplicaciones, Davies dijo que la empresa está considerando si es preciso revelar este dato.

44. Entrevistas de la autora con Narayan y con Steve Mojo, director ejecutivo del Sustainable Products Institute, abril y mayo de 2010. Véase también Ramani Narayan, «Misleading Claims and Misuse of Standards Continues to Proliferate in the Nascent BioPlastics Industry Space», revista *Bioplastics*, 2 de enero de 2010; Brenda Platt, «Biodegradable Plastics: True or False, Good or Bad?», en http://www.sustainableplastics.org/spotlight/biodegradable-plastics-true-or-false-good-or-bad. Para poder decir que un producto es biodegradable, su fabricante necesita proporcionar datos específicos, como en cuánto tiempo y en qué condiciones se descompondrá. Estas cuestiones constituyen el quid de los estándares del sector con respecto a la biodegradabilidad.

45. Entrevista de la autora con Narayan.

46. Entrevista de la autora con Mojo. Un estudio de bolsas oxobiodegradables patrocinado por el California Integrated Waste Manage-

ment Board [Junta de Gestión de Residuos de California] no encontró pruebas de biodegradación, lo que condujo al estado de California a aprobar una ley para restringir el uso de los términos «biodegradable compostable», «degradable» y «degradable en el mar» en las bolsas de plástico.

47. Por ejemplo, el plástico Ecoflex de BASF es un polímero biodegradable y compostable a base de petróleo. Se usa para fabricar bolsas compostables.

48. Sin embargo, los planes para comprar utensilios de cocina, platos y vasos hechos de Mirel están en suspenso porque Estados Unidos se rige por el Tratado de Marpol, que prohíbe los vertidos en el mar. Se están llevando a cabo negociaciones para revisar el tratado de forma que «se respalde a los plásticos que sean degradables en el mar», según la correspondencia por correo electrónico de la autora con Brian Ruby, director de comunicación de Metabolix, en agosto de 2010.

49. Rhodes Yepsen, «U.S. Residential Food Waste Collection and Composting», *BioCycle,* diciembre de 2009, pág. 35.

50. Según la revista *Time,* algunos centros de compostaje tienen la política general de desechar todo tipo de plástico. «Doy instrucciones a los empleados de sacar el plástico, que no pueden distinguir del bioplástico», dijo Will Bakx, copropietario y edafólogo en Sonoma Compost, empresa de compostaje de Petaluma, California. Kristina Dell, «The Promise and Pitfalls of Bioplastic», revista *Time,* 3 de mayo de 2010.

51. Citado en Meikle, *American Plastic,* pág. 9.

52. La Comisión Federal del Comercio considera ilegal afirmar que los productos plásticos pueden biodegradarse en un vertedero. «Lo malo es que no han enviado a toda la gente que lo merecía a la cárcel por hacerlo», observó Mojo. Las nuevas normas de la comisión, sin embargo, prometen poner más trabas a las empresas que afirman ventajas ecológicas no corroboradas. Y proclamar que un producto es ecológico tendrá que respaldarse con pruebas y con frases específicas, como «basado en la capacidad de reciclar». Jack Neff, «FTC Goes After Broad Environmental Claims», *Advertising Age,* 6 de octubre de 2010.

53. Environmental Protection Agency, «Municipal Solid Waste», 2008.

54. «DiCaprio Promotes Green Credit Cards», *Huffington Post,* 24 de marzo de 2008. La noticia también aparece en el sitio web de HSBC; véase http://www.hsbc.com.hk/1/2/cr/environment/projects/green_credit_card.

55. Penelope Green, «Biodegradable Home Lines, Ready to Rot», *New York Times,* 8 de mayo de 2008.

56. Meikle, *American Plastic,* pág. 176.

57. Entrevistas de la autora con Beth Terry, diciembre de 2008 y abril de 2010. Véase también su blog, www.fakeplasticfish.com.

58. Janet Raloff, «Concerned About BPA: Check Your Receipts», *Science News,* 7 de octubre de 2009. En http://www.sciencenews.org/view/generic/id/48084/title/Science_%2B_the_Public_Concerned_about_BPA_Check_your_receipts.

59. Entrevista de la autora con Lilienfeld.

60. Li Shen et al., «Product Overview», pág. ii.

Epílogo: Un puente

1. Entrevista de la autora con Terry Schmidt, directora de comunicación, Wharton State Forest, mayo de 2010.

2. Entrevista de la autora con Jim Kerstein, fundador y consejero delegado de Axion International, mayo de 2010. Para obtener más información sobre los puentes de la empresa, véase Sergio Bichao, «Lightweight-But Strong-Plastic Used by Army to Build Bridge Has Origins in Rutgers Labs», *Courier News,* 9 de octubre de 2009; en http://www.mycentraljersey.com/article/20091009/NEWS/910009050.

3. El vídeo de la ceremonia de inauguración del puente se puede ver en http://youtube.com/watch?v=ohE-ymdio44.

4. Entrevista de la autora con Marc Green, presidente de Axion International, mayo de 2010.

5. Entrevista de la autora con Schmidt.

Bibliografía selecta

Ackerman, Frank, *Poisoned for Pennies: The Economics of Toxics and Precaution,* Island Press, Washington DC, 2008.

—, *Why Do We Recycle?: Markets, Values, and Public Policy,* Island Press, Washington DC, 1997.

Andrady, Anthony, *Plastics and the Environment,* John Wiley and Sons, Hoboken, Nueva Jersey, 2003.

Baker, Nena, *The Body Toxic: How the Chemistry of Everyday Things Threatens Our Health and Well-Being,* North Point Press, Nueva York, 2008.

Chang, Leslie, *Factory Girls: From Village to City in a Changing China,* Spiegel and Grau, Nueva York, 2009.

Clarke, Alison J., *Tupperware: The Promise of Plastic in 1950s America,* Smithsonian Institution Press, Washington DC, 1999.

Coe, J.M. y D.B. Rogers (eds.), *Marine Debris: Sources, Impacts, and Solutions,* Springer-Verlag, Nueva York, 1997.

Colborn, Theo, Dianne Dumanoski y John Peterson Myers, *Our Stolen Future: Are We Threatening Our Fertility, Intelligence, and Survival? A Scientific Detective Story,* Dutton, Nueva York, 1996 [trad. esp.: *Nuestro futuro robado: ¿amenazan las sustancias químicas artificiales nuestra fertilidad, inteligencia y supervivencia?,* Ecoespaña Editorial, Madrid, 2001].

DiNoto, Andrea, *Art Plastic: Designed for Living,* Abbeville Press, Nueva York, 1987.

Doyle, Bernard, *Comb Making in America: An Account of the Origin and Development of the Industry for Which Leominster Has Become Famous,* impresión privada, 1925.

Doyle, Jack, *Trespass Against Us: Dow Chemical and the Toxic Century,* Common Courage Press, Monroe, Maine, 2004.

DuBois, J. Harry, *Plastics History, U.S.A.,* Cahners Books, Boston, 1972.

Ebbesmeyer, Curtis y Eric Scigliano, *Flotsametrics and the Floating World: How One Man's Obsession with Runaway Sneakers and Rubber Ducks Revolutionized Ocean Science,* HarperCollins, Nueva York, 2009.

Emsley, John, *Molecules at an Exhibition: The Science of Everyday Life,* Oxford University Press, Oxford, 1998 [trad. esp.: *Moléculas en una exposición: retratos de materiales interesantes de la vida cotidiana,* Ediciones Península, Barcelona, 2000].

Fenichell, Stephen, *Plastic: The Making of a Synthetic Century,* HarperCollins, Nueva York, 1996.

Fiell, Charlotte y Peter Fiell, *1000 Chairs,* Taschen, Colonia, 2000.

Friedel, Robert, *Pioneer Plastic: The Making and Selling of Celluloid,* University of Wisconsin Press, Madison, 1983.

Geiser, Kenneth, *Materials Matter: Toward a Sustainable Materials Policy,* MIT Press, Cambridge, Massachusetts, 2001.

Hammond, Ray, *The World in 2030,* Ediciones Yago, Itxaropena, 2007.

Hill, John W. y Doris Kolb, *Chemistry for Changing Times,* Prentice Hall, Saddle River, Nueva Jersey, 1998.

Hine, Thomas, *Populuxe,* Knopf, Nueva York, 1986.

—, *The Total Package: The Evolution and Secret Meaning of Boxes, Bottles, Cans, and Tubes,* Little, Brown, Boston, 1995.

Imhoff, Daniel, *Paper or Plastic: Searching for Solutions to an Overpackaged World,* Sierra Club Books, San Francisco, 2005.

Katz, Sylvia, *Plastics: Common Objects, Classic Designs,* Harry N. Abrams, Nueva York, 1984.

Lauer, Keith y Julie Robinson, *Celluloid: Collectors Reference and Value Guide,* Collector Books, Paducah, Kentucky, 1999.

Mark, Herman F., *Giant Molecules,* Time-Life Books, Nueva York, 1966.

Markowitz, Gerald y David Rosner, *Deceit and Denial: The Deadly Politics of Industrial Pollution,* University of California Press, Berkeley, 2002.

McDonough, William y Michael Braungart, *Cradle to Cradle: Remaking the Way We Make Things,* North Point Press, Nueva York, 2002 [trad. esp.: *Cradle to Cradle,* McGraw Hill/Interamericana de España, Madrid, 2005].

Meikle, Jeffrey, *American Plastic: A Cultural History,* Rutgers University Press, New Brunswick, Nueva Jersey, 1997.

Mossman, Susan (ed.), *Early Plastics: Perspectives, 1850-1950,* Leicester University Press, Londres, 2000.

Newman, Thelma R., *Plastics as Design Form,* Chilton Book Co., Filadelfia, 1972.

Odian, George, *Principles of Polymerization,* 4.ª ed., John Wiley and Sons, Hoboken, Nueva Jersey, 2004.

Rogers, Heather, *Gone Tomorrow: The Hidden Life of Garbage,* New Press, Nueva York, 2005.

Rosato, Dominick, William Fallon y Donald Rosato, *Markets for Plastics,* Van Nostrand Reinhold, Nueva York, 1969.

Rosato, Donald, Marlene Rosato y Dominick Rosato, *Concise Encyclopedia of Plastics,* Kluwer Academic Publishers, Boston, 2000.

Royte, Elizabeth, *Bottlemania: How Water Went on Sale and Why We Bought It,* Bloomsbury, Nueva York, 2008.

—, *Garbage Land: On the Secret Trail of Trash,* Little, Brown, Boston, 2005.

Schapiro, Mark, *Exposed: The Toxic Chemistry of Everyday Products and What's at Stake for American Power,* Chelsea Green Publishing, White River Junction, Vermont, 2007.

Sparke, Penny (ed.), *The Plastics Age: From Bakelite to Beanbags and Beyond,* Overlook Press, Woodstock, Nueva York, 1993.

Strasser, Susan, *Satisfaction Guaranteed: The Making of the American Mass Market,* Pantheon Books, Nueva York, 1989.

—, *Waste and Want: A Social History of Trash,* Metropolitan Books, Nueva York, 1999.

Vegesack, Alexander von y Mathias Remmele (eds.), *Verner Panton: The Collected Works,* Vitra Design Museum, Weil am Rhein, 2000.

Walsh, Tim, *Wham-O Super-Book: Celebrating Sixty Years Inside the Fun Factory,* Chronicle Books, San Francisco, 2008.

Wargo, John, *Green Intelligence: Creating Environments That Protect Human Health,* Yale University Press, New Haven, Connecticut, 2009.

Weisman, Alan, *The World Without Us,* Thomas Dunne Books, Nueva York, 2007 [trad. esp.: *El mundo sin nosotros,* Editorial Debate, Barcelona, 2007].

Whitehead, Don, *The Dow Story: The History of the Dow Chemical Company,* McGraw-Hill, Nueva York, 1968.

Yarsley, V.E. y E.G. Couzens, *Plastics,* Penguin Books, Harmondsworth, Reino Unido, 1941.

Rovito, Donald, Marlene [illegible] Dominic [illegible] Guide's Encyclopedia of [illegible] Skinner [illegible] Publishers, Boston, 2000.
Rowe, Elizabeth. [illegible] ... Rough [illegible], New York, 2008.
[illegible] Boston, 2005.
[illegible] State [illegible] Power [illegible] Publishers [illegible] 2000.
[illegible] and [illegible] ... 1995.
[illegible] New York, [illegible]
[illegible] New York, [illegible]
[illegible] 2000.
[illegible] Chronicle Books, San Francisco, 2008.
[illegible]
[illegible]
[illegible] Thomas Dunne Books, New York [illegible]
[illegible] 2007.
Whitehead, Don. The Dow Story: The History of the Dow Chemical Company, McGraw-Hill, New York, 1968.
[illegible] Books, [illegible]
2005, [illegible]